D0511208

Knaur.

Über die Autorin:
Danielle Steel ist eine der erfolgreichsten Autorinnen der Welt – mit rund 600 Millionen verkauften Büchern, die in knapp 50 Ländern erschienen sind. Nahezu jeder ihrer über 80 Romane schaffte es auf die *New-York-Times*-Bestsellerliste.
Neben dem Schreiben widmet sich die Mutter von neun Kindern intensiv ihrer Familie und engagiert sich für verschiedene soziale Stiftungen. Danielle Steel lebt heute in San Francisco und verbringt mehrere Monate des Jahres in Frankreich.
Wenn Sie mehr über die Autorin wissen möchten, dann besuchen Sie sie auf ihrer Website unter www.daniellesteel.com.

Danielle
STEEL

Schicksalstage

Roman

Aus dem Amerikanischen von
Silvia Kinkel

Knaur Taschenbuch Verlag

Die amerikanische Originalausgabe erschien 2004
unter dem Titel »Ransom« bei Delacorte Press, New York.

Besuchen Sie uns im Internet:
www.knaur.de

Sonderausgabe für Kaufhof Warenhaus AG
April 2010

Lizenzausgabe der Droemerschen Verlagsanstalt
Th. Knaur Nachf. GmbH & Co. KG, München.

Umschlaggestaltung: ZERO Werbeagentur, München
Umschlagabbildung: Gettyimages/Christian Michaels
Druck und Bindung: GGP Media GmbH, Pößneck
Printed in Germany
ISBN 978-3-426-50761-2

2 4 5 3 1

Für meine wunderbaren Kinder,
diese außergewöhnlichen Menschen,
die ich so sehr bewundere, liebe und respektiere.
Ganz besonders für Sam, Victoria, Vanessa,
Maxx und Zara, weil sie so tapfer, liebevoll,
geduldig und mutig sind.
Und für all die bemerkenswerten Frauen und Männer
in den Bezirks-, Staats- und Bundesbehörden,
die so oft unbeachtet bleiben und denen wir es
verdanken, dass wir in Sicherheit leben können.

In tief empfundener Liebe und Dankbarkeit
d.s.

»Weich ist stärker als hart,
Wasser stärker als Fels,
Liebe stärker als Gewalt.«

Hermann Hesse

1. Kapitel

Peter Matthew Morgan stand am Schalter, steckte die Papiere ein und nahm seine persönlichen Sachen entgegen. In der Brieftasche befanden sich vierhundert Dollar – sein ganzes Vermögen. Die Entlassungspapiere musste er seinem Bewährungshelfer übergeben. Peter trug eine Jeans, ein weißes T-Shirt, ein Hemd aus grobem Baumwollstoff, Slipper und weiße Socken. Die Sachen stammten aus der Kleiderkammer des Gefängnisses und waren auch nicht annähernd vergleichbar mit dem, was er bei seinem Haftantritt angehabt hatte. Vier Jahre und drei Monate hatte er im Staatsgefängnis Pelican Bay verbracht und damit die Mindestzeit seiner Freiheitsstrafe abgesessen. Peter war damals mit einer großen Menge Kokain gefasst worden. Ein Geschworenengericht hatte ihn verurteilt, und er war ins Gefängnis gekommen. Dafür, dass er zum ersten Mal vor Gericht gestanden hatte, war die Strafe sehr hoch ausgefallen.

Anfangs hatte er nur hin und wieder Drogen an ein paar Freunde verkauft, aber sein eigener Kokainkonsum stieg rapide, und geschäftlich lief es immer schlechter. Schließlich konnte Peter seinen Drogenlieferanten nur noch bezahlen, indem er für ihn dealte. Er verdiente nicht schlecht – in den sechs Monaten vor seiner Verhaftung fast eine Million Dollar –, aber selbst das reichte nicht, um das riesige finanzielle Loch zu stopfen, das er gerissen

hatte: Fehlinvestitionen, gewagte Börsenspekulationen mit geliehenen Aktien und riskante Warentermingeschäfte. Zudem hatte er ungedeckte Schecks in Umlauf gebracht und Geld unterschlagen.
Peter Morgan war der Inbegriff des netten Typs, bei dem alles schief gegangen war. Er hatte zu oft den falschen Weg eingeschlagen und keine der Chancen wirklich zu nutzen gewusst, die ihm das Leben geboten hatte. Peters Freunde und Geschäftspartner bedauerten vor allem seine Frau und seine Kinder, die letztendlich Opfer seiner Fehlkalkulationen und mangelnden Urteilsfähigkeit geworden waren. Trotzdem glaubte jeder, in Peter Morgan stecke ein guter Kerl. Dass sein Leben derartig aus den Fugen geraten war, lag sicher auch an den herben Schicksalsschlägen, die er schon in frühester Kindheit hatte einstecken müssen.
Als Peter drei Jahre alt war, starb sein Vater, der einer angesehenen New Yorker Familie entstammte. Die Familie war ursprünglich sehr reich gewesen, aber das Vermögen des Vaters schrumpfte schon seit Jahren, und was er nach seinem Tod hinterließ, gab Peters Mutter innerhalb kürzester Zeit mit vollen Händen aus. Sie blieb nicht lange allein, sondern heiratete den Erben einer Bankiersfamilie, einen jungen, äußerst vornehmen Mann. Peter und seine beiden Geschwister wurden von ihm genauso geliebt wie die zwei Halbbrüder, die aus dieser Ehe hervorgingen. Die Kinder genossen eine perfekte Erziehung und besuchten nur die besten Privatschulen. Nach außen wirkte die Familie sehr glücklich. Kaum jemand wusste, dass Peters Mutter gern – und immer häufiger – trank. Am Ende starb sie in einer Nervenheilanstalt. Juristisch gesehen

waren Peter und seine beiden leiblichen Geschwister jetzt Vollwaisen, da der Stiefvater sie nie adoptiert hatte.
Ein Jahr nach dem Tod von Peters Mutter heiratete der Stiefvater wieder, und seine neue Frau sah nicht ein, warum sich ihr Mann mit drei Kindern belasten sollte, die nicht seine eigenen waren. Sie erklärte sich bereit, seine beiden leiblichen Söhne zu akzeptieren, bestand aber darauf, dass sie ins Internat geschickt wurden. Mit den drei Kindern, die seine erste Frau mit in die Ehe gebracht hatte, wollte sie nichts zu tun haben. Von nun an kam Peters Stiefvater nur noch für die Internatskosten und später für das College auf, wobei das, was er den dreien an Unterhalt zahlte, hinten und vorn nicht reichte. Aber er weigerte sich strikt, den Kindern mehr Geld zur Verfügung zu stellen, und erklärte Peter zudem verlegen, dass er in seinem Haus nicht mehr gern gesehen sei.
Fortan verbrachte Peter seine Ferien entweder im Internat oder bei Schulfreunden, die er auf charmante Weise dazu brachte, ihn einzuladen. Und Peter konnte unglaublich charmant sein. Nach dem Tod seiner Mutter hatte er schnell lernen müssen, sich auf seine eigene Gewitztheit zu verlassen. Sie war alles, was er besaß, und ihm oft sehr nützlich.
Wenn Peter die Ferien bei Schulfreunden verlebte, kam es immer wieder vor, dass Geld verschwand, Tennisschläger nach seiner Abreise unauffindbar blieben, ausgeliehene Kleidung nie mehr auftauchte. Einmal löste sich eine goldene Armbanduhr in Luft auf, und als Konsequenz wurde eines der Dienstmädchen entlassen. Später stellte sich heraus, dass der damals sechzehnjährige Peter mit ihr geschlafen und sie überredet hatte, die Uhr für ihn zu

stehlen. Von dem Verkaufserlös konnte er sich sechs Monate lang über Wasser halten. Sein Leben war ein ständiger Kampf, genug Geld aufzutreiben, um einigermaßen passabel über die Runden zu kommen. Und er tat, was immer nötig war, um sich Geld zu beschaffen. Peter war so nett und höflich, dass alle ihn immer gern um sich hatten, und jedes Mal, wenn jemand etwas vermisste, wirkte er wie die Unschuld in Person. Unvorstellbar, dass sich ein Junge wie er irgendeines Vergehens schuldig machen könnte.

Als der Schulpsychologe einmal davon sprach, dass Peter soziopathische Züge aufweise, wollte das nicht einmal der Rektor glauben. Tatsächlich war es nahezu unmöglich, hinter Peters einnehmende Fassade zu schauen. Der Schulpsychologe hatte jedoch erkannt, dass es dem Jungen an Gewissen mangelte. Die Verluste, die er bis dahin schon erlitten hatte, waren nicht spurlos an ihm vorübergegangen. Er war auf sich allein gestellt und hatte gelernt, sich durchzuschlagen, koste es, was es wolle. Als Peter das College besuchte, erreichte ihn dann auch noch die Nachricht, dass seine achtzehnjährige Schwester ertrunken sei – ein weiterer harter Schlag. Über seine Vergangenheit oder seine Sorgen sprach Peter so gut wie nie, und nach außen wirkte er wie ein vernünftiger, optimistischer, aufgeschlossener Junge, der jeden bezaubern konnte. Die Frauen flogen ihm nur so zu, und die Männer betrachteten ihn als guten Kumpel. Man sah ihm nicht an, dass sein Leben alles andere als leicht gewesen war. Auch wenn er die Narben gut versteckte – in seinem Innern war Peter sehr traurig und verletzt.

Sein Stiefvater hielt sich an sein Versprechen. Er ließ Peter erst an einer Eliteschule ausbilden und finanzierte ihm anschließend ein Studium an der Harvard Business School, das Peter mit dem MBA abschloss. Jetzt verfügte er über das nötige Handwerkszeug für eine erfolgreiche Karriere. Zudem hatte er an der Uni wertvolle Kontakte knüpfen können. Niemand zweifelte daran, dass Peter es weit bringen würde. Im Umgang mit Geld war er geradezu begnadet – zumindest machte es den Anschein –, und direkt nach dem Studienabschluss bekam er einen Job als Börsenmakler an der Wallstreet. Etwa zwei Jahre entwickelte sich alles bestens, dann begannen die Dinge auf einmal aus dem Ruder zu laufen: Er verletzte hier und da Regeln, frisierte Abrechnungen, »borgte« sich bei Klienten ein bisschen Geld. Schließlich geriet er mit der Börsenaufsicht in Konflikt. Man konnte ihm damals kein Vergehen nachweisen, sonst wäre er vom FBI verhaftet worden und schon wesentlich früher im Gefängnis gelandet. Eine Zeit lang sah es gar nicht gut für ihn aus, aber er fiel noch einmal auf die Füße. Er wechselte zu einer Investmentbank und galt für kurze Zeit als der Goldjunge der Wallstreet. Bei allem, was Peter tat, verfolgte er ein Ziel, und immer hatte er einen Plan, wie er dieses Ziel möglichst schnell erreichen könnte. Schließlich hatte er zwei Dinge von frühester Kindheit an gelernt: dass von einem Moment auf den anderen alles vorbei sein konnte und dass er selbst auf sich aufpassen musste.

Im Alter von neunundzwanzig Jahren heiratete er Janet, eine bezaubernde junge Frau und Tochter des Geschäftsführers der Firma, in der Peter zu der Zeit arbeitete. Innerhalb von zwei Jahren bekamen sie zwei entzückende

Töchter. Alles schien perfekt zu sein. Peter liebte seine Frau und vergötterte seine Kinder. Aber plötzlich war er geradezu besessen von der Idee, um jeden Preis schnell viel Geld zu machen. Er sprach von nichts anderem mehr. Einige in seinem Umfeld waren der Meinung, es gehe ihm einfach zu gut und ihm sei zu viel in den Schoß gefallen. Er habe das große Los gezogen, sei dann aber gierig geworden und habe immer mehr riskiert. Schließlich geriet in seinem Leben Stück für Stück alles außer Kontrolle. Er ließ sich auf unsichere Geschäfte ein und nahm es mit Vorschriften und Gesetzen nicht mehr sonderlich genau – nichts, wofür man ihn hätte entlassen können, aber auch nichts, was sein Schwiegervater zu tolerieren bereit war. Peter schien die Gefahr geradewegs zu suchen. Während langer Spaziergänge auf dem Familienanwesen in Connecticut führte sein Schwiegervater ernste Gespräche mit ihm. Er sagte Peter, dass es keinen Schnellzug zum Erfolg gebe und man sich alles im Leben hart erarbeiten müsse. Außerdem erklärte er ihm nachdrücklich, dass die Geschäfte, die er tätige, und die Quellen, deren er sich bediene, ihn eines Tages Kopf und Kragen kosten könnten – vielleicht sogar schon bald. Er erläuterte ihm die Bedeutung von Integrität und war sicher, dass sein Schwiegersohn seinen Rat beherzigen würde. Er mochte Peter, merkte aber nicht, dass er ihm lediglich Angst einjagte und ihn zusätzlich unter Druck setzte.

Mit einunddreißig begann Peter, »nur so zum Spaß« Drogen zu nehmen. Es sei nichts Schlimmes, behauptete er, jeder tue es, und es mache alles aufregender und lustiger. Janet war deshalb sehr besorgt – zu Recht. Mit zweiunddreißig steckte Peter Morgan dann auch tatsächlich in großen Schwierigkeiten. Entgegen seiner Behauptung hatte er seinen Drogenkonsum längst nicht mehr unter Kontrolle. Er brauchte immer mehr Geld für Kokain und tastete schließlich das Vermögen seiner Frau an. Daraufhin drehte sein Schwiegervater ihm den Geldhahn zu, und ein Jahr später wurde Peter gebeten, die Firma zu verlassen. Seine Frau zog mit den Kindern zu ihren Eltern. Peter stand jetzt ständig unter Kokaineinfluss und hatte sein Leben nicht mehr im Griff. Zu diesem Zeitpunkt entdeckte sein Schwiegervater, wie viel Schulden Peter mittlerweile gemacht und in welchem Umfang er »diskret« Geld aus der Firma herausgezogen hatte. Angesichts der Tatsache, dass es sich bei dem Missetäter um seinen Schwiegersohn handelte, und die peinliche Situation vor Augen, wenn alles aufflog, beglich er Peters Schulden. Der willigte dafür ein, Janet das alleinige Sorgerecht für die beiden Mädchen zu überlassen, die zu diesem Zeitpunkt zwei und drei Jahre alt waren. Peter durfte die Kinder hin und wieder zu sich holen, aber selbst dieses Zugeständnis verpatzte er schnell. Als seine Töchter einmal bei ihm zu Besuch waren, kam es auf einer Yacht vor East Hampton zu einem »Zwischenfall«, bei dem er, drei Frauen und viel Kokain im Spiel waren. Das ebenfalls an Bord befindliche Kindermädchen rief von ihrer Kabine aus Janet an, die Peter daraufhin drohte, ihm die Küstenwacht auf den Hals zu schicken. Peter ließ seine Töchter samt Kindermädchen von Bord gehen, und Janet erlaubte ihm nie wieder, die beiden Mädchen zu sehen. Aber Peter hatte zu diesem Zeitpunkt ganz andere Probleme. Er hatte sich eine riesige Summe Geld geliehen und bei riskanten Spekulationen alles verloren. Infolgedessen wollte

ihm niemand mehr einen Job geben. Jetzt war er nicht nur drogensüchtig, sondern auch noch pleite.
Zwei Jahre nachdem Janet ihn verlassen hatte, versuchte Peter vergeblich, eine Stelle bei einer sehr bekannten Risikokapitalgesellschaft in San Francisco zu bekommen. Er blieb dennoch dort und dealte stattdessen mit Kokain. Als Peter wegen Kokainbesitzes und -handels verhaftet wurde, war er fünfunddreißig Jahre alt, und ihm saß eine ganze Horde ungeduldiger Gläubiger im Nacken. Er hatte als Dealer zwar ein Vermögen verdient, aber seine Schulden waren fünfmal so hoch. Zu seinen Gläubigern zählten auch seine Drogenlieferanten und deren Hintermänner – Typen, mit denen nicht zu spaßen war. Peter musste um sein Leben fürchten. Wer unter solchen Umständen ins Gefängnis wandert, dessen Schulden werden meist als »Verluste« verbucht und vergessen. Im schlimmsten Fall werden Männer wie Peter jedoch durch Helfershelfer im Gefängnis umgebracht. Peter konnte also nur hoffen, dass man ihn davonkommen ließ.
Während der Gerichtsverhandlung wirkte er wie versteinert, und als er seine Aussage machte, klang es ehrlich und reuevoll. Sein Anwalt plädierte auf Bewährung. Aber der Richter war ein kluger und erfahrener Mann. Er hatte schon einige Menschen wie Peter vor sich gehabt, und die meisten von ihnen hatten nicht einmal annähernd so viele Chancen im Leben bekommen. Der Richter durchschaute Peters makellose Fassade und kaufte ihm die perfekt klingenden Bedauernsbekundungen nicht ab. Was der Angeklagte aus sich gemacht hatte, war in seinen Augen erschreckend, und der Richter war davon überzeugt, dass es sich nicht um einen einmaligen Ausrutscher han-

delte. Als die Geschworenen Peter schuldig sprachen, verurteilte der Richter ihn zu sieben Jahren Haft im Hochsicherheitsgefängnis Pelican Bay in Crescent City, in dem mehr als dreitausenddreihundert der übelsten Verbrecher Kaliforniens einsitzen. Das Gefängnis liegt dreihundertsiebzig Meilen nördlich von San Francisco, nahe der Grenze zu Oregon.

Peter saß vier Jahre und drei Monate seiner Strafe ab. Er nahm keine Drogen mehr, hatte sich tadellos geführt und sich in all den Jahren keines einzigen disziplinarischen Vergehens schuldig gemacht. Fast die ganze Zeit über hatte Peter im Büro der Aufseher am Computer gearbeitet, und der Oberaufseher war absolut sicher, dass Peter seine Straftaten aufrichtig bereute, seine Lektion gelernt hatte und niemals wieder mit dem Gesetz in Konflikt geraten würde. Gegenüber dem Bewährungsausschuss hatte Peter bekundet, dass es für ihn nur ein Ziel gebe: seine Töchter wiederzusehen und ihnen ein Vater zu sein, auf den sie eines Tages stolz sein könnten. Für ihn seien die letzten sechs oder sieben Jahre ein unglücklicher Ausrutscher in einem ansonsten makellosen Lebenslauf gewesen und so etwas komme nie wieder vor. Peter schien das, was er sagte, wirklich zu glauben, und es gelang ihm, auch andere davon zu überzeugen.

Bei seiner vorzeitigen Entlassung bekam er einen Bewährungshelfer in San Francisco zugeteilt. Ein Jahr lang durfte er sich nun lediglich im Bundesstaat Kalifornien aufhalten. Bis er Arbeit gefunden hatte, wollte Peter in einem Übergangshaus wohnen, und seinem Bewährungshelfer gegenüber beteuerte er, dass er sich für keine Tätigkeit zu schade sei. Bis er erst einmal wieder auf die

Füße gekommen sei, würde er auch vor harter körperlicher Arbeit nicht zurückschrecken. Niemand zweifelte ernsthaft daran, dass Peter Morgan einen Job finden würde. Er hatte Fehler gemacht, aber selbst vier Jahre im Gefängnis von Pelican Bay hatten nichts daran geändert, dass er intelligent war und schnell Sympathien gewann. Mit ein bisschen Glück würde er seinen Weg gehen und sich eine neue Existenz aufbauen, das wünschten ihm jedenfalls die Gefängnisaufseher. Jetzt musste ihm nur noch jemand eine Chance geben. Bei seiner Entlassung erschien der Oberaufseher, um sich persönlich von ihm zu verabschieden.

»Wir sollten in Kontakt bleiben«, sagte er und betrachtete Peter mit aufrichtigem Wohlwollen. Er hatte ihn an den letzten zwei Weihnachtsfesten zu sich nach Hause eingeladen, damit Peter mit ihm und seiner Familie feiern konnte. Beide Male hatte sich Peter von seiner besten Seite gezeigt und alle sehr beeindruckt. Er erwies sich nicht nur als klug, herzlich und humorvoll, sondern konnte auch gut mit den vier Söhnen des Aufsehers umgehen. Die Jungen waren im Teenageralter, und Peter brachte einen von ihnen sogar dazu, sich für ein Harvardstipendium zu bewerben. Im letzten Frühjahr war der Junge tatsächlich angenommen worden, und der Aufseher war der Meinung, er schulde Peter nun etwas.

»Ich werde das ganze Jahr über in San Francisco sein«, erwiderte Peter lächelnd. »Hoffentlich lassen sie mich möglichst bald an die Ostküste fahren, damit ich meine Töchter besuchen kann.« Seit sechs Jahren hatte er sie nicht gesehen und in den letzten vier Jahren nicht einmal mehr ein aktuelles Foto zu Gesicht bekommen. Isabelle

und Heather waren jetzt acht beziehungsweise neun Jahre alt, aber er kannte sie nur als kleine Kinder. Janet hatte ihm schon vor geraumer Zeit jeglichen Kontakt zu seinen Töchtern untersagt und ihre Eltern unterstützten diese Entscheidung.
Peters Bruder war vor Jahren verschwunden und der Stiefvater schon lange tot. Alles, was Peter Morgan noch hatte, waren seine Brieftasche mit vierhundert Dollar, ein Bewährungshelfer in San Francisco und ein Schlafplatz in einem Übergangshaus im Mission District, einem Stadtviertel, in dem hauptsächlich Latinos leben. Viele der alten, ehemals sehr schönen Gebäude dort waren ziemlich heruntergekommen, und der Teil, in dem Peter jetzt leben würde, sah besonders übel aus. Sein Geld würde nicht lange reichen, und sein einziger Anlaufpunkt war eine Hand voll Leute in der Hightechbranche und auf dem Risikokapitalmarkt von Silicon Valley – sowie die Drogendealer, mit denen er früher Geschäfte gemacht hatte, von denen er sich aber künftig fern halten wollte. Sobald er in der Stadt ankam, wollte er ein paar Bekannte anrufen und sich nach einem Job erkundigen. Vielleicht würde er auch als Tellerwäscher oder Tankwart arbeiten müssen, aber das hielt Peter für unwahrscheinlich, schließlich war er noch immer Harvardabsolvent. Im Zweifelsfall könnte er einige alte Schulfreunde kontaktieren, die vielleicht nicht mitbekommen hatten, dass er im Gefängnis gewesen war. Dennoch wusste er, dass es nicht leicht werden würde. Er war neununddreißig Jahre alt und musste sich gut überlegen, wie er die Lücke von vier Jahren in seinem beruflichen Werdegang begründete. Er hatte jetzt einen weiten, steilen Weg vor sich.

»Melde dich«, sagte der Aufseher. Es war das erste Mal, dass er zu einem Häftling einen solch engen Kontakt aufgebaut hatte. Aber die übrigen Insassen von Pelican Bay waren auch von einem anderen Kaliber als Peter Morgan.
Die Haftanstalt Pelican Bay war für Verbrecher gebaut worden, die man früher nach San Quentin geschickt hatte. Die meisten der Männer saßen in Einzelhaft. Alles war technisch auf dem neuesten Stand und so ausbruchsicher, dass einige der gefährlichsten Verbrecher des Landes hier ihre Strafe verbüßten. Der Aufseher hatte sofort erkannt, dass Peter eigentlich nicht hierher gehörte. Peter hatte keine kriminelle Vorgeschichte, und es bestand keine Fluchtgefahr. Lediglich der große Umfang seines Kokainhandels hatte dazu geführt, dass er in diesem Hochsicherheitsgefängnis gelandet war. Innerhalb des Gefängnisses ging Peter Problemen möglichst aus dem Weg, und sein enger Kontakt zu dem Aufseher schützte ihn vor den anderen Insassen. Er schloss sich keiner der gewalttätigen Häftlingsbanden an und pflegte auch keine Kontakte zu Rädelsführern. Peter kümmerte sich um seine eigenen Angelegenheiten, und neben seiner Tätigkeit für den Aufseher verbrachte Peter viel Zeit in der Bibliothek und las eine Menge über Gesetze sowie Finanzen. Nach vier Jahren schien er Pelican Bay nun mehr oder weniger unversehrt wieder zu verlassen.
Der Aufseher hatte ihm für den Bewährungsausschuss eine außergewöhnlich lobende Beurteilung geschrieben. Für ihn war Peter der typische junge Mann, der einmal eine falsche Entscheidung getroffen hatte und jetzt eine zweite Chance brauchte. Der Aufseher war fest davon

überzeugt, dass Peter nun den richtigen Weg einschlagen würde.
Während der Aufseher und Peter noch am Ausgang standen und sich verabschiedeten, hielt vor dem Gebäude ein Van, dem ein Reporter und ein Fotograf der Lokalzeitung entstiegen. Sie gingen an Peter vorbei und betraten den Raum, in dem gerade ein anderer Häftling seine Entlassungspapiere unterschrieb. Er und Peter nickten sich zum Gruß kurz zu. Peter wusste, wen er vor sich hatte – jeder in Pelican Bay kannte diesen Mann. Sie waren sich hin und wieder in der Sporthalle, den Gemeinschaftsräumen und gelegentlich im Büro des Aufsehers begegnet. Dieser Häftling hatte jahrelang um seine Begnadigung gekämpft und kannte sich mit den Gesetzen so gut aus, dass er bei den Gefangenen ein hohes Ansehen als inoffizieller Anwalt genoss. Sein Name lautete Carlton Waters, er war einundvierzig Jahre alt und hatte vierundzwanzig Jahre lang gesessen.
Waters war für den Mord an einem Nachbarn und dessen Frau sowie versuchten Mordes an dessen beiden Kindern verurteilt worden. Er war damals siebzehn Jahre alt gewesen und hatte die Tat mit einem Komplizen verübt, einem sechsundzwanzigjährigen ehemaligen Strafgefangenen. Die beiden waren in das Haus ihrer Opfer eingebrochen und hatten zweihundert Dollar gestohlen. Der Komplize war wegen dieses Vergehens schon vor Jahren hingerichtet worden, Waters jedoch hatte stets beteuert, keinen der Morde verübt zu haben. Er hielt an seiner Version der Geschichte fest, er habe seinen Freund zu dem Haus begleitet, ohne die geringste Ahnung, was dieser vorhabe. Und dann sei alles so schnell gegangen. Die Kinder waren

zu klein, um seine Version widerlegen oder die Einbrecher identifizieren zu können. Beide Männer waren betrunken gewesen, und Waters behauptete vor Gericht, er könne sich nicht an alle Details erinnern. Die Geschworenen nahmen ihm die Geschichte nicht ab. Er wurde für schuldig befunden, ging in Berufung und verlor.

Waters hatte den größten Teil seines Lebens im Gefängnis verbracht, zuerst in San Quentin, dann in Pelican Bay. Während dieser Zeit hatte er seinen Collegeabschluss gemacht und mehrere Semester Jura studiert. Er hatte zahlreiche Artikel über das Rechtssystem und das Strafvollzugswesen veröffentlicht und im Laufe der Jahre einen engen Kontakt zur Presse aufgebaut. Durch seine Unschuldsbeteuerungen während seiner Inhaftierung war Waters zu einem berühmten Gefangenen geworden. Er war Herausgeber der Gefängniszeitung und kannte jeden einzelnen der Insassen. Waters verfügte nicht über Morgans attraktives Erscheinungsbild, sondern war ein Mann, dem man instinktiv lieber aus dem Weg geht. Er war groß, kräftig, durchtrainiert, und jeder sah auf den ersten Blick, dass er Bodybuilding machte. Abgesehen von einigen Zwischenfällen zu Beginn seiner Haftzeit, als er noch ein junger Hitzkopf gewesen war, hatte er sich während der letzten zwanzig Jahre tadellos geführt. Waters hatte die Presse über seine bevorstehende Entlassung informiert, und heute war es endlich so weit.

Waters und Morgan hatten nie einen sonderlich engen Kontakt miteinander gepflegt. Im Büro des Oberaufsehers waren sie sich gelegentlich über den Weg gelaufen und hatten sich über Rechtsfragen unterhalten. Peter hatte einige von Waters' Artikeln gelesen, und es war schwer, von diesem Mann nicht beeindruckt zu sein, ob er nun schuldig war oder nicht. Waters besaß einen wachen Verstand, und er hatte hart für sein Ziel gearbeitet – ein Collegeabschluss war eine beachtliche Leistung für jemanden, der quasi im Gefängnis aufgewachsen war.

Als Peter nun durch das Gefängnistor in die Freiheit schritt, fühlte er sich grenzenlos erleichtert. Ein letztes Mal drehte er sich um und sah, wie Waters die Hand des Aufsehers schüttelte. Der Fotograf drückte auf den Auslöser und hatte seine Aufnahme für die Lokalzeitung im Kasten. Peter wusste, dass Waters in ein Übergangshaus in Modesto ziehen würde, einem Kaff fünfundsiebzig Meilen östlich von San Francisco, in dem seine Familie nach wie vor lebte.

»Gott sei Dank!«, sagte Peter, hielt einen Moment lang inne und schloss die Augen. Dann schaute er nach oben und blinzelte in das grelle Sonnenlicht. Er fühlte sich, als hätte er ein Leben lang auf diesen Tag gewartet. Als er einem der Wärter zum Abschied zunickte, fuhr er sich rasch mit der Hand über die Augen. Niemand sollte sehen, dass ihm die Tränen kamen. Er ging in Richtung Bushaltestelle, für den Weg brauchte er zehn Minuten.

Währenddessen posierte Carlton Waters draußen vor dem Gefängnis für ein letztes Foto. Noch einmal betonte er gegenüber dem Reporter, dass er unschuldig sei. Ob das nun der Wahrheit entsprach oder nicht – seine Geschichte war in jedem Fall gut für eine Schlagzeile. Schon seit Jahren hatte Waters davon gesprochen, ein Buch zu schreiben. Die zwei Menschen, die er angeblich getötet, und die beiden Kinder, die er vermeintlich zu Vollwaisen gemacht hatte, waren völlig in Vergessenheit geraten angesichts all der scharfsinnigen Artikel, die er in der Zwischenzeit veröffentlicht hatte. Waters beendete genau in dem Augenblick das Interview, als Peter Morgan die Busstation betrat und eine Fahrkarte nach San Francisco kaufte. Er war endlich frei.

2. *Kapitel*

Ted Lee arbeitete gern im Spätdienst. Das tat er jetzt schon so lange, dass es zu einer bewährten Gewohnheit geworden war. Inspector Detective Lee war von nachmittags um vier bis Mitternacht als Ermittlungsbeamter bei der Kriminalpolizei von San Francisco tätig. Zu Beginn seiner beruflichen Laufbahn hatte Ted für ein paar Jahre die Mordkommission verstärkt, aber das war ihm zuwider gewesen. Die Kollegen dort brüteten oft stundenlang über den Fotos der Opfer, und um dabei nicht vor die Hunde zu gehen, mussten sie sich eine harte Schale zulegen. Und das veränderte sie mit der Zeit – nicht nur im Job. Teds Tätigkeit war vielfach Routine, aber er fand das ganz und gar nicht langweilig. Ihm lag diese knifflige Aufgabe, eine Verbindung zwischen Opfer und Täter herzustellen. Er arbeitete seit seinem achtzehnten Lebensjahr bei der Polizei – mittlerweile neunundzwanzig Jahre lang. Seit fast zwanzig Jahren war er jetzt schon Detective, und er machte seinen Job gut. Eine Zeit lang war er im Ressort für Kreditkartenbetrug beschäftigt gewesen, aber das hatte ihn gelangweilt. Sein jetziger Bereich war genau sein Fall.

Ted war in San Francisco geboren und aufgewachsen, mitten im Herzen von Chinatown. Seine Eltern waren zusammen mit beiden Großmüttern schon vor seiner Geburt aus Peking herübergekommen, und in seiner Familie

wurden alte Traditionen hoch geachtet. Teds Vater hatte ein Leben lang in einem Restaurant gearbeitet, und seine Mutter war Näherin. Seine beiden Brüder waren genau wie Ted direkt nach der Highschool in den Polizeidienst eingetreten. Der eine war Streifenpolizist in Tenderloin, einem sozialen Brennpunkt, und hatte nicht die geringsten Ambitionen, jemals etwas anderes zu sein. Sein anderer Bruder gehörte zur berittenen Polizei. Ted hatte es weiter gebracht als die beiden, womit sie ihn gern aufzogen. Doch er war stolz darauf, Detective zu sein.
Teds Frau war Amerikanerin chinesischer Abstammung. Ihre Familie stammte aus Hongkong, und ihrem Vater gehörte das Restaurant, in dem Teds Vater bis zur Rente angestellt gewesen war. Auf diese Weise hatten sie und Ted sich kennen gelernt. Als sie vierzehn Jahre alt gewesen waren, hatten sie sich ineinander verliebt, und mit neunzehn hatten sie dann geheiratet. Ted hatte in seinem ganzen Leben keine einzige Verabredung mit einer anderen Frau gehabt. So etwas wie Leidenschaft gab es zwischen ihm und Shirley schon seit Jahren nicht mehr, aber sie waren die besten Freunde, und Ted fühlte sich wohl an ihrer Seite. Shirley Lee arbeitete als Krankenschwester auf der Intensivstation des San Francisco General Hospital und bekam häufiger Opfer von Gewaltverbrechen zu Gesicht als ihr Mann. Beide verbrachten mehr Zeit mit ihren Kollegen als miteinander, aber daran waren sie gewöhnt. An seinem freien Tag spielte Ted Golf, oder er begleitete seine Mutter zum Einkaufen. Shirley frönte gern dem Kartenspiel, ging zum Frisör oder mit ihren Freundinnen bummeln. Es kam selten vor, dass sie am gleichen Tag freihatten, und es störte sie schon lange nicht mehr. Sie hatten es

nicht so geplant, aber nach achtundzwanzig Jahren Ehe führte jeder von ihnen sein eigenes Leben. Ihr ältester Sohn hatte ein Jahr zuvor das College beendet und war nach New York gezogen. Die beiden anderen Jungs gingen noch aufs College, der eine in San Diego, der andere an der Universität von Los Angeles. Keiner von ihnen strebte eine Laufbahn bei der Polizei an, und anfangs war Ted deshalb ein bisschen enttäuscht gewesen. Aber das hatte er angesichts der Pläne seiner Söhne rasch überwunden. Einer wollte nach dem College Jura studieren, der andere Medizin. Ted war sehr stolz auf sie. Für ihn selbst war die Tätigkeit bei der Polizei das Richtige gewesen, und er konnte sich nicht über seinen Job beklagen. Wenn er sich irgendwann pensionieren ließ, würde er eine gute Rente bekommen. Obwohl er im nächsten Jahr sein dreißigjähriges Dienstjubiläum feierte und viele seiner Freunde wesentlich früher aufgehört hatten zu arbeiten, war es für ihn unvorstellbar abzutreten. Ted wusste gar nicht, was er dann tun sollte. Mit siebenundvierzig wollte er keine zweite Karriere in Angriff nehmen, ihm gefiel das, was er machte, und er mochte auch seine Kollegen. Im Laufe der Jahre hatte Ted etliche Kollegen kommen und gehen sehen, einige waren pensioniert worden, manche aus dem Dienst ausgeschieden, einige getötet, andere verletzt worden. Seit zehn Jahren arbeitete Ted jetzt mit demselben Partner zusammen. Zuvor hatte er vier Jahre lang eine Partnerin gehabt, die aber irgendwann zusammen mit ihrem Mann nach Chicago gezogen war. Sie schickte ihm jedes Jahr zu Weihnachten eine Karte, und trotz seiner anfänglichen Vorbehalte hatte Ted sie sehr geschätzt. Zuvor hatte Ted mit Rick Holmquist ein Team

gebildet, der vierzehn Jahre zuvor zum FBI gewechselt war. Die beiden Männer trafen sich noch immer einmal in der Woche zum Mittagessen, und Rick machte sich gern ein bisschen über Teds »Fälle« lustig. Er ließ seinem ehemaligen Kollegen gegenüber keinen Zweifel aufkommen, dass seine Tätigkeit beim FBI wesentlich wichtiger war – oder er sie zumindest dafür hielt. Ted war sich dessen gar nicht so sicher. Soweit er es beurteilen konnte, brachte die Polizei von San Francisco wesentlich mehr Verbrecher hinter Gitter als das FBI. Ein Großteil der Arbeit beim FBI bestand im Zusammentragen von Informationen und in Überwachungsaufgaben. Dann schalteten sich andere Behörden ein und übernahmen den Fall. Es war an der Tagesordnung, dass sich CIA, Justizministerium, Staatsanwaltschaft oder U.S. Marshals in Ricks Fälle einmischten. In Teds Arbeit mischte sich selten jemand ein – solange der Verdächtige nicht über die Staatsgrenze floh oder es sich um einen Verstoß gegen Bundesgesetze handelte, denn dann trat das FBI auf den Plan.
Ab und zu kam es vor, dass er zusammen mit Rick mit einem Fall betraut wurde, worüber sich Ted jedes Mal freute. Auch nach Ricks Wechsel zum FBI waren sie enge Freunde geblieben. Fünf Jahre zuvor hatte sich Rick scheiden lassen. Für Ted hatte eine Trennung nie zur Debatte gestanden. Wie auch immer sich die Beziehung zu seiner Frau im Laufe der Jahre entwickelt hatte, sie funktionierte. Rick war momentan mit einer jungen FBI-Agentin liiert und sprach davon, wieder zu heiraten. Ted zog ihn gern damit auf. Rick tat immer so, als wäre er ein knallharter Typ, aber Ted kannte seinen Freund besser.
Was Ted am Spätdienst immer besonders geliebt hatte,

war die friedliche Stille, wenn er nach Hause kam. Shirley schlief um diese Zeit, sie arbeitete tagsüber und ging aus dem Haus, bevor Ted morgens aufstand. Als die Kinder noch klein gewesen waren, hatte sich diese Einteilung als sehr vorteilhaft erwiesen. Shirley brachte die Kinder auf dem Weg zur Arbeit in die Schule, und Ted holte sie später wieder ab. Kurz nachdem er zur Arbeit musste, kam Shirley nach Hause. Auf diese Weise war immer jemand für die Kinder da, und sie brauchten nie Geld für einen Babysitter oder eine Tagesbetreuung auszugeben. An seinen freien Tagen begleitete er die Jungs zum Sport, aber ansonsten hatte Ted nicht viel von seinen Kindern, genauso wenig wie von Shirley. Dass sie sich so selten sahen, forderte schließlich auch seinen Tribut. Vor etwa zehn Jahren gab es deshalb heftige Auseinandersetzungen. Sie versuchten, das Problem zu lösen, indem sie beide tagsüber arbeiteten. Aber das führte nur dazu, dass sie noch mehr stritten. Danach probierte Ted es mit dem Nachtdienst, doch schließlich kehrte er wieder zum Spätdienst zurück. Es war nun einmal das Richtige für ihn.
Als Ted in dieser Nacht nach Hause kam, war es wie immer ganz still im Haus. Shirley schlief tief und fest, die drei Jungs waren längst ausgezogen. Ted hatte vor einigen Jahren ein kleines Haus im Sunset District gekauft, und an seinen freien Tagen liebte er es, am Strand spazieren zu gehen und zuzusehen, wie der Nebel langsam vom Meer herüberzog. Nach einer harten Woche oder einem schwierigen Fall konnte er hier bestens entspannen.
In seiner Abteilung gab es die üblichen Machtspielchen, was ihm manchmal ziemlich auf die Nerven ging, aber die meiste Zeit über nahm er es locker. Seiner gutmütigen Art

war es wahrscheinlich auch zu verdanken, dass er noch immer mit Shirley auskam. Sie war der Hitzkopf von ihnen, sie konnte richtig wütend werden und hatte ihm so manches Mal vorgeworfen, sie habe mehr von ihrer Ehe erwartet. Ted war beständig, ausgeglichen und zuverlässig, und irgendwann gab sich Shirley schließlich damit zufrieden und hörte auf, mehr von ihm zu fordern. Aber ihm war auch klar, dass von jenem Moment an jegliche Lebendigkeit aus ihrer Ehe verschwunden war. Sie hatten sich miteinander arrangiert und ihre Leidenschaft zugunsten von Gewohnheit und Bequemlichkeit geopfert. Ted beschwerte sich nicht, er wusste, dass letztendlich alles im Leben ein Kompromiss ist. Shirley war ihm eine gute Ehefrau, sie hatten wundervolle Kinder, ein gemütliches Zuhause, er liebte seinen Job und hatte nette Kollegen. Mehr konnte man nicht verlangen – oder zumindest tat Ted das nicht.

Dass er Shirley liebte, stand außer Frage. Und er nahm an, dass sie ihn auch liebte. Sie zeigte es nicht unbedingt und sagte es fast nie. Aber wie alles im Leben akzeptierte er auch Shirley, wie sie war, mit all ihren guten und schlechten Seiten. Er mochte es, jede Nacht zu ihr ins Bett zu kriechen, auch wenn sie längst schlief. Es gab ihm ein Gefühl von Sicherheit. Sie hatten schon seit Monaten kein richtiges Gespräch mehr miteinander geführt, vielleicht sogar seit Jahren, aber er wusste genau: Wenn etwas Schlimmes passieren würde, wäre sie für ihn da, genauso wie er für sie. Das genügte ihm. Diese stürmische Leidenschaft, wie Rick Holmquist sie gerade mit seiner neuen Freundin erlebte, war nichts für ihn. Ted brauchte keine Aufregung, er hatte das, was er wollte.

Ted saß noch eine Weile lang am Küchentisch, trank eine Tasse Tee und genoss die Ruhe. Er las die Zeitung, sah die Post durch und schaute sich das Nachtprogramm im Fernsehen an. Um halb drei Uhr morgens schlüpfte er zu Shirley ins Bett. Sie merkte gar nicht, dass er sich hinlegte. Als er ihr den Rücken zukehrte, drehte sie sich weg und murmelte etwas im Schlaf. Ted lag noch einige Minuten lang wach und ging im Kopf seine aktuellen Fälle durch. Er hatte jemanden in Verdacht, Heroin aus Mexiko herüberzuschmuggeln. Er musste deshalb am nächsten Morgen unbedingt Rick anrufen. Bei dem Gedanken daran seufzte Ted leise und schlief ein.

3. Kapitel

Fernanda Barnes starrte auf den Stapel Rechnungen, der vor ihr auf dem Küchentisch lag. Dann blickte sie auf den Berg von Forderungen, der sich in einer Kiste auftürmte. Es kam ihr so vor, als hätte er sich in den vier Monaten, seit ihr Mann gestorben war, nicht verändert. Dabei wusste sie nur zu gut, dass er immer höher wurde. Jeden Tag flatterten neue Rechnungen ins Haus. Seit Allans Tod hatten die schlechten Nachrichten und schrecklichen Entdeckungen kein Ende mehr genommen. Die jüngste Katastrophenmeldung kam von der Versicherung: Sie verweigerte die Auszahlung der Lebensversicherung. Fernanda und ihr Anwalt hatten das befürchtet. Allan war in Mexiko unter fragwürdigen Umständen ums Leben gekommen. Mitten in der Nacht war er mit einem Boot, das er und seine Geschäftspartner gechartert hatten, allein aufs Meer hinausgefahren. Die gesamte Crew feierte zu diesem Zeitpunkt in einer Bar, und niemand merkte etwas von Allans Ausflug. Irgendwann in den frühen Morgenstunden musste er über Bord gegangen sein, und es dauerte fünf Tage, bis seine Leiche gefunden wurde. Er hatte Fernanda einen Brief hinterlassen, den die Polizei der Versicherung übergab. Allan hatte ihr geschrieben, dass er keine Perspektive mehr sehe, und die Versicherung ging deshalb davon aus, dass Allan Selbstmord verübt hatte.

Auch Fernanda hegte diesen Verdacht, aber sie hütete sich, ihre Befürchtung offen auszusprechen, und vertraute sich lediglich ihrem Anwalt, Jack Waterman, an. Als sie die Nachricht von Allans Tod erhalten hatte, war tatsächlich ihr erster Gedanke gewesen, dass er sich umgebracht hatte. In den letzten sechs Monaten vor seinem Tod war Allan völlig verzweifelt gewesen. Er hatte zwar in einem fort davon geredet, dass er alles wieder in Ordnung bringen würde, aber sein Brief machte deutlich, dass er am Ende selbst nicht mehr daran geglaubt hatte.

Allan Barnes gehörte zu den Glücklichen, die auf der Höhe des Internetbooms das große Los gezogen hatten. Er verkaufte seine noch in den Kinderschuhen steckende Firma für zweihundert Millionen Dollar an einen großen Konzern. Fernanda gefiel das Leben, das sie bis zu jenem Tag geführt hatten. Sie war glücklich gewesen und hatte alles gehabt, was sie wollte und brauchte. Ihnen gehörte ein kleines Haus in Palo Alto, nahe dem Stanford-Campus, wo sie sich während ihrer Collegezeit kennen gelernt hatten. In der Kapelle von Stanford hatten sie einen Tag nach ihrer Abschlussfeier geheiratet. Dreizehn Jahre später gelang Allan dann dieser unglaubliche Coup. Was danach kam, überstieg alles, wovon Fernanda je geträumt hatte. Am Anfang konnte sie es gar nicht fassen. Innerhalb kürzester Zeit kaufte Allan eine Yacht, ein Flugzeug, Büroräume in New York für seine Geschäftstreffen und ein Haus in London, von dem er behauptete, dass er es sich schon immer gewünscht habe. Außerdem eine Eigentumswohnung auf Hawaii und eine Villa in der Stadt, die so riesig war, dass Fernanda in Tränen ausbrach, als sie sie zum ersten Mal sah. Allan hatte sie erworben, ohne seine Frau vorher zu fragen. Fernanda wollte und brauchte keinen Palast, sie liebte das Haus in Palo Alto, in dem sie lebten, seit ihr Sohn Will zur Welt gekommen war.

Ungeachtet ihres Protestes waren sie vier Jahre zuvor in dieses riesige Anwesen gezogen. Will war damals zwölf, Ashley acht und Sam gerade zwei Jahre alt. Allan bestand darauf, ein Kindermädchen zu engagieren, damit Fernanda ihn auf seinen Reisen begleiten konnte, obwohl sie auch das nicht wollte. Sie kümmerte sich mit Leib und Seele um ihre Kinder, hatte nie Karriere machen wollen und war froh gewesen, dass Allan immer genug verdient hatte, um die Familie zu ernähren. Es hatte auch Zeiten gegeben, in denen sie den Gürtel enger schnüren mussten, aber gemeinsam hatten sie das durchgestanden. Will war neun Monate nach ihrer Hochzeit geboren worden. Während ihrer Schwangerschaft hatte Fernanda einen Teilzeitjob in einer Buchhandlung gehabt und war danach niemals wieder berufstätig gewesen. Im Hauptfach hatte sie Kunstgeschichte studiert, damit hatte sie auf dem Arbeitsmarkt nicht viele Möglichkeiten. Um zu unterrichten oder in einem Museum zu arbeiten, hätte sie den Magister machen oder sogar promovieren müssen. Andere berufliche Qualifikationen hatte sie nicht. Ihre größte Fähigkeit bestand darin, eine gute Hausfrau und Mutter zu sein – und das gelang ihr vortrefflich. Ihre Kinder waren glücklich, gesund und aufgeweckt. Selbst mit der zwölfjährigen Ashley und dem mittlerweile sechzehnjährigen Will gab es keine Probleme, obwohl sich beide in einem schwierigen Alter befanden. Auch die Kinder hatten

nicht in das große Haus ziehen wollen, weil all ihre Freunde in Palo Alto lebten.
Die Villa hatte ein bekannter Risikokapitalanleger für sich bauen lassen und sie verkauft, als er sich in Europa zur Ruhe setzte. Auf Fernanda wirkte es bombastisch. Sie war in einem Vorort von Chicago aufgewachsen, ihr Vater war Arzt, ihre Mutter Lehrerin. Sie waren stets mit ihrem Leben zufrieden gewesen, und Fernanda hatte nie so ehrgeizige Ziele verfolgt wie Allan. Alles, was sie sich gewünscht hatte, war, den Mann zu heiraten, den sie liebte, und mit ihm eine Familie zu gründen. Sie hatte sehr viel über Kindererziehung gelesen und interessierte sich für Kinderpsychologie. Zudem teilte sie ihre Begeisterung für Kunst mit ihren Kindern und ermutigte sie immer dazu, ihre Lebensträume zu verwirklichen, denn das war genau das, was sie mit Allan zunächst getan hatte. Allerdings hatte sie nicht damit gerechnet, dass es bei ihm derart materialistische Formen annehmen würde.
Als er ihr erzählte, dass er die Firma für zweihundert Millionen Dollar verkauft habe, fiel sie fast in Ohnmacht und dachte, er würde sie auf den Arm nehmen. Sie war davon ausgegangen, dass er mit ein bisschen Glück vielleicht zwei, maximal aber fünf Millionen bekäme. Selbst zehn Millionen hätten ihre Erwartungen schon weit übertroffen, aber die Summe von zweihundert Millionen war für sie schier unvorstellbar. Sie hatte sich genug Geld gewünscht, damit die Kinder eine gute Collegeausbildung erhielten, sie bis zum Ende ihrer Tage ein angenehmes Leben führen und sich Allan früh aus dem Geschäft zurückziehen könnte. Es war ihr großer Wunsch, ein Jahr lang mit ihm gemeinsam durch Europa zu reisen und ihn in

alle Museen von Rang zu schleppen. Und sie träumte davon, ein oder zwei Monate in Florenz zu verbringen. Allan schien durch das viele Geld plötzlich jeglichen Realitätssinn verloren zu haben. Er kaufte nicht nur wie besessen Immobilien und leistete sich jeden Luxus, sondern tätigte auch sehr riskante Investitionen in Hightechunternehmen. Und jedes Mal versicherte er Fernanda, er wisse ganz genau, was er tue. Allan schwamm auf der Erfolgswelle und hielt sich für unbesiegbar. Er war tausendprozentig von seinem Urteilsvermögen überzeugt, weitaus mehr als Fernanda zu diesem Zeitpunkt. Sie hatten deshalb sogar einige unschöne Auseinandersetzungen. Aber er lachte nur über ihre Ängste und steckte Geld in neu gegründete Firmen, die sich erst noch behaupten mussten. Da der Markt boomte, verwandelte sich drei Jahre lang alles in Gold, was Allan anfasste. Es schien beinahe so, als könne er noch so große Risiken eingehen und würde niemals Verluste erleiden. Auf dem Papier verdoppelte sich sein Vermögen innerhalb der ersten beiden Jahre. Allan investierte vor allem in zwei Firmen, in die er sein ganzes Vertrauen setzte, obwohl ihn viele warnten. Aber er wollte nicht hören, weder auf Fernanda noch auf andere. Seine Zuversicht kannte keine Grenzen, und er schalt Fernanda wegen ihres Pessimismus und ihrer Vorsicht. Schließlich gewöhnte sie sich auch daran, dass sie jetzt reich waren, und bei der Einrichtung der Villa gab sie mehr Geld aus, als sie sich jemals hatte vorstellen können. Allan ermutigte sie auch noch ständig dazu und sagte, sie solle es genießen und sich keine Sorgen machen. Auf einer Auktion bei Christie's in New York ersteigerte Fernanda zwei bedeutende impressionistische Gemälde. Als sie die

Bilder im Wohnzimmer aufhängte, war sie so überwältigt, dass ihre Hände zitterten. Selbst in ihren kühnsten Träumen hätte sie sich nicht ausgemalt, jemals solche Kunstwerke zu besitzen.
Aber trotz ihres enormen Reichtums wurde Fernanda nicht verschwenderisch, und sie vergaß auch nie, wie es ist, wenn man nicht über ein solches Vermögen verfügt. Allans Familie stammte aus Südkalifornien und führte ein viel luxuriöseres Leben als Fernandas Eltern. Sein Vater war Geschäftsmann und seine Mutter ein ehemaliges Model. Sie fuhren teure Autos, hatten ein stattliches Haus und waren Mitglied im Countryclub. Bei ihrem ersten Besuch war Fernanda ziemlich beeindruckt gewesen, obwohl sie fand, dass Allans Eltern oberflächlich waren. Als Allans Mutter an einem sehr milden Abend einen Pelzmantel trug, wurde Fernanda auf einmal bewusst, dass ihre Mutter trotz der strengen Winter, die im Mittleren Westen herrschten, nie so etwas besessen hatte und das auch gar nicht gewollt hätte. Für Allan war es wichtig zu zeigen, wie reich er war, und er bedauerte es sehr, dass seine Eltern nicht mehr lebten und er sie nicht mit seinem Erfolg beeindrucken konnte. Er wusste, dass es ihnen viel bedeutet hätte. Fernanda dagegen war beinahe froh, dass ihre Eltern dies alles nicht mit ansehen mussten. Sie waren zehn Jahre zuvor bei einem Verkehrsunfall auf eisglatter Straße ums Leben gekommen. Eine innere Stimme sagte ihr, dass ihre Eltern entsetzt gewesen wären, in welchem Tempo Allan das Geld verpulverte. Dass sie die beiden teuren Bilder erstanden hatte, machte sie selbst noch immer nervös. Aber sie hoffte, dass jene zumindest eine gute Investition waren. Außerdem bedeuteten diese Bilder ihr

wirklich etwas. Viele Dinge, die Allan kaufte, dienten einzig und allein dem Prestige, und er betonte ein bisschen zu oft, dass er sich das eben leisten könne.
Allan hatte großes Vertrauen in seine Intuition, auch wenn diese jeglicher Vernunft widersprach. Er erwarb große Aktienpakete von Hightechfirmen, und immer waren es hochriskante Investitionen. Seine Freunde in der Internetbranche nannten ihn den »verrückten Cowboy«. Fernanda beschlich oft ein schlechtes Gewissen, weil sie ihm nicht stärker beistand. Allan hatte als Kind unter mangelndem Selbstvertrauen gelitten und war von seinem Vater oft heruntergeputzt worden, weil er zu wenig von einem smarten Geschäftsmann habe. Und jetzt schien Allan auf einmal über Unmengen von Selbstbewusstsein zu verfügen, sodass er meinte, ständig am Rand des Abgrunds balancieren zu müssen. Aber Fernanda liebte ihn nun mal und bemühte sich, ihn wenigstens moralisch zu unterstützen. Sie hatte ja auch eigentlich keinen Grund, sich zu beklagen. Innerhalb von drei Jahren hatte sich ihr Vermögen fast verdreifacht und belief sich mittlerweile auf sage und schreibe eine halbe Milliarde Dollar!
Allan und sie waren immer miteinander glücklich gewesen, auch ohne Geld. Er hatte eine sympathische, unbekümmerte Art und liebte seine Frau und seine Kinder. Sein besonderer Stolz galt Will, der eine richtige Sportskanone war, und als er die damals fünfjährige Ashley zum ersten Mal in einer Ballettaufführung auf der Bühne tanzen sah, kamen ihm die Tränen. Er war ein wundervoller Ehemann und Vater, und dass es ihm gelungen war, aus einer bescheidenen Investition ein Vermögen zu machen, eröffnete seinen Kindern fantastische Möglichkeiten. Al-

lan sprach zum Beispiel davon, für ein Jahr nach London zu ziehen, damit seine Kinder in Europa zur Schule gehen könnten. Die Vorstellung, tagelang durch das British Museum und die Tate Gallery zu streifen, war für Fernanda eine unglaubliche Versuchung. Deshalb beschwerte sie sich auch nicht, als Allan für zwanzig Millionen Dollar ein Haus am Londoner Belgrave Square kaufte. Es war die höchste Summe, die dort in letzter Zeit für eine Immobilie bezahlt worden war – aber sie war zweifellos wunderschön.

Weder sie noch die Kinder hatten irgendwelche Einwände, während der Ferien einen ganzen Monat in London zu verbringen, und sie genossen es in vollen Zügen, die Stadt zu erkunden. Den Rest des Sommers verlebten sie in Südfrankreich auf ihrer Yacht. Sie luden Freunde aus dem Silicon Valley ein, dort mit ihnen gemeinsam Urlaub zu machen. Allan war mittlerweile zu einer Legende geworden. Er war nicht der Einzige, der so viel Geld verdient hatte, aber ähnlich wie an den Spieltischen in Las Vegas steckten manche ihre Gewinne ein und gingen, während andere immer weiterspielten. Allan investierte und investierte. Fernanda hatte schon längst keine Vorstellung mehr von dem, was er eigentlich tat. Sie kümmerte sich um die Kinder und den Haushalt, und allmählich hörte sie sogar auf, sich Sorgen zu machen. Als sie das realisierte, fragte sie sich, ob es sich so anfühlte, reich zu sein.

Dieser Höhenflug endete drei Jahre nach Allans erstem großen Erfolg. Ein Unternehmen, in das er als stiller Teilhaber sehr viel Geld gesteckt hatte, geriet in Schwierigkeiten. Fernanda las in der Zeitung von dem Bankrott des

Unternehmens. Sie erinnerte sich, dass Allan die Firma öfter erwähnt hatte, und sprach ihn darauf an. Er sagte ihr, sie solle sich keine grauen Haare darüber wachsen lassen, hundert Millionen Dollar seien für ihn kein dramatischer Betrag. Zu diesem Zeitpunkt war sein Vermögen tatsächlich so groß, dass er diesen Betrag problemlos verschmerzen konnte. Allan war gerade auf dem besten Weg, Milliardär zu werden. Was er seiner Frau verschwieg: Er lieh sich Geld für seine Investitionen und gab als Sicherheit seine konstant steigenden Aktien an. Und als der Aktienkurs dann in den Keller fiel, konnte er nicht rasch genug verkaufen, um das geliehene Geld zurückzuzahlen.
Dieser zweite Schlag war wesentlich schlimmer als der erste und kostete Allan fast doppelt so viel. Als dann die Blase des Internetbooms platzte und der Aktienmarkt endgültig zusammenbrach, wurde Allan zum dritten Mal empfindlich getroffen. Jetzt wurde er allmählich nervös. Seine beliehenen Aktien waren plötzlich wertlos, und er hatte nichts als Schulden. Innerhalb von sechs Monaten hatte sich Allans gesamtes Vermögen in Rauch aufgelöst, und Aktien, die einst zweihundert Dollar das Stück gekostet hatten, waren kaum noch einen Penny wert.
Als Allan die Yacht und das Flugzeug verkaufen musste, war er am Boden zerstört. Er versicherte Fernanda, dass er beides innerhalb eines Jahres zurückerwerben oder sogar noch größere Exemplare anschaffen würde, sobald sich der Markt wieder erholt hätte – was aber nicht eintrat. Allan verlor nicht nur seinen gesamten Besitz, sein Kartenhaus riskanter Investitionen fiel komplett in sich zusammen. Am Ende des Jahres waren Allans Schulden fast so hoch wie zuvor sein Vermögen. Da er Fernanda

nicht im Detail einweihte, war dies alles für sie genauso wenig nachvollziehbar wie sein plötzlicher Aufstieg. Allan stand jetzt enorm unter Druck, hing ununterbrochen am Telefon, flog von einem Ende der Welt zum anderen und war unheimlich reizbar, wenn er nach Hause kam. Er war – quasi über Nacht – das reinste Nervenbündel geworden, und das aus gutem Grund.
Alles, was Fernanda vier Monate zuvor gewusst hatte, war, dass Allan hohe Schulden hatte und dass die meisten seiner Aktien wertlos geworden waren. Aber sie wusste nicht, was Allan vorhatte, um alles wieder in Ordnung zu bringen – und wie katastrophal ihre Situation noch werden würde. Allan hatte viele Investitionen als stiller Teilhaber oder mithilfe von Briefkastenfirmen getätigt. Deshalb war in der Geschäftswelt noch nicht bekannt geworden, wie es um Allans finanzielle Lage bestellt war. Aus Scham und weil er fürchtete, dass die Leute keine Geschäfte mehr mit ihm machen würden, tat er sein Bestes, um das auch weiterhin zu vertuschen. So wie er einst den Duft des Erfolgs verbreitete, fürchtete er jetzt, ihm könne der Gestank des Scheiterns anhaften. Fernanda versuchte, ihm nicht zu zeigen, wie besorgt sie war. Sie wollte ihm beistehen, obwohl sie vor Angst davor, was die Zukunft ihr und ihren Kindern bringen würde, wie gelähmt war. Als Allan kurz nach Weihnachten nach Mexiko flog, bedrängte sie ihn, das Haus in London, die Büroräume in New York und die Wohnung auf Hawaii zu verkaufen. Sie schlug sogar vor, ihr großes Anwesen in der Stadt zu veräußern und zurück nach Palo Alto zu ziehen. Allan lachte sie aus. Er war auf dem Weg zu einem Geschäftstreffen, von dem er sich viel versprach. Er hatte gemein-

sam mit einigen anderen Geschäftsleuten eine große Sache vor und versicherte Fernanda, wenn es klappen würde, wären sie auf einen Schlag alle Schulden los.
Aber nicht nur die geplante Transaktion erwies sich als Flop. Allan war gerade einmal zwei Tage fort, da trat eine weitere Katastrophe ein. Innerhalb einer Woche meldeten drei Großunternehmen Konkurs an, und mit ihnen lösten sich zwei von Allans Hauptinvestitionen in Luft auf. Allan war endgültig ruiniert. Als er Fernanda in jener Nacht vom Hotel aus anrief, klang seine Stimme heiser. Er hatte stundenlang verhandelt – und nur geblufft. Er besaß gar nichts mehr, mit dem er handeln konnte. Als er ihr davon erzählte, weinte er. Fernanda beteuerte, dass sie ihn liebe, was auch passieren würde. Aber das tröstete ihn nicht. Für Allan ging es um Sieg oder Niederlage. Er hatte wenige Wochen zuvor seinen vierzigsten Geburtstag gefeiert, und der Erfolg, der in den letzten vier Jahren sein Lebenselixier gewesen war, hatte sich vollständig in Luft aufgelöst. Er hielt sich für einen totalen Versager. Nichts, was Fernanda sagte, schien ihn trösten zu können. Sie versprach ihm, dass alles wieder gut werde, solange sie nur zusammen seien. Allan schluchzte und erklärte, das Leben habe für ihn keinen Sinn mehr. Er habe sich auf der ganzen Welt zur Witzfigur gemacht, und das Einzige, was ihm noch geblieben sei, sei seine Lebensversicherung. Sie erinnerte ihn daran, dass sie noch immer die Häuser besäßen, die insgesamt an die hundert Millionen Dollar wert seien.
»Hast du überhaupt eine Vorstellung davon, wie hoch unsere Schulden sind?«, fragte Allan mit brüchiger Stimme. »Wir reden hier von einigen hundert Millionen Dollar!

Wir müssen alles verkaufen und werden trotzdem die nächsten zwanzig Jahre bis über beide Ohren verschuldet sein. Ich weiß nicht einmal, ob ich aus diesem Loch jemals wieder herauskomme. Wir stecken richtig tief drin, Liebling. Es ist vorbei, ein für alle Mal vorbei.«
Sie konnte seine Tränen nicht sehen, aber sie hörte an seiner Stimme, dass er noch immer weinte. »Nein, das ist es nicht«, sagte sie gefasst. »Du kannst Konkurs anmelden, wir verkaufen alles, und ich suche mir einen Job. Ich würde mich sogar an die Straßenecke stellen und Bleistifte verkaufen, solange wir nur zusammenbleiben.« Sie versuchte, ihn mit dieser Vorstellung ein wenig aufzuheitern, aber er hörte gar nicht zu.
Nach diesem Gespräch war Fernanda sehr aufgeregt, und sie rief Allan später in dieser Nacht noch einmal an. Es hatte ihr nicht gefallen, dass er den Wert seiner Lebensversicherung so betont hatte. Sie sorgte sich mehr um ihn als um ihre finanzielle Situation. Fernanda wusste, dass Männer zu verrückten Dingen fähig sind, wenn sie beruflich scheitern, und Allans ganzes Ego war an seinen Erfolg geknüpft gewesen. Als er endlich an den Apparat kam, hörte sie sofort, dass er betrunken war. Er lallte und redete in einem fort davon, dass sein Leben keinen Sinn mehr habe. Fernanda bekam solche Angst, dass sie am folgenden Tag mit der ersten Maschine zu ihm fliegen und bis zum Ende seiner Geschäftsverhandlungen dort bleiben wollte. Aber bevor sie am nächsten Morgen etwas unternehmen konnte, erhielt sie einen Anruf. Es war einer von Allans Verhandlungspartnern. Als er ihr sagte, dass Allan anscheinend mitten in der Nacht allein aufs Meer hinausgefahren sei, klang seine Stimme gebrochen.

Nachdem der Kapitän das Verschwinden der Yacht bemerkt und angezeigt hatte, wurde das Boot von der Küstenwacht gefunden – von Allan keine Spur. Und bisher war die Suche nach ihm erfolglos verlaufen. Es war zu befürchten, dass es einen Unfall gegeben hatte und Allan über Bord gegangen war.
Als Fernanda nur Stunden später in Mexiko eintraf, übergab ihr ein Polizeibeamter einen Brief von Allan. Zuvor hatte er eine Kopie für ihre Akten angefertigt. Der Brief machte deutlich, wie verzweifelt Allan gewesen war, dass er sich geschäftlich niemals wieder erholen würde und lieber tot sein wollte, als die Schande ertragen zu müssen, dass die ganze Welt erfuhr, was für eine Niete er war. Fernanda würde nie herausfinden, ob er Selbstmord verübt hatte oder betrunken ins Meer gestürzt war, aber in jedem Fall wies alles darauf hin, dass er nicht mehr hatte leben wollen.
Die Polizei war dazu verpflichtet, den Abschiedsbrief der Versicherungsgesellschaft zu übergeben, und diese verweigerte jetzt die Auszahlung der Lebensversicherungssumme. Fernandas Anwalt erklärte ihr, dass sie das Geld wahrscheinlich niemals bekommen werde, die Indizien für einen Selbstmord seien einfach zu erdrückend.
Allans Leiche wurde wenige Tage später nach einem Sturm in der Nähe des Hotels an den Strand gespült, er war eindeutig ertrunken. Ob er willentlich gesprungen oder über Bord gegangen war, ließ sich nicht feststellen.
Fernanda befand sich zu diesem Zeitpunkt noch in Mexiko und musste Allan identifizieren. Es war ein grauenhaftes Erlebnis. Sie war froh, dass die Kinder nichts von

alldem mitbekamen. Sie hatte sie trotz derer heftigen Proteste zu Hause in Kalifornien gelassen. Eine Woche später, nachdem sie Berge von Dokumenten ausgefüllt hatte, kehrte sie als Witwe nach San Francisco zurück, mit Allans sterblichen Überresten in einem Sarg im Frachtraum des Flugzeugs.

Die Beerdigung war für sie und die Kinder eine einzige Tortur. In den Zeitungen hieß es, Allan sei bei einem Bootsunfall in Mexiko ums Leben gekommen, darauf hatten sich alle Eingeweihten geeinigt. Niemand ahnte, dass Allan geschäftlich am Ende gewesen war, und die Polizei hielt den Abschiedsbrief vor der Presse geheim.

Allan hatte einen solchen Berg Schulden angehäuft, dass Fernanda Jahre brauchen würde, um sie abzubezahlen. In den vier Monaten nach Allans Tod hatte sie so viel wie möglich verkauft. Die Villa war auf Allan eingetragen, aber sobald man es ihr erlaubte, würde sie auch die veräußern. Glücklicherweise hatte Allan alles andere auf ihren Namen erworben, quasi als Geschenk, nur deshalb war sie überhaupt berechtigt, etwas zu verkaufen. Die beiden impressionistischen Gemälde sollten im Juni auf einer Auktion in New York versteigert werden. Ihr Anwalt Jack Waterman versicherte ihr, wenn sie alles zu Geld mache, einschließlich des Anwesens in der Stadt, würde sie vielleicht plus/minus null aus der Sache herauskommen, ihr und den Kindern bliebe jedoch kein einziger Cent. Der größte Teil von Allans Schulden war an Kapitalgesellschaften gebunden, und Jack riet ihr, Konkurs anzumelden. Aber bisher war keiner von Allans Geschäftspartnern im Bilde über dessen Situation, und aus Respekt vor ihm wollte Fernanda es möglichst dabei bewenden

lassen. Selbst die Kinder hatten keine Ahnung vom ganzen Ausmaß der Misere.
An diesem sonnigen Nachmittag im Mai saß Fernanda in ihrer Küche, fühlte sich wie betäubt und konnte auch vier Monate nach Allans Tod noch immer nicht fassen, was passiert war.
In zwanzig Minuten würde sie Ashley und Sam von der Schule abholen, so wie jeden Tag. Will fuhr selbst von der Highschool nach Hause, in dem BMW, den Allan ihm sechs Monate zuvor zu seinem sechzehnten Geburtstag geschenkt hatte. Es wurde höchste Zeit, mit den Kindern über ihre finanzielle Situation zu reden, aber Fernanda wusste beim besten Willen nicht, wie sie das anpacken sollte. Bisher hatten die Kinder lediglich mitbekommen, dass sich die Versicherungsgesellschaft weigerte zu zahlen. Sie hatte ihnen erklärt, dass sie mit dem Geld ein bisschen haushalten müssten, bis der Nachlass ihres Vaters geordnet sei. In Wahrheit wusste sie allmählich schon nicht mehr, wovon sie die Lebensmittel bezahlen sollte. Sie musste sich möglichst bald einen Job suchen.
Jede Nacht lag Fernanda wach in ihrem Bett und dachte an das letzte Gespräch mit Allan. Wieder und wieder ging sie es durch, und sie würde sich bis an ihr Lebensende vorwerfen, dass sie nicht früher nach Mexiko geflogen war.
Weil sie seit Monaten nicht mehr richtig schlafen konnte, war sie in der letzten Woche beim Arzt gewesen. Er wollte ihr Medikamente verschreiben, aber das hatte sie abgelehnt. Vor allem wegen der Kinder wollte sie aus eigener Kraft mit der schwierigen Situation fertig werden, auch wenn es sie jeden Tag aufs Neue unglaublich an-

strengte, einen Schritt nach dem anderen zu machen und durchzuhalten. Und immer wieder gab es Augenblicke, insbesondere nachts, da wurde sie von Angst und Verzweiflung geradezu überwältigt.
Fernanda fühlte sich furchtbar allein, und der einzige Mensch, der wusste, was sie im Moment durchlitt, war ihr Anwalt Jack Waterman. Mit seiner mitfühlenden und verständnisvollen Art war er ihr bislang eine große Hilfe gewesen. Just an diesem Morgen waren sie übereingekommen, die Villa im August zum Verkauf anzubieten. Die Kinder fühlten sich dort mittlerweile sehr wohl, und damit sie weiterhin auf die gleichen Schulen wie bisher gehen könnten, müsste Fernanda eigentlich finanzielle Unterstützung beantragen. Aber das konnte sie momentan nicht tun, weil sie noch immer bemüht war, das Ausmaß der finanziellen Katastrophe geheim zu halten. Sie tat es Allan zuliebe und aus taktischen Erwägungen. Solange die Leute, denen sie Geld schuldete, glaubten, sie verfüge noch über ein Vermögen, ließen sie sich eher hinhalten. Sie begründete die Zahlungsverzögerung damit, dass steuerlich und testamentarisch noch nicht alles geregelt sei.
In den Zeitungen wurde immer wieder über Unternehmen berichtet, die Bankrott gingen. In etliche davon hatte Allan investiert. Aber wie durch ein Wunder setzte niemand, der mit Allan geschäftlich zu tun gehabt hatte, die einzelnen Informationen zu einem vollständigen Bild zusammen. Es erwies sich jetzt auch als Vorteil, dass Allan in den meisten Fällen nicht namentlich als einer der Hauptinvestoren bekannt war. So kämpfte sich Fernanda tagtäglich durch einen Wirrwarr von Lügen. Sie litt furchtbar darunter, den einzigen Mann verloren zu ha-

ben, den sie jemals geliebt hatte, und gleichzeitig war sie bestrebt, den Kindern in ihrer Trauer um den Vater beizustehen.

Fernanda schaute auf ihre Armbanduhr. In fünf Minuten endete der Schulunterricht, sie musste sich beeilen. Sie schlang ein Gummiband um den Stapel neuer Rechnungen und warf ihn in die Kiste zu den anderen. Irgendwo hatte sie einmal gehört, dass viele Hinterbliebene den Verstorbenen dafür hassten, dass er sie einfach so allein zurückgelassen hatte. Aber von diesem Zustand war sie noch weit entfernt. Sie hatte seit Allans Tod nur geweint und gewünscht, Allan wäre nicht so verrückt gewesen, sich in diesen ganzen Erfolgsrausch hineinzusteigern, bis dieser schließlich sein Leben zerstörte.

Immer noch völlig in Gedanken lief sie mit dem Autoschlüssel in der Hand hinaus und ließ die Haustür hinter sich zufallen. In ihrer Jeans, dem weißen T-Shirt und den Sandaletten sah Fernanda aus wie ein junges Mädchen. Sie war schlank und zierlich und trug ihr langes blondes Haar zu einem Zopf geflochten. Bei flüchtigem Hinschauen hätte man sie mit ihrer Tochter verwechseln können. Ashley war mit ihren zwölf Jahren beinahe genauso groß wie ihre Mutter und wirkte sehr vernünftig.

Erst als die Tür schon zugeschlagen war, bemerkte Fernanda, dass Will ihr auf der Treppe entgegenkam. Er war ein hoch gewachsener, sportlicher, dunkelhaariger Junge mit blauen Augen – das exakte Ebenbild seines Vaters. Während der letzten Wochen hatte sich Will mehr wie ein erwachsener Mann denn wie ein Teenager verhalten. Ihm war nicht entgangen, dass Fernanda oft weinte und beunruhigt schien, weshalb er sich mehr Sorgen um sie machte, als er zeigte. Er unterstützte sie, wo er nur konnte. Fernanda blieb nun einen Moment lang stehen und reckte sich, um ihn auf die Wange zu küssen.

»Alles in Ordnung, Mom?« Er wusste, dass er sich die Frage eigentlich sparen konnte, denn es ging seiner Mutter seit dem Tod seines Vaters miserabel.

Fernanda nickte. »Natürlich.« Sie vermied es, ihm in die Augen zu sehen. »Ich hole schnell Ash und Sam von der Schule ab. Wenn ich zurück bin, mache ich dir ein Sandwich«, versprach sie.

»Das kriege ich schon selbst hin.« Er lächelte sie an. »Heute Abend habe ich ein Spiel.«

Er spielte nicht nur Baseball, sondern auch Lacrosse, und Fernanda hatte es schon immer geliebt, ihm bei seinen Spielen und beim Training zuzuschauen. Aber in letzter Zeit wirkte sie dabei so abwesend, dass er sich fragte, ob sie überhaupt etwas mitbekam. Jetzt ging sie gar nicht auf seine Äußerung ein, als hätte sie ihm nicht zugehört.

»Soll ich die beiden abholen?«, bot er an. Er war jetzt der Mann im Haus. Den Vater zu verlieren, war auch für ihn ein großer Schock gewesen, aber er gab sein Bestes, sich in seine neue Rolle einzufinden. Seine Mutter schien in den letzten Monaten ein anderer Mensch geworden zu sein. Ständig war sie mit den Gedanken woanders, und so, wie sie momentan Auto fuhr, stellte sie für sich und andere eine Gefahr dar.

»Es geht mir gut«, versicherte Fernanda, so wie immer, und überzeugte damit weder ihn noch sich selbst. Sie eilte zu ihrem Kombi, öffnete die Fahrertür, winkte, stieg ein und brauste davon.

Will schaute ihr nach. Er sah, wie sie an der nächsten

Kreuzung ankam – und das Stoppschild einfach überfuhr. Mit einem Ausdruck im Gesicht, als laste die Verantwortung der ganzen Welt auf seinen Schultern, öffnete Will die Haustür und betrat das stille Haus. Mit diesem dummen Trip nach Mexiko hatte sein Vater ihrer aller Leben für immer verändert. Ständig war er auf Reisen und mit Dingen beschäftigt gewesen, die er für wichtig hielt. Dauernd hatte er irgendwohin fliegen müssen, um wichtige Geschäfte abzuschließen. Zu Hause war er kaum noch gewesen. Und während der letzten drei Jahre hatte er sich kein einziges von Wills Spielen angesehen. Auch wenn seine Mutter nicht wütend auf Allan war – Will war es. Jedes Mal, wenn er jetzt seine Mutter anblickte und merkte, wie schlecht es ihr ging, hasste er seinen Vater für das, was er ihr und ihnen angetan hatte. Er hatte sie einfach im Stich gelassen. Das nahm Will ihm sehr übel – und dabei kannte er nicht einmal die ganze Geschichte.

4. Kapitel

Als Peter Morgan in San Francisco aus dem Bus stieg, blieb er erst einmal stehen und sah sich in aller Ruhe um. Er befand sich in South of Market, einem Stadtteil, in dem er sich nicht sonderlich gut auskannte. Vor seiner Haft hatte er sich ausschließlich in den besseren Vierteln bewegt. Ihm gehörte damals ein Haus in Pacific Heights und ein Apartment in Nob Hill, wo er seine Drogengeschäfte abwickelte. In den ärmeren Gegenden hielt er sich nie auf, aber in seinem Aufzug, mit der gebrauchten Kleidung aus dem Gefängnis, passte er jetzt besser hierher.
Er ging ein Stück die Market Street entlang und musste sich erst wieder an die vielen Menschen und das Gedränge auf den Straßen gewöhnen. Ein bisschen hilflos ließ er sich in der Menge treiben, wurde ständig angerempelt und fühlte sich seltsam schutzlos. In einem Schnellimbiss bestellte er einen Hamburger und Kaffee. Es kam ihm so vor, als hätte er nie zuvor etwas Besseres gegessen, und langsam wurde ihm bewusst, dass er jetzt frei war. Nach dem Essen hielt er sich noch für eine Weile draußen vor dem Restaurant auf und beobachtete einfach nur die Menschen. Er erblickte Frauen und Kinder; Männer, die aussahen, als seien sie unterwegs zu einem wichtigen Termin; Obdachlose, die in Hauseingängen kauerten, und herumtorkelnde Betrunkene. Das Wetter war mild und angenehm. Ohne ein bestimmtes Ziel schlenderte Peter

weiter die Straße entlang. Sobald er erst einmal in dem Übergangshaus ankam, würde man ihm sofort wieder Vorschriften machen, deshalb wollte er das Gefühl von Unabhängigkeit noch ein bisschen auskosten. Zwei Stunden später bestieg er erneut einen Bus und fuhr in den Mission District.

Das Übergangshaus befand sich in der Sixteenth Street. Peter ging durch die Straßen, bis er direkt davorstand. Sein neues Heim hatte nicht die geringste Ähnlichkeit mit den Häusern, in denen er vor seiner Haft gelebt hatte. Er dachte an Janet und die Kinder. Wo mochten sie jetzt sein? Peter hatte seine Töchter in den letzten Jahren fürchterlich vermisst. Im Gefängnis hatte er in einer Zeitschrift gelesen, dass Janet wieder geheiratet hatte. Sein Sorgerecht war ihm schon vor Jahren aberkannt worden, und wahrscheinlich waren seine beiden Töchter mittlerweile von ihrem Stiefvater adoptiert worden. Peter gehörte schon lange nicht mehr zu ihrem oder Janets Leben. Er schob seine Erinnerungen nun beiseite und stieg die Stufen zu dem heruntergekommenen Gebäude hinauf. Hier wohnten ausschließlich auf Bewährung entlassene Häftlinge und Drogenabhängige nach dem Entzug.

Im Hausflur stank es nach Katzendreck, Urin und angebranntem Essen, und überall blätterte die Farbe von den Wänden ab. An einem solchen Ort zu landen war für einen Harvardabsolventen die Hölle, aber das war Pelican Bay auch gewesen, und er hatte es vier lange Jahre dort ausgehalten. Er würde auch das hier durchstehen, so leicht ließ er sich nicht unterkriegen.

Hinter einer Art Rezeption saß ein Schwarzer. Er war groß, dünn, hatte keine Zähne mehr, und seine Arme waren voller Einstichnarben. Er trug ein kurzärmeliges T-Shirt, und es schien ihm überhaupt nichts auszumachen, dass man die Narben sah. Im Gesicht waren Tränen auf seine dunkle Haut tätowiert, ein Zeichen dafür, dass er im Gefängnis gewesen war. Als Peter vor ihm stand, blickte er hoch und lächelte ihn freundlich an.

»Kann ich was für dich tun, Mann?« Der Schwarze hatte sofort erfasst, dass Peter aus dem Gefängnis kam. Er kannte diesen typischen Haarschnitt und die Art Kleidung. Aber vor allem verrieten ihm Peters Gang und der misstrauische Blick, mit dem er ihn beäugte, was sie miteinander verband.

Tatsächlich hatte Peter mit diesem Mann wesentlich mehr gemeinsam als mit irgendjemandem aus seinem früheren Leben. Das hier war jetzt seine Welt. Peter reichte dem Mann die Papiere und sagte, dass er sich hier melden solle. Der Mann nickte, nahm einen Schlüssel aus der Schreibtischschublade und erhob sich. »Ich zeige dir dein Zimmer.«

»Danke.« Peter blieb auf der Hut, so wie er es seit vier Jahren jeden Tag gewesen war. Er wusste, dass er hier kaum sicherer war als in Pelican Bay. Er war von den gleichen Typen umgeben, und viele von ihnen würden über kurz oder lang wieder im Gefängnis landen. Peter wollte nie wieder dorthin zurück und keinesfalls seine Bewährung gefährden, weil er etwa in eine Schlägerei verwickelt wurde. Und er hatte erst recht keine Lust, sein Leben verteidigen zu müssen.

Sie stiegen in dem widerlich stinkenden Flur zwei Treppen nach oben. Das Haus stammte aus viktorianischer Zeit und wurde schon seit Jahren nicht mehr gepflegt.

Hier waren ausschließlich Männer untergebracht. Oben stank es nach Katzenklos, die offenbar äußerst selten sauber gemacht wurden. Der Schwarze ging bis zum Ende des Flurs, blieb vor einer Tür stehen und klopfte. Als niemand reagierte, öffnete er die Tür mit seinem Schlüssel und stieß sie weit auf. Peter folgte ihm hinein. Das Zimmer war kaum größer als eine Besenkammer. Der billige Teppichboden war abgenutzt und fleckig, es gab ein Etagenbett, zwei Schränke, einen wackeligen Tisch und einen Stuhl. Durch das einzige Fenster blickte man auf die Rückwand eines Hauses, das dringend einen neuen Anstrich benötigte. Das alles war mehr als niederschmetternd. In Pelican Bay hatte man die Zellen wenigstens sauber gehalten und modern und hell eingerichtet. Das hier war wirklich die letzte Absteige.
»Das Bad ist am Ende des Flurs. Du teilst dir das Zimmer mit einem anderen Typen, wahrscheinlich ist er gerade arbeiten«, erklärte der Schwarze.
»Danke.« Peter sah, dass auf dem oberen Bett nur die fleckige Matratze lag. Für alles andere musste er wohl selbst sorgen oder direkt auf der Matratze schlafen, so wie es die meisten hier machten. Sein Mitbewohner hatte den größten Teil seiner Sachen auf dem Boden verstreut, das Zimmer war ein einziger Schweinestall. Lange Zeit verharrte Peter vor dem Fenster und blickte hinaus. Er hatte keine Ahnung, wohin er sich jetzt wenden sollte, und nachdem er das hier gesehen hatte, fürchtete er sich vor der Zukunft. Er brauchte einen Job, Geld, und er musste clean bleiben. Der Gedanke, wieder Drogen zu verkaufen, nur um hier herauszukommen, erschien ihm sehr verlockend. Dagegen war die Vorstellung, in einem Schnellimbiss

oder als Tellerwäscher zu arbeiten, nicht gerade aufmunternd. Nachdem der Schwarze gegangen war, legte sich Peter auf das obere Bett und starrte an die Decke. Er versuchte, nicht an all das zu denken, was ihm womöglich noch bevorstand. Irgendwann schlief er schließlich ein.

Fast im gleichen Augenblick, in dem Peter seine neue Bleibe in Augenschein nahm, betrat Carlton Waters sein Zimmer im Übergangshaus in Modesto. Er lächelte, als er sah, wer sein Mitbewohner war: Malcolm Stark. Die beiden waren alte Freunde und hatten zwölf Jahre lang zusammen in San Quentin gesessen. Waters hatte Stark damals einen ausgezeichneten juristischen Rat gegeben, der letztendlich sogar dazu führte, dass Stark entlassen wurde.

»Was machst du denn hier?«, fragte Waters sichtlich erfreut. Er ließ es sich nicht anmerken, aber nach vierundzwanzig Jahren im Gefängnis war es für ihn ein Schock, plötzlich in Freiheit zu sein.

Stark grinste. »Bin letzten Monat rausgekommen. Vorher saß ich fünf Jahre in Soledad. Letztes Jahr wurde ich entlassen. Und vor sechs Monaten haben sie mich wieder verknackt, wegen Waffenbesitz, keine große Sache. Ist übrigens gar nicht schlecht hier. Du wirst viele alte Bekannte treffen.«

»Warum hast du vorher gesessen?« Waters musterte Stark argwöhnisch. Stark hatte lange Haare und ein zernarbtes, zerschlagenes Gesicht. Er war als Kind oft in Schlägereien verwickelt gewesen.

»Sie haben mich in San Diego geschnappt, ich hatte einen Job als Kurier, sollte Drogen über die Grenze schaffen.«

Als er und Waters sich kennen lernten, verbüßte Stark eine Strafe wegen Dealerei. Das war die einzige Arbeit, die der mittlerweile Sechsundvierzigjährige kannte. Er war in Heimen aufgewachsen, nahm seit seinem zwölften Lebensjahr Drogen und hatte mit fünfzehn angefangen, sich als Dealer zu verdingen. Zum ersten Mal kam er ins Gefängnis, weil er bei einem Deal jemanden getötet hatte. »Dieses Mal wurde aber keiner verletzt«, fügte er deshalb auch hinzu.

Waters nickte. Er mochte diesen Typen, obwohl er ihn für einen Dummkopf hielt. Und als Kurier zu arbeiten, war der mieseste Job überhaupt. Anscheinend hatte er sich dabei auch nicht sonderlich clever angestellt. »Wer ist denn noch hier?«, wollte Waters wissen.

»Jim Free und noch ein paar andere Typen, die du kennst.«

Carlton Waters erinnerte sich, dass Jim Free wegen Kidnapping und versuchten Mordes in Pelican Bay gesessen hatte. Jemand hatte ihn beauftragt, seine Ehefrau zu töten, aber Free hatte es vermasselt. Er und der Ehemann wurden zu jeweils zehn Jahren Haft verurteilt. Pelican Bay und San Quentin galten als die Eliteschulen für Verbrecher, beinahe vergleichbar mit Peter Morgans Harvardabschluss.

»Was hast du jetzt vor, Carl?« Es klang, als würden zwei Unternehmer über ihre beruflichen Pläne sprechen.

»Erst mal muss ich mich bei meinem Bewährungshelfer melden. Und dann gibt es ein paar Leute, die ich wegen eines Jobs ansprechen will.«

»Ich schufte auf einer Farm, packe Tomaten in Kisten. Scheißjob, aber dafür stimmt die Kohle einigermaßen. Ich will als Lkw-Fahrer arbeiten, aber sie wollen, dass ich erst drei Monate Kisten packe, trauen mir wohl nicht. Zwei Monate hab ich jetzt rum. Falls du Arbeit suchst – die können immer Leute brauchen.« Stark war bemüht, seinem alten Kumpel einen Gefallen zu tun.

»Ich will versuchen, einen Bürojob zu kriegen, bin nämlich körperlich nicht gerade in Topform.« Waters grinste. Man sah auf den ersten Blick, dass genau das Gegenteil der Fall war, aber er konnte körperliche Arbeit nicht ausstehen. Er wollte alles daransetzen, etwas Besseres aufzutun, und mit ein bisschen Glück würde ihm das auch gelingen. Er hatte von dem Wärter, für den er die letzten zwei Jahre lang im Knast gearbeitet hatte, ein Superzeugnis bekommen und sich nebenbei solide Computerkenntnisse angeeignet. Durch das Verfassen von Artikeln für verschiedene Zeitschriften hatte er sich außerdem zu einem passablen Autor entwickelt, und er hatte vor, ein Buch über sein Leben im Gefängnis zu schreiben.

Die beiden quatschten noch eine Weile lang und zogen dann gemeinsam los, um irgendwo etwas zu essen. Sie hatten nur bis neun Uhr Ausgang und mussten jedes Mal unterschreiben, wenn sie das Haus verließen und zurückkamen. Während sie unterwegs waren, musste Carlton Waters die ganze Zeit über daran denken, was für ein sonderbares Gefühl es war, eine Straße entlangzuschlendern und zum Essen auszugehen. Vierundzwanzig endlose Jahre lang hatte er das nicht getan, seit seinem siebzehnten Lebensjahr. Sechzig Prozent seines Lebens hatte er im Gefängnis verbracht – aber das war Vergangenheit. Immerhin hatte er im Knast auch eine Menge gelernt, was ihm sonst vielleicht nicht möglich gewesen wäre. Jetzt lautete die entscheidende Frage: Was mache ich daraus? Und noch hatte er nicht die geringste Idee.

Fernanda holte Ashley und Sam von der Schule ab, brachte Ashley zum Ballett und fuhr mit Sam nach Hause. Will saß wie gewöhnlich in der Küche. Wenn er zu Hause war, verbrachte er den größten Teil seiner Zeit mit Essen – aber das sah man ihm nicht an. Er war ein durchtrainierter Sportler, schlank und kräftig, über ein Meter achtzig groß. Allan war knapp ein Meter neunzig gewesen, und so schnell, wie Will wuchs, würde er ihn bald eingeholt haben.

»Um wie viel Uhr ist dein Spiel?«, fragte Fernanda, während sie Milch in ein Glas goss und es zusammen mit einem Apfel und einem Teller Kekse vor Sam auf den Tisch stellte.

Will aß ein Sandwich mit Putenbrust, Tomaten und Käse. An den Seiten tropften Senf und Majonäse hinab, und es war so dick belegt, dass Will es kaum in Händen halten konnte. »Erst um sieben«, sagte Will zwischen zwei Bissen. »Kommst du hin?«, fragte er scheinbar gleichgültig. Dabei wusste Fernanda genau, wie wichtig es ihm war. Sie ging immer zu seinen Spielen, selbst jetzt, wo sie den Kopf voll hatte mit anderen Dingen. Sie wollte immer für ihre Kinder da sein, und nach Allans Tod war die Zeit, die sie mit ihnen verbrachte, für sie noch kostbarer geworden. »Meinst du, das würde ich mir entgehen lassen?«, gab sie lächelnd zurück. Fernanda war müde und musste sich zusammennehmen, um nicht an den Stapel Rechnungen zu denken, den sie vorhin in die Kiste gestopft hatte. Der Schuldenberg wuchs immer weiter, und noch hatte sie keine Ahnung, wie viel Allan insgesamt angehäuft hatte. Ebenso schleierhaft war ihr, wie sie das alles bezahlen sollte. Um sich abzulenken, fragte sie Will: »Gegen wen spielt ihr denn?«

»Gegen eine Mannschaft aus Marin. Ziemlich lahme Enten. Die schaffen wir leicht.« Er grinste sie an.

Fernanda lächelte. Sam knabberte seelenruhig alle Kekse und ignorierte den Apfel. »Klingt gut. Iss deinen Apfel, Sam«, ermahnte Fernanda ihren Jüngsten, ohne auch nur den Kopf zu drehen.

Sam stöhnte. Er war ein aufgeweckter sechsjähriger Junge mit Sommersprossen und braunen Augen. Wem er seine feuerroten Haare verdankte, wussten sie nicht. Weder Fernanda noch Allan hatten einen Rotschopf in der Familie.

»Ich mag keine Äpfel«, nörgelte er.

»Dann nimm dir einen Pfirsich. Aber du musst Obst essen und nicht nur Kekse.« Wieder einmal wurde ihr bewusst, dass das Leben weiterging, auch wenn sie mitten in diesem Desaster steckten. Baseballspiele, Ballett, Essenkochen, alles lief wie gehabt. Vor allem wegen der Kinder hielt Fernanda möglichst an ihrer täglichen Routine fest, aber sie selbst brauchte das genauso.

»Will isst auch kein Obst«, murrte Sam.

»Will isst alles, was er im Kühlschrank findet.« Während sie Sam einen Pfirsich und eine Mandarine reichte, schaute sie auf ihre Armbanduhr. Es war kurz nach vier. Wenn Will um sieben ein Spiel hatte, sollte es um sechs Abendessen geben. Um fünf musste sie Ashley vom Ballett abholen. So hektisch sah ihr Alltag jetzt aus. Kurz nach Allans Tod hatte sie die Haushälterin und das Aupairmädchen, das sie für Sam eingestellt hatten, entlassen. Fernanda musste Kosten einsparen und machte jetzt die ganze Hausarbeit allein. Den Kindern schien es zu gefallen. Sie liebten es, ihre Mutter ständig um sich zu haben, wenn auch nicht zu übersehen war, wie sehr sie ihren Vater vermissten.

Während Sam sein Obst aß, beklagte er sich über einen Jungen aus der vierten Klasse, der ihn in der Schule geärgert hatte. Will erzählte, dass er in dieser Woche ein naturwissenschaftliches Projekt für die Schule fertig stellen musste und fragte Fernanda, ob sie ihm Kupferdraht besorgen könne. Danach erklärte er Sam, wie man am besten mit Typen verfährt, die einen nicht in Ruhe lassen.

Will war ein guter Schüler und hatte seinen Notendurchschnitt auch nach dem schlimmen Ereignis halten können, Ashley hingegen hatte sich merklich verschlechtert. Sams Klassenlehrerin hatte Fernanda erzählt, dass ihr Sohn nun oft weine, und Fernanda machte sich große Vorwürfe, denn es war für die Kinder ein fast alltäglicher Anblick geworden, ihre Mutter mit den Tränen kämpfen zu sehen. In Sams Gegenwart riss sich Fernanda nun besonders zusammen, aber da er ihr seit vier Monaten kaum von der Seite wich und sogar bei ihr im Bett schlief, war das nicht gerade einfach. Erst vor wenigen Tagen hatte sich Ashley bei Will darüber beklagt, dass ihre Mutter überhaupt nicht mehr lache.

»Sie wird wieder lachen«, beruhigte Will seine Schwester, »du musst ihr Zeit lassen.«

Er war in den letzten Monaten wirklich sehr gereift und versuchte, seinen Vater zu ersetzen, so gut er konnte. Fernanda betrachtete diese Entwicklung mit Skepsis. Sie

wollte, dass sich ihr Sohn frei entfalten konnte, doch manchmal kam es ihr so vor, als sei sie ihm keine Stütze, sondern eine zusätzliche Last. Sie war froh, dass Will in den Sommerferien in ein Lacrosse-Camp fahren würde, das tat ihm bestimmt gut. Ashley wollte mit einer Freundin und deren Eltern nach Tahoe. Sam blieb zu Hause und nahm an einem Tagescamp teil. Zumindest in den Ferien würden die Kinder abgelenkt sein und hoffentlich kaum an die schreckliche Tragödie denken. Fernanda wollte sich in der Zeit gemeinsam mit ihrem Rechtsanwalt um einige finanzielle Dinge kümmern. Hoffentlich fand sie schnell einen Käufer für die Villa. Allerdings würde die Nachricht über den Verkauf ihres Zuhauses für die Kinder ein weiterer Schock sein. Noch hatte Fernanda auch nicht die geringste Ahnung, wo sie danach wohnen sollten. Sie musste in jedem Fall ein wesentlich kleineres und vor allem preiswerteres Haus auftun. Früher oder später würde bekannt werden, dass Allan vor seinem Tod geschäftlich am Ende und hoch verschuldet gewesen war. Trotz ihrer bisherigen Bemühungen, dies nicht publik werden zu lassen, war es nicht gerade die Art Geheimnis, die man für alle Zeit hüten konnte.
Als sie um kurz vor fünf losmusste, um Ashley abzuholen, bat sie Will, ein Auge auf Sam zu haben. Sie fuhr zur San Francisco Ballett School, wo Ashley dreimal wöchentlich Unterricht hatte. Auch das würden sie sich in Zukunft nicht mehr leisten können. Wenn Fernanda erst einmal alles bereinigt hätte, würde gerade noch genug Geld übrig bleiben, um Miete, Lebensmittel und Schulgeld zu bezahlen. Alles andere müsste gestrichen werden, es sei denn, Fernanda fände einen unglaublich gut dotier-

ten Job – was sehr unwahrscheinlich war. Sie hielt es jedoch für das Wichtigste, dass sie zusammen waren. Immer wieder fragte sie sich, weshalb Allan das nicht begriffen hatte. Warum nur wollte er lieber sterben, als die Probleme gemeinsam mit ihr durchzustehen? Den Ehemann zu verlieren, war ein zu hoher Preis für vier Jahre Luxusleben. Sie wünschte, es hätte nie diesen ersten großen Erfolg gegeben, und sie wären nie aus Palo Alto weggezogen. Wie so oft in letzter Zeit dachte Fernanda auch jetzt darüber nach, als sie vor der Ballettschule auf der Franklin Street hielt. Ashley kam in Turnschuhen aus dem Gebäude gelaufen. Sie hatte noch das Balletttrikot an und trug ihre Spitzenschuhe in der Hand.

Mit ihren gerade einmal zwölf Jahren sah Ashley bereits umwerfend aus. Sie hatte ein ebenmäßiges, hübsches Gesicht, und es war deutlich erkennbar, dass sie eine tolle Figur bekommen würde. Sie wurde langsam zur Frau, und Fernanda ging das fast ein bisschen zu schnell. Ihre Kinder waren alle in den letzten Monaten um einiges erwachsener geworden. Und sie selbst, die im Sommer ihren vierzigsten Geburtstag feiern würde, fühlte sich, als wäre sie hundert.

»Wie war der Unterricht?«, fragte sie Ashley, die schnell auf den Beifahrersitz schlüpfte, während sich hinter ihnen bereits eine Schlange bildete und einige Fahrer ärgerlich hupten. Sobald Ashley angeschnallt war, fuhr Fernanda los.

»Ganz okay.«

Ballett war eigentlich Ashleys große Leidenschaft, aber jetzt wirkte sie matt und nicht sonderlich begeistert. Sie vermisste ihren Vater.

»Will hat heute Abend ein Spiel. Kommst du mit?«, erkundigte sich Fernanda, während sie die Franklin Street entlangfuhr.
Ashley schüttelte den Kopf. »Ich muss Hausaufgaben machen.«
Zumindest bemühte sie sich, auch wenn ihre Noten das momentan nicht erkennen ließen. Aber Fernanda machte ihr deshalb keinen Vorwurf, sie wäre an Ashleys Stelle auch nicht in der Lage, gute Noten nach Hause zu bringen. Sie selbst musste sich zu allem aufraffen. Ein paar Telefonate zu führen, die Rechnungen durchzugehen und das Haus in Ordnung zu halten – das war schon beinahe mehr, als sie bewerkstelligen konnte.
»Könntest du dann auf Sam aufpassen, während ich weg bin?« Ashley nickte. Fernanda hatte ihre Kinder nie allein gelassen, aber jetzt gab es niemanden mehr, der bei ihnen bleiben könnte. Allans schneller Erfolg hatte sie ziemlich isoliert. Als sie auf einmal reich gewesen waren, hatten sich ihre Freunde unbehaglich gefühlt. Ihr Lebensstil hatte sich so verändert, dass es keine Gemeinsamkeiten mehr zwischen ihnen und ihren Bekannten gab. Und jetzt scheute Fernanda jeglichen Kontakt, weil niemand merken sollte, wie es finanziell um sie bestellt war. Sie hatte immer den Anrufbeantworter an, und wenn jemand eine Nachricht hinterließ, rief sie selten zurück. Sie wollte momentan mit niemandem reden.
Zu Hause angekommen, bereitete sie sofort das Abendessen zu und stellte es um Punkt sechs auf den Tisch. Es gab Hamburger, Salat und Pommes frites – nicht gerade das gesündeste Essen, aber etwas, das die Kinder wenigstens aßen. Fernanda stocherte lustlos in ihren

Pommes frites herum. Sie machte sich nicht einmal die Mühe, einen Hamburger auf ihren Teller zu legen, und der größte Teil ihres Salats wanderte in den Mülleimer. Sie hatte selten Appetit, ebenso wie Ashley, die in den letzten Monaten viel dünner geworden war, was sie älter aussehen ließ.

Als Fernanda und Will um Viertel vor sieben ins Stadion aufbrachen, saß Sam unten vor dem Fernseher, und Ashley machte oben in ihrem Zimmer Hausaufgaben. Will hatte schon seine Baseballausrüstung an. Während der Fahrt war er sehr still, und auch Fernanda schwieg nachdenklich. Nachdem sie angekommen waren, setzte sie sich zu den anderen Eltern auf die Tribüne. Niemand sprach sie an, und sie versuchte erst gar nicht, mit jemandem ins Gespräch zu kommen. Die Leute wussten nie, was sie zu ihr sagen sollten, ihr offenkundiger Kummer schreckte sie ab. Es war beinahe so, als fürchteten sie, diese furchtbare Niedergeschlagenheit könne ansteckend sein. Fernanda spürte, dass sich jene Frauen, die einen Ehemann hatten und ein behagliches, sicheres Leben führten, lieber von ihr fern hielten. Zum ersten Mal seit siebzehn Jahren war Fernanda Single, und sie fühlte sich wie eine Aussätzige.

Will gelangen in dem Spiel zwei Homeruns. Sein Team gewann sechs zu null, und als sie nach Hause fuhren, sah er sehr zufrieden aus. Er liebte es zu gewinnen.

»Sollen wir eine Pizza mitnehmen?«, fragte sie.

Will zögerte, nickte dann aber.

Fernanda hielt wenig später vor einem Restaurant, und Will lief hinein und kam mit einer üppig belegten Riesenpizza zurück. Nachdem er sich wieder ins Auto gesetzt

und den Karton mit der Pizza auf seinem Schoß platziert hatte, lächelte er Fernanda an.
»Danke, Mom … danke, dass du mitgekommen bist.« Er hätte gern noch etwas hinzugefügt, wusste aber nicht so recht, was. Er wollte ihr sagen, wie viel es ihm bedeutete, dass sie ihn stets zu den Spielen begleitete, und dass er sich fragte, warum sein Vater das so lange nicht getan hatte. Allan hatte Will zum Superbowl und zu World-Series-Spielen mitgenommen, aber immer waren wichtige Geschäftsfreunde dabei gewesen. Seine Mom hatte immer am Spielfeldrand gesessen. Fernanda schaute zu ihm herüber, und sie beide lächelten sich wortlos an. Für einen kurzen Moment war ihre Welt wieder in Ordnung.
Als sie in ihre Auffahrt einbogen, bemerkte Fernanda, dass der Himmel über der Bucht in einem Zartrosa schimmerte. Während Will mit seiner Pizza ausstieg, genoss Fernanda diesen wunderschönen Anblick, und zum ersten Mal seit Monaten verspürte sie so etwas wie Frieden und Zuversicht. Vielleicht wird am Ende noch alles gut, dachte sie, während sie das Auto abschloss und Will die Treppe hinauf ins Haus folgte.

5. Kapitel

Carlton Waters meldete sich fristgerecht zwei Tage nach seiner Entlassung bei seinem Bewährungshelfer. Es stellte sich heraus, dass man ihm denselben zugeteilt hatte wie Malcolm Stark. Sie mussten beide alle zwei Wochen dort vorsprechen und konnten daher zusammen hingehen. Stark war fest entschlossen, nicht noch einmal in den Knast zu wandern. Seit er draußen war, hatte er keine Drogen mehr angerührt, und auf der Tomatenfarm verdiente er genug, um sich über Wasser halten und sich abends ein paar Bier leisten zu können. Waters hatte sich auf derselben Farm um einen Bürojob beworben. Man wollte ihm am Montag Bescheid geben, ob er eingestellt wurde.

Die beiden Männer hatten abgemacht, am Wochenende etwas zusammen zu unternehmen. Am Sonntag wollte Carl allerdings Verwandte besuchen, die er seit seiner Kindheit nicht mehr gesehen hatte, daher hatten sie sich für Samstag verabredet. Solange die Männer auf Bewährung draußen waren, durften sie den Bezirk nicht ohne Erlaubnis verlassen, aber Waters erklärte Stark, dass seine Verwandten nicht weit entfernt wohnten. Samstagabend aßen die beiden in einem nahe gelegenen Imbiss. Danach tranken sie ein paar Bier in einer Kneipe und schauten sich dabei ein Baseballspiel im Fernsehen an. Pünktlich um neun waren sie zurück im Übergangshaus. Sie wollten beide keinen Ärger.

Als die beiden in ihren Betten lagen, sagte Waters, er hoffe, den Bürojob zu kriegen. Falls es nicht klappe, müsse er sich nach etwas anderem umsehen, aber er mache sich deshalb keine Sorgen. Um zehn Uhr schliefen die beiden bereits tief und fest.

Als Stark am nächsten Morgen um sieben Uhr aufwachte, war Carl bereits weg und hatte eine Nachricht hinterlassen, dass er zu seinen Verwandten fahre und erst abends wieder zurück sei. Stark vertrieb sich die Zeit damit, sich im Fernsehen Baseballspiele anzusehen und mit den anderen zu quatschen. Immer wenn ihn jemand nach Waters fragte, sagte Stark, der mache einen Verwandtenbesuch.

Den Nachmittag verbrachte Stark mit Jim Free. Sie gingen ins nächstgelegene Fastfoodrestaurant und besorgten Tacos fürs Abendessen. Wenn sie zusammen waren, sprachen Stark und Free nie über ihre Verbrechen, keiner im Haus tat das. Im Knast wurde manchmal über solche Dinge geredet, aber sobald die Männer draußen waren, wollten sie die Vergangenheit hinter sich lassen. Free sah man allerdings sofort an, dass er gesessen hatte. Seine Arme waren von oben bis unten voller Knast-Tattoos, und im Gesicht hatte er die typische Tränentätowierung. Er sah aus wie jemand, der vor nichts und niemandem Angst hat.

Am Abend saßen die beiden zusammen, aßen ihre Tacos und sprachen über Baseball, ihre Lieblingsspieler und historische Augenblicke im Baseball, die sie gern live erlebt hätten. Als Free eine Bemerkung über ein Mädchen machte, das er gerade kennen gelernt hatte, konnte sich Stark ein Grinsen nicht verkneifen. Free erzählte ihm, er sei ihr bei seiner Arbeit an der Tankstelle begegnet. Ne-

benan befand sich ein Coffeeshop, in dem sie als Kellnerin arbeitete. Free schwor, sie sei das hübscheste Ding, das er je gesehen habe, und sie habe große Ähnlichkeit mit Madonna. Stark brach in lautes Lachen aus. Er hatte derartige Beschreibungen schon oft gehört und sich jedes Mal gefragt, ob die Typen vielleicht was an den Augen hatten, denn wenn er die Frauen dann sah, hatten sie rein gar nichts von dem jeweiligen Star. Aber er würde nicht mit Free streiten. Jeder hatte das Recht auf seine Träume.
»Weiß sie, dass du gesessen hast?«, fragte Stark neugierig.
»Ja, ich habs ihr gesagt. Schien sie nicht weiter zu stören. Ihr Bruder ist als Teenager wegen schwerem Autodiebstahl verknackt worden.« Ihre Welt schien aus lauter Menschen zu bestehen, die mehr oder weniger lang eingesessen hatten.
»Warst du schon mit ihr aus?« Auch Stark hatte jemanden ins Auge gefasst, eine Frau, die auf der Tomatenfarm arbeitete. Aber bisher hatte er sich nicht getraut, sie anzusprechen. Seine Flirtkünste waren ein wenig eingerostet.
»Ich hatte überlegt, ihr das nächste Wochenende vorzuschlagen«, antwortete Free zögernd.
Sie alle träumten während ihrer Zeit im Knast von heißen Liebesbeziehungen und wildem Sex. Wenn sie dann wieder draußen waren, mussten sie feststellen, dass das schwerer umzusetzen war, als sie gedacht hatten. Hier draußen waren sie in vielerlei Hinsicht Anfänger. Und eine Frau zu finden, schien schwieriger zu sein als alles andere. Selbst die verheirateten Männer taten sich nach ihrer Entlassung eine ganze Weile lang schwer, mit ihren Frauen zurechtzukommen. An eine reine Männerwelt waren sie gewöhnt, dort fiel ihnen das Miteinander leich-

ter. Frauen waren erst einmal eine unbekannte Größe in ihrer Gleichung.
Stark und Free hockten auf den Stufen vor der Haustür und quatschen noch immer über dieses und jenes, da kam Carlton Waters zurück. Er begrüßte die beiden zufrieden grinsend und schien einen netten Tag verbracht zu haben. Er trug ein offenes, blaues Baumwollhemd über einem T-Shirt, eine Jeans und Cowboystiefel, die ziemlich staubig waren. Es war ein wunderschöner Frühlingsabend, und Waters hatte gerade einen Marsch von einem knappen Kilometer hinter sich, von der Bushaltestelle zum Übergangshaus.
»Wie gehts deiner Familie?«, erkundigte sich Stark höflich. Er musste sich erst wieder daran gewöhnen, dass solche Umgangsformen von ihm erwartet wurden. Im Knast war es klug, sich nur um seine eigenen Sachen zu kümmern und niemals Fragen zu stellen. An Orten wie Pelican Bay fühlten sich die Leute schnell angegriffen.
»Gut, nehme ich jedenfalls an. Ich hatte meinen Leuten extra gesagt, dass ich komme. Jetzt bin ich den ganzen weiten Weg mit dem Bus rausgefahren – und sie waren nicht da. Habens wohl vergessen. Also hab ich mich da ein bisschen umgesehen, hab auf der Veranda gesessen, bin in die Stadt gelaufen, hab was gegessen und bin mit dem Bus wieder zurückgefahren.«
Er war deshalb offenbar nicht verärgert. Und als er sich jetzt neben die anderen auf die Stufen setzte, hatte er etwas von einem kleinen Jungen. Er sah glücklicher aus als am Tag zuvor und wirkte, als sei eine große Last von seinen Schultern genommen worden. Anscheinend begann er sich allmählich mit seiner Freiheit anzufreunden. Mal-

colm Stark grinste ihn an, und man konnte sehen, dass er kaum noch Zähne hatte.
»Wenn ich es nicht besser wüsste, würde ich sagen, dass du mir da ziemlichen Blödsinn erzählst. Von wegen Verwandte besuchen. Wahrscheinlich warst du den ganzen Tag bei einer Frau«, zog Stark ihn auf. Waters hatte diesen zufriedenen Gesichtsausdruck, den Leute nach tollem Sex haben.
Carlton Waters lachte lauthals, ließ einen Stein über die Straße springen und gab keinerlei Kommentar ab. Um Punkt neun standen die drei auf, streckten sich und betraten das Haus. Sie trugen sich in das Buch ein und gingen auf ihre Zimmer. Waters und Stark setzten sich auf ihre Betten und redeten noch ein bisschen. Sie waren daran gewöhnt, dass abends ihre Zellen abgeriegelt wurden, deshalb störte sie die Sperrstunde nicht sonderlich.
Um zehn war es im ganzen Haus völlig ruhig. Auch Waters und Stark schliefen nun friedlich in ihren Betten, und wenn man sie so ansah, konnte man sich kaum vorstellen, dass es sich bei den beiden um zwei äußerst gefährliche Verbrecher handelte.

6. Kapitel

Fernanda verbrachte das Wochenende wie immer mit den Kindern. Ashley hatte am Samstag Probe für eine Ballettaufführung im Juni, und Fernanda brachte sie hin. Sam saß wie üblich auf dem Beifahrersitz. Nachdem Ashley in der Ballettschule verschwunden war, fuhren Fernanda und Sam zum Sportplatz und schauten sich gemeinsam eines von Wills Spielen an. Anschließend holten sie Ashley ab und setzten sie bei einer Freundin ab. Die Mädchen wollten sich zusammen einen Film ansehen und auch zusammen zu Abend essen. Am Nachmittag kam ein Freund von Sam zum Spielen vorbei. Die Kinder hielten Fernanda wirklich ganz schön auf Trab, aber für sie war das eine willkommene Ablenkung.

Am Sonntag hatte sie Papierkram zu erledigen. Ashley schlief, Sam schaute sich ein Video an, und Will arbeitete in seinem Zimmer an dem Projekt für die Schule. Im Hintergrund lief lautstark ein Spiel der Giants im Fernseher. Es war langweilig, den Giants dabei zuzusehen, wie sie verloren, und Will blickte nur selten von seiner Arbeit auf. Fernanda ging die Steuerunterlagen durch, die Jack ihr zum Ausfüllen gegeben hatte, aber sie konnte sich einfach nicht darauf konzentrieren. Viel lieber hätte sie mit den Kindern einen Spaziergang am Strand gemacht, aber als sie es beim Mittagessen vorgeschlagen hatte, war keiner der drei sonderlich begeistert gewesen. Dabei hätte sie sich so gern vor diesen Steuerformularen gedrückt. Sie hatte gerade eine Pause gemacht und war in die Küche gegangen, um sich eine Tasse Tee zu holen, da hörte sie plötzlich eine laute Explosion. Was auch immer es war, es musste ganz in der Nähe ihres Hauses geschehen sein. Danach war es geradezu gespenstisch still. Sam stürmte in die Küche und schaute sie mit weit aufgerissenen Augen an. Sie hatten sich beide ziemlich erschreckt.

»Was war das?«, fragte Sam ängstlich.

»Keine Ahnung. Das war ein ganz schöner Knall«, erwiderte Fernanda. In der Ferne vernahm sie das Geheul von Sirenen.

»Es war ein gigantischer Knall«, korrigierte Will, der mittlerweile ebenfalls in der Küche aufgetaucht war.

Auch Ashley kam die Treppe herunter, das Geräusch hatte sie geweckt. Sie wirkte richtig verstört und wollte wissen, was passiert sei. Ratlos standen sie zu viert in der Küche und lauschten. Es hörte sich an, als wären die Fahrzeuge mit den Sirenen in ihre Straße eingebogen und kämen rasch näher. Durch das Fenster sahen sie, dass mehrere Polizeiwagen mit Blaulicht an ihrem Haus vorbeirasten.

»Mom, was war das?«, fragte Sam aufgeregt.

Es hatte sich angehört, als wäre eine Bombe explodiert, dachte Fernanda, aber das war unmöglich. »Vielleicht eine Gasexplosion«, überlegte sie laut, während sie alle noch am Fenster standen und hinausblickten. Weitere Einsatzwagen fuhren mit Blaulicht und Sirene vorüber. Fernanda öffnete die Haustür, und sie spähten hinaus. Drei Feuerwehrwagen schossen an ihrem Haus vorbei.

Die Straße war voller Polizeiwagen, und es kamen immer noch mehr. Fernanda und die Kinder gingen die Einfahrt hinunter bis zum Bürgersteig und bemerkten, dass ein Stück weiter die Straße hinunter ein Auto brannte. Feuerwehrmänner waren dabei, den Brand zu löschen. Zahlreiche Anwohner waren aus ihren Häusern gekommen, standen auf dem Bürgersteig und redeten aufgebracht miteinander. Einige wollten sich das brennende Fahrzeug aus der Nähe anschauen, wurden aber von den Polizisten zurückgeschickt. Sobald das Feuer gelöscht war, legte sich die größte Aufregung unter den Leuten. In dem Moment fuhr der Wagen eines Police Captains vor.

»Vielleicht hat das Auto Feuer gefangen, und dann ist der Benzintank explodiert«, sagte Fernanda.

»Oder es war eine Autobombe«, mutmaßte Will fasziniert.

Schließlich gingen sie wieder zurück ins Haus. Sam beschwerte sich darüber, dass er sich die Feuerwehrwagen nicht aus der Nähe ansehen durfte, aber ein ganzer Trupp Polizisten riegelte die Unglücksstelle ab und ließ niemanden durch.

»Ich glaube nicht, dass es eine Autobombe war«, sagte Fernanda, sobald sie wieder im Haus waren. »Wenn ein Benzintank explodiert, gibt es bestimmt einen ordentlichen Knall. Vielleicht hat der Wagen schon eine Weile gebrannt, ohne dass es jemand gemerkt hat.«

»Warum sollte ein Auto anfangen zu brennen?«, fragte Ashley skeptisch.

»Vielleicht hat jemand eine brennende Zigarette im Wagen vergessen. Oder es war Vandalismus.« Letzteres hielt

Fernanda in dieser Wohngegend zwar für eher unwahrscheinlich, aber diese beiden Erklärungen waren die einzigen, die ihr überhaupt in den Sinn kamen.

»Und ich glaube, es war eine Autobombe«, beharrte Will auf seiner Theorie. Für ihn war es eine willkommene Unterbrechung seiner Arbeit an dem verhassten Schulprojekt. Ihm wäre jeder Vorwand recht gewesen, um den Schreibtisch zu verlassen.

»Diese vielen Videospiele tun dir anscheinend nicht gut«, erklärte Ashley genervt. »Kein Mensch sprengt Autos in die Luft. Das gibts doch nur in Filmen.«

Will zog eine Grimasse, verkniff sich aber eine bissige Bemerkung. Bevor er zurück in sein Zimmer ging, bat er seine Mutter, ihm noch mehr Kupferdraht zu besorgen. Fernanda versprach, sich am Montag darum zu kümmern. Dann widmete sie sich wieder ihren Steuerunterlagen, und Ashley sah sich gemeinsam mit Sam das Ende des Videofilms an. Es dauerte noch etwa zwei Stunden, bis auch der letzte Polizeiwagen die Unglücksstelle verlassen hatte. Die Feuerwehrwagen waren schon längst abgefahren. Als Fernanda das Abendessen vorbereitete, war es draußen wieder ruhig und friedlich.

Sie hatten bereits gegessen, und Fernanda räumte gerade die Spülmaschine ein, da klingelte es an der Haustür. Fernanda hastete zur Tür. Da sie niemanden erwartete, zögerte sie aufzusperren und schaute erst einmal durch den Spion. Draußen standen zwei Männer, die miteinander redeten. Fernanda hatte sie nie zuvor gesehen. Durch die geschlossene Tür hindurch fragte sie, um was es gehe. Die Männer sagten, sie seien von der Polizei, aber so sahen sie gar nicht aus. Keiner von ihnen trug eine Uniform, und

Fernanda hatte bereits beschlossen, nicht aufzumachen, doch da hielt einer der beiden seine Dienstmarke vor das Guckloch. Sobald Fernanda sie erblickte, öffnete sie vorsichtig die Tür und musterte die beiden. Sie waren sehr höflich und entschuldigten sich für die Störung.
Fernanda war noch immer irritiert. »Ist etwas passiert?« Sie konnte sich nicht vorstellen, was die beiden von ihr wollten. An die Explosion dachte sie schon gar nicht mehr, stattdessen fielen ihr die Nachforschungen ein, die nach Allans Tod in Mexiko angestellt worden waren. Es war eine schreckliche Zeit gewesen, an die sie nicht noch einmal erinnert werden wollte.
»Könnten wir Sie vielleicht kurz sprechen?«
Die beiden Männer trugen Anzug und Krawatte. Sie waren beide etwa Mitte vierzig, der eine Asiate, der andere ein Weißer. Sie stellten sich als Detectives Lee und Stone vor und reichten Fernanda ihre Visitenkarten.
Der Asiate lächelte Fernanda an und sagte: »Wir wollten Ihnen keinen Schreck einjagen. In Ihrer Straße hat es heute Nachmittag einen Zwischenfall gegeben. Falls Sie zu Hause waren, haben Sie es vielleicht mitbekommen.« Er war sehr freundlich, und Fernanda entspannte sich allmählich.
»Ja, haben wir. Wir dachten, ein Auto hätte Feuer gefangen und der Benzintank wäre explodiert.«
»Der Gedanke ist nahe liegend«, entgegnete Detective Lee. Er betrachtete Fernanda fasziniert. Sie war eine äußerst attraktive Frau und zudem von einer beeindruckenden Natürlichkeit. Sein Partner schwieg und überließ es Lee, das Gespräch führen.
»Möchten Sie hereinkommen?«, fragte Fernanda, da die

beiden Beamten offensichtlich nicht vorhatten, an der Tür mit ihrem Anliegen herauszurücken.
»Wenn es Ihnen nichts ausmacht. Es dauert nur ein paar Minuten.«
Sie führte die beiden Männer in die Küche und zog rasch ihre Sandaletten an, die sie unter dem Küchentisch hatte stehen lassen. Die beiden Beamten wirkten so korrekt, dass es Fernanda verlegen machte, mit nackten Füßen herumzulaufen. »Bitte, setzen Sie sich doch.« Sie wies auf die Stühle rund um den Küchentisch, der fast abgeräumt war. Mit einem Schwamm wischte sie schnell die restlichen Krümel auf, warf ihn ins Spülbecken und setzte sich zu den Männern. »Was ist denn eigentlich passiert?«
»Genau das versuchen wir herauszufinden, und deshalb sprechen wir mit allen Anwohnern. War zum Zeitpunkt der Explosion außer Ihnen noch jemand im Haus?«
Fernanda bemerkte, wie genau sich der Detective in der Küche umschaute. Der Raum war groß, ganz in Weiß gehalten und mit modernster Technik ausgestattet. Arbeitsplatten und Fußboden waren aus poliertem Granit. Alles passte zum Stil des restlichen Hauses, das weitläufig und sehr repräsentativ wirkte. Als sie es damals kauften, war es ein sichtbares Zeichen für Allans geschäftlichen Erfolg gewesen.
Im Gegensatz dazu machte Fernanda auf Detective Lee einen sehr ungekünstelten Eindruck. Ihr langes blondes Haar wurde von einem Gummiband locker zusammengehalten, sie trug Jeans und T-Shirt. Dass sie offensichtlich selbst in der Küche gestanden und für die Familie gekocht hatte, überraschte ihn. In einer Villa wie dieser

hätte man eigentlich eine Köchin am Herd erwartet und nicht die Dame des Hauses barfuß und in Jeans.
»Ja, meine Kinder«, antwortete sie auf seine Frage.
»Sonst noch jemand?« Wenn schon keine Köchin, so musste es wenigstens Dienstmädchen und eine Haushälterin geben. Vielleicht auch ein oder zwei Aupairmädchen und womöglich sogar einen Butler. Lee fand es merkwürdig, dass Fernanda allein war und erklärte es sich damit, dass das Personal am Sonntag wahrscheinlich freihatte.
»Nein, nur die Kinder und ich«, erwiderte sie.
»Und Ihr Mann?«, fragte er.
Fernanda zögerte und wandte den Blick ab. Sie sprach nicht gern über Allan, sein Tod lag ja noch nicht lange zurück, und jeder Gedanke daran war für sie schmerzvoll.
»Ich bin Witwe.« Sie sprach sehr leise, und am Schluss des Satzes versagte ihr beinahe die Stimme. Wie sehr sie dieses Wort hasste!
»Das tut mir Leid. Waren Sie oder Ihre Kinder draußen, bevor Sie die Explosion hörten?«
Er hatte eine angenehme Art, Fragen zu stellen. Fernanda mochte ihn, ohne dass sie genau hätte sagen können, warum. Der andere Detective schwieg die ganze Zeit über und beobachtete sie sehr aufmerksam. Den beiden schien nichts zu entgehen.
»Nein. Wir sind erst nach dem Knall hinausgelaufen, vorher waren wir im Haus. Warum fragen Sie? Hat jemand das Auto absichtlich in Brand gesteckt?« Sie fragte sich, ob es vielleicht doch kein Unfall gewesen war, sondern mutwillige Zerstörung.
»Das wissen wir noch nicht.« Er lächelte sie freundlich

an. »Haben Sie vielleicht vorher einen Blick hinausgeworfen und jemanden gesehen? Kam Ihnen irgendetwas ungewöhnlich oder verdächtig vor?«
»Nein, ich habe am Schreibtisch gesessen und Steuersachen erledigt, meine Tochter hat, glaube ich, geschlafen, mein jüngerer Sohn hat sich ein Video angesehen und mein älterer an einem Schulprojekt gearbeitet.«
»Hätten Sie etwas dagegen, wenn wir sie befragen?«
»Das können Sie gern tun. Ich bin sicher, die Jungs finden es sehr aufregend. Ich hole sie.« Sie war schon an der Küchentür, da fiel ihr noch etwas ein. »Möchten Sie vielleicht etwas trinken?« Sie sah fragend von einem zum anderen, aber beide schüttelten lächelnd den Kopf und lehnten dankend ab. »Ich bin gleich zurück«, sagte sie und lief die Treppe hinauf zu den Zimmern der Kinder.
Sie erklärte ihnen, dass die Polizei unten sei und ihnen ein paar Fragen stellen wolle. Wie sie erwartet hatte, reagierte Ashley verärgert. Sie telefonierte gerade und wollte nicht unterbrochen werden. Sam dagegen war hellauf begeistert.
»Werden sie uns verhaften?« Er schien es gleichermaßen zu hoffen und zu fürchten.
Will schaute gerade lange genug von seinem Computerspiel auf, um fragend eine Augenbraue hochzuziehen. »Hatte ich Recht? War es eine Autobombe?«, erkundigte er sich gespannt.
»Nein, ich denke nicht. Sie wissen noch nicht, was genau passiert ist, aber sie wollen wissen, ob einer von euch etwas Verdächtiges gesehen hat.« Mit einem Blick auf Sam fuhr sie fort: »Und wir werden auch nicht verhaftet. Sie halten dich nicht für den Täter.«

Für einen Moment war Sam sichtlich enttäuscht. Will stand auf und folgte seiner Mutter zur Treppe. Ashley weigerte sich.

»Warum muss ich denn überhaupt mit runterkommen? Ich hab sowieso geschlafen. Kannst du ihnen das nicht sagen? Ich telefoniere gerade mit Marcy …« Die beiden hatten wichtige Dinge zu besprechen, zum Beispiel, dass sich dieser süße Junge aus der achten Klasse anscheinend für Ashley interessierte.

»Sag Marcy, dass du sie zurückrufst. Und den Detectives wirst du selbst erzählen, dass du geschlafen hast«, erwiderte Fernanda und machte sich wieder auf den Weg nach unten.

Als die Kinder nach ihr die Küche betraten, erhoben sich die beiden Detectives und begrüßten sie freundlich. Hübsche Kinder, dachte Ted. Und diese attraktive Frau konnte noch nicht lange Witwe sein. Nach dreißig Jahren Polizeiarbeit besaß er ein sicheres Gespür für Menschen. Sie hatte angespannt gewirkt, als sie vorhin antwortete, aber jetzt, umringt von ihren Kindern, schien sie wesentlich gelöster zu sein.

Der kleine rothaarige Junge musterte ihn neugierig. »Meine Mom hat gesagt, dass wir nicht verhaftet werden«, meldete er sich zu Wort.

Alle lachten, und Ted erwiderte amüsiert: »Völlig richtig, mein Junge. Aber du könntest uns helfen, den Fall aufzuklären. Wie wäre das? Wir ernennen dich erst mal zum Hilfssheriff, aber wenn du groß bist, kannst du ja Detective werden.«

»Ich bin aber erst sechs«, sagte Sam betrübt. Er hätte furchtbar gern mitgearbeitet.

»Kein Problem. Wie heißt du?« Ted konnte gut mit Kindern umgehen und hatte Sam bereits jegliche Angst genommen.
»Sam.«
»Ich bin Detective Lee, und das ist mein Partner, Detective Stone.«
»War es eine Bombe?«, platzte Will heraus, was von Ashley mit einem verächtlichen Blick quittiert wurde, da sie es für eine dumme Frage hielt. Sie wollte möglichst schnell wieder nach oben und weitertelefonieren.
»Vielleicht«, antwortete Ted Lee. »Die Leute von der Spurensicherung werden sich das Auto Stück für Stück vornehmen. Du würdest staunen, was die alles herausfinden können.« Er hatte bereits die Information, dass es eine Bombe gewesen war, er wollte die Leute in der Straße jedoch nicht beunruhigen, bevor sie Genaueres wussten. »War einer von euch draußen oder hat kurz vor der Explosion aus dem Fenster gesehen?«
»Ich!«, rief Sam sofort.
»Du?«, fragte Fernanda verwundert. »Du bist draußen gewesen?« Sie schaute Sam skeptisch an, und auch seine Geschwister schienen am Wahrheitsgehalt seiner Behauptung zu zweifeln. Ashley nahm an, dass sich Sam wichtig machen wollte.
»Ich hab aus dem Fenster geguckt. Der Film war so langweilig.«
»Was hast du gesehen?«, erkundigte sich Ted interessiert. Der Junge war sehr aufgeweckt und erinnerte ihn an einen seiner Söhne, als der noch klein gewesen war. Er hatte die gleiche offene, drollige Art gehabt, mit Fremden zu sprechen, weshalb ihn jeder sofort mochte. »Was hast du

gesehen, Sam?«, wiederholte Ted und setzte sich auf einen der Küchenstühle, um mit Sam auf Augenhöhe zu sein.

Nun blickte Sam ihm selbstbewusst in die Augen. »Es haben sich welche geküsst«, antwortete Sam und schüttelte sich.

»Vor deinem Fenster?«

»Nein. In dem Film. Deshalb fand ich ihn ja langweilig. Küssen ist blöd.«

Darüber musste sogar Will grinsen, und Ashley kicherte. Fernanda hingegen bedachte Sam mit einem traurigen Blick und fragte sich, ob er es wohl erleben würde, dass sie noch einmal jemanden küsste. Rasch verdrängte sie den Gedanken.

»Und was hast du draußen gesehen?«, hakte Ted nach.

»Mrs Farber ist mit ihrem Hund spazieren gegangen. Er will mich immer beißen.«

»Das ist nicht sehr nett. Hast du sonst noch jemanden bemerkt?«

»Mr Cooper mit seiner Golftasche. Er geht jeden Sonntag zum Golfen. Und da war ein Mann, aber den kannte ich nicht.«

»Wie sah er denn aus?«, fragte Ted scheinbar beiläufig.

Sam runzelte die Stirn und dachte angestrengt nach. »Keine Ahnung, ich weiß nur noch, dass er die Straße entlangging.«

»Ist dir irgendetwas an ihm aufgefallen? Vielleicht hatte er einen Hut auf, oder er guckte ganz grimmig?«

Sam schüttelte den Kopf. »Ich kann mich nur daran erinnern, dass da ein Mann war. Ich hab nicht so genau drauf geachtet. Ich habe Mr Cooper beobachtet. Er hat Mrs

Farber mit seiner Golftasche angerempelt, und der Hund fing an zu bellen. Ich wollte sehen, ob der Hund ihn beißt.«
»Und, hat er?«, fragte Ted gespannt.
»Nein. Mrs Farber hat an der Leine gezogen und ihn angeschrien.«
»Sie hat Mr Cooper angeschrien?«, gab Ted beeindruckt zurück, und Sam grinste. Er mochte diesen Polizisten, und es amüsierte ihn, seine Fragen zu beantworten.
»Neeeeiiin«, erklärte Sam geduldig. »Sie hat den Hund angeschrien, damit er Mr Cooper nicht beißt. Dann bin ich wieder zurück zum Fernseher. Und dann hat es geknallt.«
»War das alles, was du beobachtet hast?«
Sam überlegte, dann schüttelte er den Kopf. »Nee, da war noch eine Frau. Die kannte ich auch nicht. Sie rannte.«
»In welche Richtung ist sie gerannt?«
Sam wies auf die Stelle, wo das Auto gebrannt hatte.
»Und wie hat sie ausgesehen?«
»Normal. Ein bisschen so wie Ashley.«
»War sie mit dem Mann zusammen, den du nicht kanntest?«
»Nein, der ging in die andere Richtung, und sie ist mit ihm zusammengestoßen. Mrs Farbers Hund hat sie auch angebellt, aber sie ist einfach an den beiden vorbeigelaufen. Das ist alles, was ich gesehen habe.« Sam schaute verlegen von einem zum anderen. Bestimmt würden seine Geschwister jetzt wieder sagen, dass er nur angeben wolle.
»Das war sehr gut«, lobte Ted ihn und wandte sich dann

Will und Ashley zu. »Was ist mit euch? Habt ihr etwas beobachtet?«
»Ich habe geschlafen«, antwortete Ashley nicht länger ablehnend. Sie fand diesen Polizisten sehr nett, und das Ganze war wirklich ausgesprochen spannend.
»Ich habe an meinem Schulprojekt gearbeitet und erst nach dem Knall aus dem Fenster geguckt«, erklärte Will. »Im Fernsehen lief ein Spiel der Giants, aber die Explosion war so laut, dass ich es trotzdem gehört habe.«
»Ich wette, dass es ziemlich laut war.« Ted nickte und stand auf. »Falls euch noch etwas einfallen sollte, ruft uns an. Eure Mutter hat unsere Nummer.«
Alle nickten. Fernanda kam plötzlich ein Gedanke. »Wessen Auto war das eigentlich? Gehörte es jemandem aus der Straße?« Inmitten all der Feuerwehrwagen hatte man es nicht erkennen können.
»Es gehörte Richter McIntyre, einem Ihrer Nachbarn. Sie kennen ihn ja vermutlich. Er ist momentan nicht in der Stadt, aber seine Frau war zu Hause. Sie machte sich gerade fertig, um einkaufen zu fahren, und hat sich fast zu Tode erschreckt. Zum Glück war sie noch im Haus, als es passierte.«
»Ich hab mich ganz schön gefürchtet«, gab Sam zu.
»Wir alle hatten Angst«, beruhigte Fernanda ihn.
»Es hörte sich an, als würde der ganze Block in die Luft fliegen«, fügte Will hinzu. »Ich wette, es war eine Autobombe«, hielt er an seinem Verdacht fest.
»Das wird sich zeigen«, erwiderte Ted.
»Falls es tatsächlich eine Bombe war, glauben Sie, dass sie für Richter McIntyre bestimmt war?« Jetzt war Fernanda auch neugierig geworden.

»Vermutlich war es reiner Zufall, dass es sein Auto erwischt hat.«
Aber das glaubte Fernanda ihm nicht. Dafür war das Polizeiaufgebot zu groß gewesen, und der Captain war auffällig schnell eingetroffen. Vielleicht hatte Will doch Recht. Die Polizei war ganz offensichtlich auf der Suche nach jemandem. Sie konnte sich nicht vorstellen, dass bei einem Unfall derartig umfangreiche Nachforschungen angestellt wurden.
Detective Lee bedankte sich, dann verabschiedeten er und sein Partner sich von den vieren.
Während Fernanda die Tür hinter den beiden schloss, wirkte sie nachdenklich. »Das war ja richtig aufregend«, sagte sie zu Sam.
Er kam sich ziemlich wichtig vor, weil er all die Fragen des Detectives beantwortet hatte. Die Kinder gingen nach oben und unterhielten sich auf dem Weg noch über den Vorfall. Fernanda machte sich daran, die Küche weiter aufzuräumen.

»Ganz schön aufgeweckt, der Junge«, sagte Ted zu Jeff Stone, während sie auf das nächstgelegene Haus zusteuerten.
Sie befragten alle Anwohner, einschließlich Mrs Farber und Mr Cooper, aber niemand hatte etwas gesehen. Drei Stunden später waren sie wieder im Büro. Ted schenkte sich gerade einen Kaffee ein und dachte noch immer amüsiert an den kleinen rothaarigen Kerl.
Jeff Stone erwähnte beiläufig: »Carlton Waters ist diese Woche rausgekommen. Erinnerst du dich an ihn? Der Typ, der im Alter von siebzehn Jahren ein Ehepaar umge-

bracht hat. Er wurde nach dem Erwachsenenstrafrecht verurteilt, hat immer wieder Berufung eingelegt und wollte begnadigt werden. Hat nicht geklappt. Aber diese Woche wurde er auf Bewährung entlassen. Ich glaube, er ist jetzt in Modesto. War McIntyre nicht der Richter, der ihn damals verurteilt hat? Ich meine, ich hätte das irgendwo gelesen. McIntyre hat wohl keine Minute daran gezweifelt, dass Waters schuldig war. Der hat immer behauptet, sein Komplize habe abgedrückt, und er habe unschuldig wie ein neugeborenes Kind daneben gestanden. Seinen Komplizen haben sie vor ein paar Jahren in San Quentin hingerichtet – Giftspritze. Ich glaube, Waters hat in Pelican Bay gesessen.«

»Was willst du mir damit sagen?«, fragte Ted, während er vorsichtig einen Schluck von dem dampfenden Kaffee trank. »Dass es Waters war? Dass er wenige Tage nach seiner Entlassung den Richter in die Luft jagen will, der ihn vor vierundzwanzig Jahren verurteilt hat? So dumm kann er nicht sein. Im Gegenteil, der Typ ist ziemlich gewieft. Ich hab ein paar seiner Zeitungsartikel gelesen. Er weiß doch ganz genau, dass man ihn als Ersten verdächtigen würde. Und wenn er geschnappt wird, sitzt er sofort im Eilzug nach Pelican Bay und kommt da nie wieder raus. War wahrscheinlich reiner Zufall, dass es gerade jetzt passiert ist. Richter McIntyre wird einer Menge schwerer Jungs auf die Füße getreten haben, bevor er sich zur Ruhe setzte. Waters ist nicht der Einzige, den er in den Knast geschickt hat.«

»War nur so eine Idee. Ist doch ein seltsamer Zufall. Es könnte sich lohnen, der Sache nachzugehen. Lust auf eine Spritztour nach Modesto?«

»Warum nicht? Wenn du denkst, es könnte etwas bringen ... So ein kleiner Ausflug kann nicht schaden. Wir können losfahren, sobald wir hier fertig sind, und gegen sieben wären wir dann da.«
Kurz darauf kam aus dem Kriminallabor die Bestätigung dass es tatsächlich eine Bombe gewesen war, und zwar eine, die es in sich hatte. Wenn der Richter und seine Frau zum Zeitpunkt der Explosion im Auto gewesen wären, hätten sie es mit ziemlicher Sicherheit nicht überlebt. Die Bombe war mit einem Zeitzünder versehen gewesen. Wäre sie nur fünf Minuten später hochgegangen, hätte die Frau des Richters im Auto gesessen. Sie hatte ihnen die Telefonnummer ihres Mannes gegeben, und der zeigte sich überzeugt davon, dass ihn jemand umbringen wollte. Aber dass Carlton Waters dahinter steckte, schien auch ihm zu weit hergeholt. Waters hatte zu hart um seine Freilassung gekämpft, als dass er sie nach wenigen Tagen schon wieder aufs Spiel setzen würde.
»Dafür ist der Bursche viel zu clever«, sagte der Richter am Telefon. »Ich habe einige seiner Artikel gelesen. Er behauptet nach wie vor, er sei unschuldig, und er ist nicht so dumm, kurz nach seiner Entlassung ein Attentat auf mich zu verüben.« Aber es gebe mindestens ein Dutzend anderer Leute, die nicht gut auf ihn zu sprechen und seit kurzem wieder auf freiem Fuß seien.
Ted und Jeff fuhren dennoch nach Modesto und trafen just in dem Moment an dem Übergangshaus ein, als Malcolm Stark, Jim Free und Carlton Waters vom Abendessen zurückkamen. Jim Free hatte sie überredet, in den Coffeeshop neben der Tankstelle zu gehen, damit er seine Freundin sehen konnte.

»Guten Abend, die Herren«, sagte Ted freundlich.
Die drei blickten ihn feindselig an. Sie konnten einen Polizisten kilometerweit riechen und waren sofort auf der Hut.
»Was führt Sie denn hierher?«, fragte Waters, nachdem er erfahren hatte, woher die Detectives stammten.
»Gestern gab es in der Stadt einen kleinen Zwischenfall. Der Wagen eines Richters wurde in die Luft gejagt. McIntyre – der Name sagt Ihnen vielleicht etwas«, antwortete Ted und schaute Waters in die Augen.
»Klar. Könnte keinen Besseren treffen«, entgegnete Waters, ohne auch nur mit der Wimper zu zucken. »Wünschte, ich hätte den Mumm, so etwas selbst zu tun, aber er ist es nicht wert, dafür wieder in den Knast zu gehen. Hat es ihn erwischt?«, fragte er hoffnungsvoll.
»Glücklicherweise nicht. Er war gar nicht in der Stadt. Aber wer auch immer es getan hat, hätte beinahe seine Frau auf dem Gewissen gehabt.«
»Wie bedauerlich«, sagte Waters ungerührt.
Ted beobachtete ihn sehr genau. Waters war nicht nur ziemlich clever, sondern auch kalt wie ein Eisberg. Aber wahrscheinlich hatte McIntyre Recht: Waters würde es nicht riskieren, wieder ins Gefängnis zu kommen, indem er etwas so Dämliches tat. Oder er war noch dreister und abgebrühter, als sich alle vorstellen konnten. Rein zeitlich hätte er es schaffen können. Er wäre mit dem Bus nach San Francisco gefahren und rechtzeitig zur Sperrstunde wieder zurück in Modesto gewesen. In jedem Fall hatte sich hier ein übles Trio zusammengefunden. Stark und Free waren ziemlich krumme Hunde. Ted kannte sie aus Polizeiberichten und wusste, seit wann sie auf freiem Fuß

waren. Und Waters traute er schon gar nicht über den Weg. Alle Häftlinge behaupteten, sie seien hereingelegt worden – von ihrer Freundin, ihrem Komplizen oder ihrem Anwalt. Ted hatte diese Unschuldsbeteuerungen schon zu oft gehört. Waters war aalglatt, ein Mann ohne Gewissen und zweifellos sehr intelligent – eine gefährliche Mischung.

»Wo waren Sie übrigens gestern?«, erkundigte sich Ted, während Waters ihn mit ablehnendem Blick fixierte.

»Hier in der Gegend. Ich wollte Verwandte besuchen und bin mit dem Bus hingefahren. Aber die waren nicht zu Hause. Ich hab eine Zeit lang auf ihrer Veranda gesessen und bin dann zurück. Danach war ich mit den Jungs hier zusammen.« Den ersten Teil seines Alibis hätte niemand bestätigen können, Ted fragte also gar nicht erst nach Namen.

»Wie nett. Kann das irgendjemand bezeugen?« Ted erwiderte Waters Blick unbeeindruckt.

»Ein paar Busfahrer. Ich hab die Fahrkarten noch …«

»Die würde ich gern mal sehen.«

Waters musste sich offenbar sehr zusammennehmen, aber er ging wortlos nach oben in sein Zimmer und holte die Tickets. Mit trotziger Miene reichte er sie Ted. Sie waren auf einen Ort in der Gegend von Modesto ausgestellt und durchgerissen. Allerdings könnte Waters sie auch selbst entwertet haben.

Ted gab ihm die Fahrscheine zurück. »Bleibt sauber, Jungs. Wir werden euch im Auge behalten.«

Sie waren alle drei auf Bewährung draußen und wussten, dass Ted das Recht hatte, sie jederzeit zu verhören oder sogar zu durchsuchen.

»Na klar, und passt schön auf, dass ihr auf dem Weg zu eurer Karosse nicht stolpert«, zischte Jim Free, als sich Ted und Jeff abwandten.
Sie hatten seine Worte gehört, ließen sich aber nichts anmerken, sondern schlenderten gelassen zu ihrem Wagen. Als sie losfuhren, schaute Waters ihnen mit hasserfülltem Blick nach.
»Schweine«, zischte Malcolm Stark.
Waters schwieg, drehte sich um und ging ins Haus. Er fragte sich, ob sie von nun an jedes Mal bei ihm antanzen würden, wenn sie in San Francisco irgendwo der Schuh drückte. Aber solange er auf Bewährung draußen war, konnte er nichts dagegen tun. Hauptsache, sie konnten ihm nichts anhängen und ihn nicht wieder einlochen.
»Und, was denkst du?«, fragte Ted. »Glaubst du, Waters ist sauber?« Er selbst war unschlüssig. Er traute ihm die Tat ohne weiteres zu, konnte sich allerdings noch immer nicht vorstellen, dass Waters so kurz nach seiner Entlassung ein solches Risiko einging. Aber Waters war ein ziemlich übler Bursche, und wenn er es doch getan hatte, war diese Bombe vielleicht erst der Anfang gewesen. Wer wusste schon, was dem noch folgen würde?
»Nein, ich glaube nicht, dass er sauber ist«, erwiderte Jeff. »Der Bursche ist ein ganz linker Hund und so unschuldig wie der Teufel – darauf verwette ich meinen Hintern. Er ist abgebrüht genug, in die Stadt zu fahren, die Bombe anzubringen und zum Abendessen wieder hier zu sein. Dieses Mal ist er wahrscheinlich unschuldig, aber ich traue ihm nicht über den Weg. Wir werden bald von ihm hören, da bin ich sicher.« Zu oft hatte er Männer wie Waters ganz schnell wieder in den Knast wandern sehen.

»Wir sollten sicherheitshalber sein Fahndungsfoto in der Straße herumzeigen. Vielleicht erkennen die Barnes-Kinder ihn wieder«, sagte Ted.

»Kann jedenfalls nicht schaden«, stimmte Jeff ihm zu und dachte an die drei Männer, denen sie gerade gegenübergestanden hatten. Ein Kidnapper, ein Mörder und ein Drogenschmuggler. Drei Schwerverbrecher, die sich zusammengefunden hatten. »Sobald wir zurück sind, besorge ich die Fotos. Wir könnten sie am Dienstag den Anwohnern zeigen. Mal sehen, ob sich jemand an ihn erinnert.«

»So viel Glück werden wir wohl nicht haben«, dämpfte Ted die Zuversicht seines Kollegen, als sie wieder auf dem Freeway waren. Ihr Ausflug hatte im Grunde nichts gebracht, trotzdem war Ted froh, dass sie sich aufgemacht hatten. Er war Carlton Waters nie zuvor begegnet, und es war schon irgendwie beeindruckend, ihn in Fleisch und Blut vor sich zu sehen. Der Bursche konnte einem eine Gänsehaut verursachen, und Ted wusste genau, dass dies nicht ihr letztes Zusammentreffen gewesen war. Waters war nicht der Typ, der einen soliden Lebenswandel anstrebte. Er hatte vierundzwanzig Jahre im Gefängnis verbracht, und Ted war felsenfest davon überzeugt, dass Waters jetzt noch gefährlicher war als am Tag seines Haftantritts. Fast zwei Drittel seines Lebens lang hatte er die harte Gefängnisschule besucht – so etwas prägte. Ted hoffte nur, dass er niemanden umbrachte, bevor sie ihn wieder einsperrten.

Sie brausten für eine Weile schweigend dahin, dann brachte Jeff das Gespräch noch einmal auf die Autobombe. Er wollte eine Liste aller Leute durch den Com-

puter jagen, die McIntyre in den letzten zwanzig Jahren verurteilt hatte, um zu prüfen, wer von diesen Verbrechern wieder auf freiem Fuß war.
Vielleicht steckte ja jemand dahinter, der schon ein bisschen länger wieder draußen war. In einem Punkt waren sie ganz sicher: Es handelte sich um einen gezielten Anschlag. Ted ging deshalb davon aus, dass sie den Schuldigen früher oder später finden würden. Carlton Waters war noch nicht völlig aus dem Rennen. Er hatte kein hieb- und stichfestes Alibi, aber bisher gab es auch keinen Beweis für seine Schuld. Falls er es getan hatte, war er sicher clever genug, keine Spuren zu hinterlassen. Ted war jedenfalls fest entschlossen, ihn von nun an ins Visier zu nehmen. Früher oder später würde Waters wieder straffällig werden – dieser Bursche konnte gar nicht anders.

7. Kapitel

Dienstagnachmittag um fünf klingelte es an der Haustür. Fernanda saß gerade in der Küche und las einen Brief von Jack Waterman, in dem er ihr mitteilte, was sie verkaufen müsste und wie viel sie dafür vermutlich bekäme. Seine Schätzung war bewusst niedrig angesetzt, aber sie hofften beide, dass sie wenigstens wieder bei Null anfangen könnte. Sie war wirklich gezwungen, alles zu veräußern, sogar den ganzen Schmuck, den Allan ihr geschenkt hatte. Ihre größte Sorge war, dass selbst dann noch Schulden blieben. Bisher hatte sie nicht die geringste Idee, wovon sie und die Kinder in Zukunft leben sollten, ganz zu schweigen von den Collegekosten, die irgendwann auf sie zukämen. Im Moment hoffte sie einfach, dass ihr noch etwas einfallen würde, und bis dahin hieß es, sich Tag für Tag über Wasser zu halten und nicht unterzugehen.

Will machte oben Hausaufgaben – das hatte er zumindest gesagt. Sam spielte in seinem Zimmer, und Ashley war bei der Ballettprobe, die erst um sieben zu Ende sein würde. Fernanda wollte heute später als sonst das Abendessen zubereiten und nutzte die Zeit, über verschiedene Dinge nachzudenken. Als es klingelte, zuckte sie zusammen. Sie erwartete niemanden. Auf dem Weg zur Tür überlegte sie, wer es sein könnte. Sie schaute durch den Spion und erkannte Ted Lee. Dieses Mal war er allein. Er trug ein weißes Hemd, eine schlichte Krawatte und einen dunklen Blazer. Wie beim letzten Mal war sich Fernanda sofort seiner enormen Ausstrahlung bewusst.

Überrascht öffnete sie die Tür. Als Ted direkt vor ihr stand, fiel ihr wieder auf, wie groß er war. Er hielt einen braunen Umschlag in der Hand.

Ted entging nicht, dass Fernanda angespannt und erschöpft aussah. Irgendetwas musste ihr sehr zu schaffen machen.

»Hallo, Detective. Wie gehts?«, fragte sie freundlich lächelnd und bat ihn hereinzukommen.

»Tut mir Leid, dass ich Sie noch einmal belästigen muss. Ich wollte Ihnen ein Foto zeigen.« Er blickte sich um, so wie er es bereits am Sonntag getan hatte. Es war unmöglich, von diesem Haus nicht beeindruckt zu sein. Aber es war so riesig, dass er zwangsläufig an ein Museum denken musste. Fernanda hatte Jeans und T-Shirt an. Ihr langes Haar trug sie heute offen. Wieder hatte Ted das Gefühl, dass sie mit ihrer ungezwungenen Art nicht hierher passte. In diesem Ambiente würde man erwarten, dass die Dame des Hauses im eleganten Abendkleid, eine Pelzstola lässig um die Schultern gelegt, die Treppe heruntergeschritten käme. Fernanda hingegen wirkte vollkommen natürlich, was ihn ungeheuer anzog. Und er spürte, dass sie nicht glücklich war.

»Hat man denjenigen gefunden, der Richter McIntyres Auto in die Luft gejagt hat?«, fragte Fernanda, während sie Ted ins Wohnzimmer führte und ihm mit einer Handbewegung bedeutete, sich auf eines der bequemen Sofas zu setzen.

Das Zimmer war ganz in Beige gehalten und mit edlen

Stoffen wie Samt, Seide und Brokat ausgestattet. Allein die Vorhänge erweckten den Eindruck, als stammten sie aus einem Palast. Tatsächlich lag Ted mit dieser Vermutung gar nicht so falsch. Bevor Fernanda und Allan die Gardinen gekauft hatten, hatten sie in einem alten Palazzo in Venedig gehangen.

»Bisher noch nicht. Aber wir verfolgen verschiedene Spuren. Deshalb wollte ich Sie bitten, sich ein Foto anzuschauen. Und falls Sam da ist, würde ich ihm das Bild auch gern zeigen.« Es wäre einfach zu schön, wenn Sam Carlton Waters als den Unbekannten identifizierte, den er auf der Straße gesehen hatte. Ted rechnete nicht damit, aber es hatten sich schon seltsamere Dinge ereignet. Er zog ein stark vergrößertes Foto aus dem Umschlag und reichte es Fernanda.

Sie betrachtete das Bild sehr lange, schüttelte den Kopf und gab es Ted zurück. »Ich kann mich nicht erinnern, diesen Mann schon einmal gesehen zu haben«, sagte sie leise.

»Aber es könnte sein?«, fragte Ted mit Nachdruck und beobachtete sie ganz genau. Fernanda wirkte auf ihn so zart und zerbrechlich, gleichzeitig aber auch ungemein stark. Es irritierte ihn, dass sie inmitten dieses luxuriösen Ambientes so unglücklich wirkte. Allerdings hatte sie auch erst vor vier Monaten ihren Mann verloren.

»Ich glaube nicht. Irgendetwas an seinem Gesicht kommt mir zwar bekannt vor, aber vielleicht erinnert er mich auch nur an jemanden. Sollte ich ihn denn kennen?«

»Es könnte sein, dass Sie sein Bild in der Zeitung gesehen haben. Er wurde gerade erst aus dem Gefängnis entlassen, und sein Fall hat für Schlagzeilen gesorgt. Weil er zusammen mit einem Komplizen zwei Morde begangen haben soll, wurde er mit siebzehn ins Gefängnis gesteckt. Vierundzwanzig Jahre lang hat er seine Unschuld beteuert und behauptet, der andere habe abgedrückt.«

»Wie schrecklich. Glauben Sie ihm?«

»Nein«, lautete Teds ehrliche Antwort. »Er ist ein ziemlich cleverer Bursche, und wer weiß, vielleicht glaubt er mittlerweile selbst an seine Version der Geschichte. Ich höre so etwas nicht zum ersten Mal. Die Gefängnisse sind voll von Verbrechern, die behaupten, sie säßen unschuldig hinter Gittern, weil der Richter ein mieser Kerl oder der Anwalt eine Niete gewesen sei. Es gibt nicht viele Männer, oder auch Frauen, die ihre Schuld eingestehen.«

»Wen soll er denn getötet haben?« Fernanda erschauerte bei dem Gedanken.

»Ein Ehepaar aus seiner Nachbarschaft. Beinahe wären auch die beiden Kinder umgebracht worden. Sie waren fast noch Babys und hätten die Verbrecher nicht identifizieren können – das rettete ihnen das Leben. Ihre Eltern wurden wegen zweihundert Dollar ermordet. So etwas passiert leider immer wieder. Für ein paar Dollar, ein bisschen Rauschgift oder eine Schusswaffe wird ein Menschenleben einfach ausgelöscht. Das ist auch der Grund, warum ich nicht mehr bei der Mordkommission bin. Es ist einfach zu deprimierend. Man fängt an, sich Fragen über die Menschen zu stellen, deren Antworten man gar nicht wissen will. Und oft fällt es einem sehr schwer zu verstehen, warum jemand so etwas tut.«

Fernanda nickte und fand, dass die Dinge, mit denen Ted jetzt zu tun hatte, auch nicht viel besser waren. Allein beim Anblick des Fotos lief es ihr eiskalt den Rücken hinunter. Bestimmt könnte sie sich daran erinnern, wenn sie diesem Mann schon einmal begegnet wäre. »Rechnen Sie damit, dass Sie denjenigen fassen, der die Autobombe gelegt hat?«, fragte sie. Ted schien viel daran zu liegen, den Fall aufzuklären. Aus irgendeinem Grund freute sie sich, dass er noch einmal vorbeigekommen war. Sie mochte seine zurückhaltende Art und sein sympathisches Gesicht mit den freundlichen Augen. Er war ganz anders, als sie sich einen Detective vorgestellt hatte. Sie hatte immer gedacht, als Polizist müsse man einfach hart durchgreifen können. Aber Ted Lee wirkte auf sie nicht nur Respekt einflößend, sondern gleichzeitig sehr einfühlsam.

»Wir tun, was in unserer Macht steht«, entgegnete Ted. »Falls das Opfer jedoch willkürlich gewählt war, wird es sehr viel schwieriger sein, den Täter zu finden. Dann käme praktisch jeder infrage. Aber da der Anschlag einem Richter gegolten hat, gehe ich davon aus, dass es auch ein Motiv gab. Vermutlich Rache. Wahrscheinlich will jemand, den der Richter irgendwann ins Gefängnis gebracht hat, eine alte Rechnung begleichen. Das würde unsere Chancen jedenfalls erheblich verbessern. Aus diesem Grund kam mein Partner auch auf Waters. Er wurde letzte Woche entlassen, und Richter McIntyre war derjenige, der vor vierundzwanzig Jahren dafür gesorgt hat, dass er eingesperrt wurde. Aber das ist lange her, und Waters ist eigentlich zu schlau, um wenige Tage nach seiner Entlassung einen Anschlag zu verüben. Aber wer auch immer es gewesen ist, früher oder später wird er darüber reden, und dann bekommen wir einen Anruf von einem unserer Informanten.«

Das war eine Welt, in der sich Fernanda nicht auskannte.

Und das wollte sie auch gar nicht. Ted zuzuhören, war jedoch faszinierend, selbst wenn das, was er erzählte, sie ein bisschen ängstigte.

»Verbrecher sind nicht besonders gut darin, etwas für sich zu behalten«, fuhr er fort. »Sie müssen einfach darüber sprechen – zu unserem Vorteil. Bis das geschieht, verfolgen wir alle Spuren, die wir haben. Waters ist so eine Spur, vielleicht ein bisschen zu nahe liegend, aber wir müssen ihr nachgehen. Hätten Sie etwas dagegen, dass ich Sam das Foto zeige?«

»Überhaupt nicht.« Sie war selbst neugierig, ob Sam den Mann wiedererkennen würde. Allerdings wollte sie ihre Kinder nicht in Gefahr bringen. »Und wenn Sam ihn tatsächlich erkennt? Erfährt dieser Mann, wer ihn gesehen hat?«

»Keine Sorge. Wir schützen unsere Zeugen – und erst recht einen sechsjährigen Jungen«, beruhigte Ted sie.

Fernanda nickte erleichtert und geleitete Ted über die breite, geschwungene Treppe nach oben. Er bewunderte den riesigen Kronleuchter in der Halle, den Fernanda in Wien erstanden hatte. Er stammte ebenfalls aus einem Palast und war in winzige Einzelteile zerlegt mit dem Schiff nach San Francisco gebracht worden.

Bevor Fernanda die Tür zu Sams Zimmer öffnete, klopfte sie kurz an. Sam saß auf dem Fußboden und spielte. Sein Zimmer war wie das übrige Haus sehr geschmackvoll eingerichtet und enthielt alles, was sich ein kleiner Junge nur wünschen kann, einschließlich eines riesigen Fernsehers mit Videorekorder, einer Stereoanlage, eines Regals voller Bücher, Spiele und Spielsachen. Mitten im Zimmer lag ein großer Haufen Legosteine, und daneben stand ein fernge-

steuertes Auto, mit dem sich Sam gerade beschäftigt hatte.
»Hi!« Sam grinste Ted an. »Werde ich diesmal verhaftet?« Offensichtlich freute er sich, Ted wiederzusehen. Als ihm am Sonntag all die Fragen gestellt worden waren, hatte er sich unglaublich wichtig gefühlt. Und Ted war unheimlich nett gewesen. Er mochte Kinder, das hatte Sam sofort gespürt.
»Ach was, ich verhafte dich doch nicht! Aber ich habe dir etwas mitgebracht«, verkündete Ted und griff in seine Jackentasche. Als Sam erfasste, was es war, stieß er einen Freudenschrei aus. Ted überreichte ihm einen Polizeistern, der fast genauso aussah wie der silberne, den Ted in seiner Brieftasche trug. »Sam Barnes, hiermit ernenne ich dich zum Hilfssheriff. Von nun an musst du immer die Wahrheit sagen und uns sofort anrufen, wenn dir irgendetwas verdächtig vorkommt.« Die Beamten verschenkten solche Sterne an Freunde. Unter den Initialen SFPD war die Zahl Eins eingraviert.
Sam strahlte und platzte fast vor Stolz. Als Fernanda seinen Gesichtsausdruck bemerkte, lächelte sie Ted dankbar an. Das war ausgesprochen nett von ihm. »Wirklich *mächtig* beeindruckend«, sagte sie grinsend zu ihrem Sohn.
Teds Blick fiel auf die breite gepolsterte Fensterbank, von wo aus Sam am Sonntag wahrscheinlich den Mann beobachtet hatte. Er reichte Sam das Foto und fragte ihn, ob er den Mann darauf schon einmal gesehen habe.
Sam betrachtete das Bild sehr lange. Waters' Augen waren zum Fürchten, selbst auf einem Foto. Und Ted wusste seit seinem Besuch in Modesto, dass diese Augen in Natur

noch unheimlicher wirkten. Ted und Fernanda musterten Sam aufmerksam. Man konnte dem Jungen ansehen, dass er in seiner Erinnerung gewissenhaft nach einem Anhaltspunkt suchte. Schließlich schüttelte er den Kopf und gab Ted das Foto zurück. Ted hatte die ganze Zeit über geschwiegen, um den Jungen nicht zu beeinflussen. Aber ihm entging nicht, dass Sam noch immer nachdenklich dreinschaute.

»Er sieht unheimlich aus«, sagte Sam.

»Zu unheimlich, um zuzugeben, dass du ihn erkannt hast?«, fragte Ted vorsichtig und beobachtete Sam ganz genau. »Du weißt, du bist jetzt Hilfssheriff und musst mir alles erzählen. Wenn du mir sagst, dass du ihn gesehen hast, wird dieser Mann das nie erfahren, versprochen.«

»Ich glaube, der Mann war auch blond, aber dieser hier sieht anders aus.«

»Wie kommst du darauf? Ist dir noch mehr zu dem Mann eingefallen, den du auf der Straße gesehen hast?«

»Nein«, lautete Sams ehrliche Antwort. »Aber so wie auf dem Bild sah er nicht aus. Ist dieser Mann böse?«, fragte Sam neugierig.

»Sehr böse«, bestätigte Ted.

»Hat er jemanden umgebracht?« Für Sam war das Ganze einfach eine spannende Geschichte, deshalb hatte er keine Angst.

»Er hat zusammen mit einem Freund zwei Menschen getötet.«

Fernanda warf Ted einen besorgten Blick zu. Sie wollte nicht, dass er auch von den beiden Kindern erzählte, die beinahe umgebracht worden waren. Seit dem Tod seines Vaters hatte Sam manchmal Albträume. Er fürchtete, sie oder er selbst könnte sterben. Solche Träume waren für ein Kind seines Alters nicht ungewöhnlich und angesichts seiner Situation umso verständlicher.

Doch Fernandas Sorge war unbegründet. Ted war selbst ein erfahrener Vater und würde Sam keinesfalls unnötig ängstigen. »Er wurde deshalb für lange Zeit ins Gefängnis gesteckt.« Ted wusste, wie wichtig es war, Sam mitzuteilen, dass dieser Mann für seine Tat bestraft worden war.

»Aber jetzt ist er nicht mehr drin«, folgerte Sam.

»Er wurde letzte Woche entlassen, nachdem er vierundzwanzig Jahre im Gefängnis verbracht hat. Ich glaube, dass er seine Lektion gelernt hat«, versicherte Ted ihm. Es gehörte viel Fingerspitzengefühl dazu, einen Sechsjährigen zu befragen, aber es gelang Ted sehr gut.

Das entging Fernanda nicht, und sie schloss daraus, dass Ted selbst Kinder hatte. Da er einen Ehering trug, wusste sie bereits, dass er verheiratet war.

»Aber Sie glauben doch, dass er das Auto in die Luft gesprengt hat.« Sams Einwand zeigte, wie gut er mitdachte.

»Man muss jeder Spur nachgehen, auch wenn sie nicht sehr vielversprechend ist. Manchmal erlebt man dabei eine große Überraschung. Als Hilfssheriff wirst du all diese Dinge lernen.«

»Meinen Sie denn, dass er es gewesen ist? Das mit dem Auto, meine ich?« Sam war von all dem unglaublich fasziniert.

»Nein, ich denke nicht. Aber es war wichtig, es zu überprüfen. Stell dir vor, er hätte es doch getan und würde davonkommen, weil ich dir das Foto nicht gezeigt hätte! Das wollen wir doch nicht, oder?« Sam schüttelte den Kopf, und die beiden Erwachsenen lächelten einander an.

Ted steckte das Foto zurück in den Umschlag. Immerhin hatte er jetzt eine wichtige Information bekommen – der Verdächtige war blond. Damit war ein weiteres Puzzlesteinchen gefunden. »Du hast übrigens ein sehr schönes Zimmer«, sagte er anerkennend. »Und viele tolle Spielsachen.«
»Haben Sie Kinder?« Sam schaute ihn fragend an. Er hielt noch immer den Stern in der Hand, er war nun sein kostbarster Schatz.
»O ja, allerdings.« Ted raufte sich zum Spaß die Haare. »Die drei sind mittlerweile schon groß. Zwei gehen aufs College, und einer arbeitet in New York.«
»Ist er auch Polizist?«
»Nein, er ist Börsenmakler«, erwiderte Ted. »Was willst du denn später einmal werden?«, erkundigte er sich bei Sam. Der Junge musste seinen Vater sehr vermissen und genoss es bestimmt, sich ein paar Minuten lang mit ihm zu unterhalten. Ted hatte nicht den Eindruck, dass es in Fernandas Leben derzeit einen Mann gab.
»Ich möchte Baseballspieler werden«, verkündete Sam, »oder Polizist.« Er betrachtete den Stern in seiner Hand so liebevoll, dass die beiden Erwachsenen wieder lächeln mussten.
In diesem Moment betrat Will das Zimmer. Er hatte Stimmen gehört und sich gefragt, mit wem seine Mutter sprach. Als er Ted sah, wirkte er erfreut. Doch bevor er ihn überhaupt begrüßen konnte, informierte Sam seinen großen Bruder, dass er jetzt im Besitz eines Sheriffsterns sei.
»Echt abgefahren.« Will grinste. »Ich hatte Recht, oder? Es war doch eine Bombe«, wandte er sich an Ted.

Ted nickte zögernd. »Ja.« Will war nicht nur ein gut aussehender Bursche, sondern auch ziemlich clever. Fernanda hatte drei wirklich tolle Kinder.
»Wissen Sie schon, wer es getan hat?«, erkundigte sich Will, und Ted holte noch einmal das Foto hervor.
»Nein, wir verfolgen nur eine Spur. Hast du diesen Mann schon einmal hier in der Gegend gesehen?«, fragte Ted.
»War er es?« Interessiert schaute sich Will das Foto an. Auch er spürte diese hypnotisierende Wirkung, die von Carlton Waters ausging. Kopfschüttelnd gab Will Ted das Foto zurück.
Dass niemand von ihnen Waters wiedererkannte, legte den Schluss nahe, dass er nicht der Täter war. »Wir überprüfen einfach jede Möglichkeit. Hast du ihn wirklich noch nie gesehen, Will?«
»Nein.« Der Junge schüttelte erneut den Kopf. »Gibt es noch andere Verdächtige?« Es gefiel Will, sich mit Ted zu unterhalten. Er wirkte so souverän und war gleichzeitig unheimlich nett.
»Momentan nicht. Wir werden die Anwohner auf dem Laufenden halten.« Ted blickte auf seine Armbanduhr und sagte, dass er jetzt gehen müsse. Er verabschiedete sich von den beiden Jungen.
Fernanda begleitete ihn nach unten. An der Haustür blieb Ted einen Moment lang stehen und betrachtete Fernanda. Abermals spürte er ganz deutlich, dass etwas sie bedrückte. »Sie haben wirklich ein sehr schönes Haus«, sagte er und fügte nach einer kurzen Pause voller Mitgefühl hinzu: »Ich möchte Ihnen noch einmal sagen, wie Leid mir die Sache mit Ihrem Mann tut.« Nach achtundzwanzig Jahren Ehe war er sich des Wertes einer solchen

Beziehung sehr bewusst. Er konnte sich gut vorstellen, wie einsam und verlassen sich Fernanda momentan fühlen musste.

»Danke«, entgegnete sie traurig.

»War es ein Unfall?«

Fernanda zögerte, und der Schmerz, den Ted in ihren Augen sah, versetzte ihm einen Stich. »Vermutlich ... wir wissen es nicht genau.« Sie zögerte erneut, dann gab sie sich einen Ruck. Obwohl sie Ted kaum kannte, vertraute sie ihm. »Es könnte auch Selbstmord gewesen sein. Er ist in Mexiko nachts allein mit einem Boot hinaus aufs Meer gefahren und ertrunken.«

»Das tut mir wirklich Leid«, wiederholte er. Er wollte schon hinausgehen, doch dann drehte er sich noch einmal um und blickte sie an. »Falls es irgendetwas gibt, das ich für Sie tun kann, lassen Sie es mich wissen.« Jemanden wie Fernanda und ihre Kinder kennen zu lernen, gehörte zu den Dingen in seinem Job, die er immer geliebt hatte. Die Begegnung mit solchen Menschen gab seiner Arbeit Sinn und überzeugte ihn davon, dass seine Bemühungen nicht vergeblich waren. Diese Familie berührte ihn zutiefst. Obwohl sie allem Anschein nach sehr reich war, hatte auch sie ihre Sorgen. Fernanda musste allein drei Kinder großziehen. Er stellte sich vor, ihm wäre vor Jahren etwas zugestoßen, dann hätte sich Shirley in der gleichen Situation befunden. Manchmal machte es eben keinen Unterschied, ob man arm oder reich war, das Schicksal konnte jeden ereilen. Nachdem Ted in sein Auto gestiegen und losgefahren war, musste er noch lange darüber nachdenken.

Fernanda schloss leise die Tür hinter ihm, ging zurück an

ihren Schreibtisch und las noch einmal den Brief von Jack Waterman. Sie rief in seinem Büro an, um einen Termin zu vereinbaren, aber seine Sekretärin teilte ihr mit, er sei nicht mehr im Haus und werde am nächsten Tag zurückrufen. Um Viertel vor sieben brach Fernanda auf, um ihre Tochter vom Ballett abzuholen.

Ashley war gut gelaunt und redete während der Rückfahrt unentwegt: über die Probe, die Schule und ihre vielen Freundinnen. Sie stand erst am Anfang der Pubertät, und noch war ihre Mutter ihre beste Freundin, aber Fernanda wusste, dass sich das bald ändern würde.

Als sie zu Hause ankamen, berichtete Ashley gerade sehr aufgeregt von ihren Plänen, im Juli nach Lake Tahoe zu fahren. Sie konnte es kaum abwarten, dass im Juni die Ferien anfingen. Sie alle freuten sich darauf, obwohl Fernanda wusste, dass sie ohne Will und Ashley noch einsamer sein würde. Wenigstens wäre Sam da. Sie war froh, dass er noch klein und nicht so unabhängig war wie seine älteren Geschwister. Seit dem Tod seines Vaters suchte er ihre Nähe noch mehr als früher. Dabei hatte Allan in den letzten Jahren nicht sehr viel Zeit mit seinen Kindern verbracht. Er war immer zu beschäftigt gewesen.

Fernanda machte Abendessen für die Kinder. Sie waren alle müde, aber in guter Stimmung. Sam trug seinen neuen Stern, und sie sprachen über das Bombenattentat. Dass es ein gezielter Anschlag gewesen war, beruhigte Fernanda ein wenig. Die Vorstellung, dass jemand durch die Straßen lief und wahllos Bomben legte, hatte ihr große Angst gemacht. Aber dass es Menschen gab, die bewusst andere verletzten, war in jedem Fall schrecklich. Wenn sie und ihre Kinder zum Zeitpunkt der Explosion an dem Auto vorbeigegangen wären, hätten sie leicht zu Schaden kommen können. Und es war reines Glück gewesen, dass Mrs McIntyre im Haus und ihr Mann gar nicht in der Stadt gewesen war. Für die Kinder war es faszinierend, dass so etwas ganz in ihrer Nähe passierte. Bei Fernanda dagegen hinterließ es ein Gefühl von Verwundbarkeit. Und als sie später schlafen ging, spürte sie umso stärker, wie sehr sie Allan vermisste.

8. Kapitel

In der Hoffnung, einen Job oder zumindest einen Termin für ein Vorstellungsgespräch zu bekommen, rief Peter Morgan so ziemlich jeden in San Francisco an, den er von früher kannte. Er war jetzt seit einer Woche draußen, besaß noch etwas mehr als dreihundert Dollar, und sein Bewährungshelfer erwartete von ihm, dass er sich ernsthaft um Arbeit bemühte. Das tat er auch – aber es lief nicht gut. In der Geschäftswelt sind vier Jahre eine lange Zeit, einige seiner alten Bekannten waren weggezogen, und auf vielen Posten saßen jetzt Fremde. Und die Leute, die sich an ihn erinnerten, ließen sich entweder verleugnen oder speisten ihn mit billigen Ausreden ab, denn sie wussten, dass Peter im Gefängnis gesessen hatte. Nach dieser Woche war Peter klar geworden, dass er wesentlich kleinere Brötchen backen musste, was seine Vorstellungen von einem Job betraf. Wie sehr der Aufseher im Gefängnis seine Arbeit auch immer zu schätzen gewusst hatte, in der Finanzwelt oder im Silicon Valley wollte keiner etwas mit einem Exsträfling zu tun haben. Er hatte nun mal eine kriminelle Vergangenheit, und alle gingen davon aus, dass er während der vier Jahre im Gefängnis nur noch mehr linke Tricks gelernt hatte. Und seine frühere Drogenabhängigkeit war auch nicht gerade ein Pluspunkt.

Peter fragte überall nach einer Stelle: in Restaurants, einem Plattenladen, einer Spedition und jedem noch so kleinen Betrieb. Aber dass sich ein Harvardabsolvent um solche Jobs bewarb, erregte nur Misstrauen. Einmal wurde er sogar als Klugscheißer und Wichtigtuer beschimpft. Und einen, der auf Bewährung draußen war, wollten sie schon gar nicht. Am Ende der zweiten Woche hatte Peter noch ganze vierzig Dollar im Portmonee und nicht die geringste Aussicht auf eine Stelle. In einem Tortillaimbiss ganz in der Nähe des Übergangshauses hätte er als Tellerwäscher anfangen können – für die Hälfte des Mindestlohns bar auf die Hand. Das reichte nicht zum Leben, aber mehr wollte man ihm partout nicht zahlen. Es gab genügend illegale Einwanderer, die jederzeit bereit waren, für noch weniger Geld zu arbeiten. Verzweifelt ging Peter zum x-ten Mal sein altes Adressbuch durch. Immer wieder blieb er an demselben Namen hängen: Phillip Addison. Bis zu diesem Augenblick war er fest entschlossen gewesen, diesen Mann niemals anzurufen. Der Name verhieß nichts Gutes. Addison hatte ihm schon damals nur Ärger eingebracht, und Peter war sich nicht einmal sicher, ob er seine Verhaftung nicht diesem Mann zu verdanken hatte. Obwohl Peter ihm ein Vermögen schuldete, hatte Addison es vorgezogen, während der letzten vier Jahre nichts gegen ihn zu unternehmen. Peter würde das Geld nie zurückzahlen können, und Addison wusste das genau.

Offiziell leitete Phillip Addison ein großes, börsennotiertes Hightechunternehmen. Hinzu kam ein halbes Dutzend inoffizieller und weitaus weniger seriöser Firmen. Außerdem verfügte er über weitläufige Kontakte zur Unterwelt. Jemand wie Addison könnte Peter immer ir-

gendwo unterbringen – notfalls in einer seiner zwielichtigen Firmen. Wenigstens hätte er dann Arbeit und würde ausreichend Geld verdienen. Doch Peter graute davor, diesen Mann anzurufen. Wen der erst einmal in seinen Klauen hatte, den ließ er nicht mehr los. Aber wen sollte Peter sonst fragen? Selbst an Tankstellen wollte man ihn nicht einstellen. Die Leute tankten selbst, und jemanden, der gerade erst aus dem Knast entlassen worden war, setzten sie nicht an die Kasse. Sein Harvardabschluss war praktisch nutzlos geworden, und über das Empfehlungsschreiben des Aufsehers lachten alle bloß. Peter hatte keine Freunde, keine Familie – es gab einfach niemanden, der ihm half. Und sein Bewährungshelfer sagte ständig, es sei an der Zeit, dass er allmählich einen Job finde. Je länger er ohne Arbeit sei, desto gründlicher würde er von der Polizei überwacht werden. Dort wusste man genau, unter welchem Druck die auf Bewährung entlassenen Häftlinge standen, wenn ihnen das Geld ausging, und auf welche krummen Touren sie in ihrer Verzweiflung verfielen. Peter geriet allmählich in Panik. Er war fast pleite und brauchte Geld, um die Miete zahlen und sich etwas zum Essen kaufen zu können.
Gerade einmal zwei Wochen war es her, dass er durch das Gefängnistor von Pelican Bay in die Freiheit getreten war. Und jetzt saß er in seinem kleinen Zimmer im Übergangshaus und starrte schon seit einer halben Stunde Addisons Nummer an. Schließlich griff er zum Hörer und wählte. Eine Sekretärin sagte ihm, Addison sei momentan außer Landes, sie könne ihm aber gern etwas ausrichten. Peter hinterließ seinen Namen und die Telefonnummer. Nur zwei Stunden später meldete sich Addison. Peter

hockte noch immer da und blickte nachdenklich vor sich hin, da rief jemand von unten, ein Typ namens Addison sei für ihn am Apparat. Mit einem mulmigen Gefühl in der Magengegend beeilte sich Peter, ans Telefon zu kommen. Dies war entweder seine Rettung – oder der Anfang vom Ende.

»Was für eine Überraschung«, begrüßte Addison ihn mit seiner süffisanten Stimme. Was er auch sagte, immer klang es spöttisch. »Das Meer hat dich also wieder ausgespuckt. Seit wann bist du draußen?«

»Seit etwa zwei Wochen«, antwortete Peter. Er bereute seinen Anruf bereits. Aber was sollte er machen? Er brauchte dringend Geld. Peter hatte sogar schon daran gedacht, Sozialhilfe zu beantragen, aber das würde sich ewig hinziehen, und ehe er das Geld hätte – falls er überhaupt welches bekäme –, wäre er entweder halb verhungert oder obdachlos oder beides. Allmählich wurde ihm bewusst, wie es lief. Man kam an den Punkt, an dem es keinen anderen Ausweg mehr gab, als einen Mann wie Phillip Addison anzurufen. Peter versuchte sich einzureden, dass er Addison jederzeit loswerden könnte, sobald es ihm besser ginge. In Wahrheit war er sich darüber im Klaren, was für skrupellose Methoden Addison anwandte, um jemanden für immer an sich zu binden. Aber Peter hatte keine Wahl – man stellte ihn ja nicht einmal für einen anständigen Lohn als Tellerwäscher ein.

»Und, was hast du schon alles versucht, bevor du mich angerufen hast? Eine Menge, schätze ich«, verhöhnte Addison ihn. Zahllose Exsträflinge arbeiteten für ihn, und er wusste ganz genau, warum sie bei ihm gelandet waren.

Mittellos, verzweifelt und ihm deshalb treu ergeben – Peter Morgan würde sich darin nicht von den anderen unterscheiden. »Hier draußen gibt es nicht viele Jobs für Typen wie dich.« Damit erzählte er Peter nichts Neues. »Außer vielleicht als Autowäscher oder Schuhputzer. Aber das passt nicht zu dir. Schieß los, was kann ich für dich tun?« Seine Frage klang fast höflich.

»Ich brauche Arbeit«, sagte Peter geradeheraus. Es wäre albern gewesen, Spielchen zu spielen. Aber er war immerhin umsichtig genug zu erklären, er wolle einen Job und nicht etwa Geld.

»Wenn du mich anrufst, muss dir das Wasser bis zum Hals stehen. Wie hungrig bist du denn?«

»Hungrig. Aber nicht ausgehungert genug, um etwas Dummes zu tun. Ich werde nicht noch einmal in den Knast gehen, weder für dich noch für irgendjemanden sonst. Ich habe meine Lektion gelernt. Vier Jahre sind schließlich eine lange Zeit. Ich will eine Stelle. Falls du etwas für mich hast, das nicht illegal ist, würde ich das sehr zu schätzen wissen.« Peter hatte nie zuvor derart zu Kreuze kriechen müssen.

Addison war sich dessen bewusst und kostete es genüsslich aus. Die Schulden erwähnte Peter mit keinem Wort, aber Addison stand deutlich vor Augen, welches Risiko Peter mit seinem Anruf eingegangen war. So verzweifelt war er also auf der Suche nach Arbeit. »Ich mache nur legale Geschäfte«, antwortete Addison gereizt. Man konnte nie sicher sein, ob ein Gespräch abgehört wurde, obwohl er ziemlich genau wusste, dass seine Leitung sauber war. »Du schuldest mir übrigens noch Geld. Eine Menge sogar. Deinetwegen haben damals einige Leute in die Röhre geguckt. Am Ende musste ich sie ausbezahlen, sonst hätten sie im Knast einen Killer auf dich angesetzt.«

Gut möglich, dass Addison übertrieb, aber gänzlich gelogen war es bestimmt auch nicht. Für den Kauf von Kokain hatte sich Peter damals Geld bei Addison geborgt. Bei seiner Verhaftung war die ganze Ladung konfisziert worden – bevor er sie in Umlauf hatte bringen können. Unterm Strich war er Addison einige hunderttausend Dollar schuldig. »Du kannst es mir ja vom Lohn abziehen. Wenn ich keinen Job habe, kann ich dir überhaupt nichts zurückzahlen.«

Das klang logisch. In Wahrheit hatte sich Addison längst abgeschminkt, das Geld je wiederzusehen. Verluste musste man in seiner Branche einkalkulieren. Allerdings gefiel es ihm, dass Peter dadurch in seiner Schuld stand. »Warum kommst du nicht einfach vorbei und wir reden darüber?«, fragte er.

»Wann?« Peter hoffte, dass Addison ihn bald empfangen würde, aber er wollte nicht drängen.

»Heute um fünf«, sagte Addison und fragte erst gar nicht, ob es Peter passte. Es war ihm auch egal. Wenn Peter für ihn arbeiten wollte, dann musste er lernen, auf Kommando zu springen. Damals hatte er Peter Geld vorgestreckt, aber das hier war eine gänzlich andere Situation. Von nun an würde er auf seiner Gehaltsliste stehen.

»Wo soll ich hinkommen?«, fragte Peter mit matter Stimme und wunderte sich über den Termin. Hatte die Sekretärin nicht behauptet, Addison sei außer Landes? Aber das war jetzt gleichgültig. Wenn Addison ihm etwas anbot, das erniedrigend oder verabscheuungswürdig war, konnte er immer noch ablehnen. In Wahrheit hatte sich

Peter längst damit abgefunden, gedemütigt, benutzt und schlecht behandelt zu werden. Hauptsache, es war ehrliche Arbeit.

Addison nannte eine Adresse in San Mateo, wies Peter an, pünktlich zu sein, und legte auf. Peter wusste, dass dort die Firma saß, in der Addison seine legalen Geschäfte tätigte. Mit dem Hightechunternehmen war dieser enorm erfolgreich gewesen, vor allem während des Internethypes. Als dann die Aktienkurse drastisch fielen, ging es ihm nicht besser als allen anderen. Das Unternehmen produzierte medizinische Geräte, und Peter wusste, dass Addison zudem viel Geld in die Genforschung investiert hatte. Er verfügte sowohl über eine medizinische wie auch eine technische Ausbildung. Und eine Zeit lang galt er als Finanzgenie. Aber am Ende zeigte sich, dass auch er nur mit Wasser kochte und sich gewaltig übernommen hatte. Mit Drogenschmuggel besserte er seine Finanzen wieder auf, und heute steckte der Großteil seines Vermögens in Labors in Mexiko. Addison ließ dort synthetische Drogen herstellen, die eine seiner anderen »Firmen« im Mission District vertrieb. Einige seiner besten Kunden waren Yuppies. Sie ahnten nicht, dass sie ihre Drogen von ihm kauften. Sogar seine eigene Familie war davon überzeugt, dass er sein Geld ausschließlich auf ehrliche Weise verdiente. Addison besaß ein Haus in Fort Ross, hatte vier wohl geratene Kinder, die alle auf angesehene Privatschulen gingen, er unterstützte diverse Wohltätigkeitsorganisationen, war Mitglied in den besten Clubs von San Francisco, und seine Frau nahm aktiv am Leben der Highsociety teil. Nach außen war Addison eine Stütze der Gesellschaft. Aber Peter wusste es besser. Sie hatten

sich kennen gelernt, als Peter in der Klemme saß, und Phillip Addison hatte ihm damals diskret seine Hilfe angeboten. Anfangs hatte er ihm die Drogen sogar zu Discountpreisen zur Verfügung gestellt und ihm beigebracht, wie man das Zeug verkauft. Hätte Peter seine Sucht unter Kontrolle gehalten, wäre er wahrscheinlich nie im Gefängnis gelandet.
Was das betraf, war Addison klüger. Er rührte niemals Drogen an. Mit unglaublichem Geschick leitete er sein verbrecherisches Imperium und hatte normalerweise einen untrüglichen Instinkt, was seine Leute betraf. In Peter hatte er sich jedoch geirrt, er hatte ihn für ehrgeiziger gehalten und ihm mehr kriminelle Energie zugetraut. Letztendlich war Peter aber nur einer dieser Typen, die auf die schiefe Bahn geraten, ohne wirklich zu wissen, was sie tun. Ein armseliger Ganove, der irgendwie in diese üble Situation geschlittert war. Jemand wie Peter stellte für Addison ein erhebliches Risiko dar, weil er die falsche Einstellung hatte. Addison dagegen war durch und durch kriminell. Es war für ihn geradezu eine Lebensphilosophie – während Peter seine gesetzwidrigen Machenschaften lediglich als Episode betrachtete. Dennoch glaubte Addison, dass Peter ihm nützlich sein könnte. Peter war clever, hatte die besten Schulen besucht, früher genau die richtigen Kontakte gehabt und war salonfähig. Damals war er nicht mehr als ein ungeschickter Amateur gewesen, aber mit dem, was er in den letzten vier Jahren im Gefängnis aufgeschnappt hatte, war er womöglich mittlerweile zum Profi avanciert. Jetzt galt es herauszufinden, was Peter alles gelernt hatte, wozu er bereit und wie verzweifelt er war. Dieses Gerede, er wolle ausschließlich et-

was Legales tun, interessierte Addison nicht im Geringsten. Die einzig wichtige Frage lautete, was er tatsächlich zu tun bereit war, und das Geld, das Peter ihm noch immer schuldete, war ein gewichtiges Argument bei ihren Verhandlungen. Addison war auch nicht entgangen, dass Peter bei seiner Verhaftung und in den Jahren danach nie Namen genannt hatte, was zeigte, dass man ihm trauen konnte. Dass Peter niemanden verpfiffen hatte, wusste Addison zu schätzen, und das war auch der Hauptgrund, warum er ihn nicht hatte umbringen lassen. In gewisser Weise betrachtete er Peter als Ehrenmann – auch wenn es die Ehre eines Ganoven war.

Peter fuhr mit dem Bus nach San Mateo. Er trug die einzigen Kleidungsstücke, die er besaß. Die Sachen waren zumindest sauber, und er hatte sich mittlerweile auch einen vernünftigen Haarschnitt verpassen lassen. Aber er hatte nicht einmal ein Jackett, um einigermaßen angemessen gekleidet zu diesem Vorstellungsgespräch zu erscheinen. Den Rest des Weges musste er zu Fuß gehen, und als er bei der genannten Adresse ankam, war ihm beklommen zumute.

Phillip Addison saß in seinem Büro und las in einer dicken Akte, die er sonst in einer verschlossenen Schublade seines Schreibtisches aufbewahrte. In dieser Akte ging es um seinen Lebenstraum, den er jetzt schon seit beinahe drei Jahren hegte. Es war die einzige Sache, bei der Peter ihm von Nutzen sein konnte. Dabei war ihm völlig egal, ob Peter überhaupt mitmachen wollte, entscheidend war nur, ob er dazu in der Lage war. Addison würde auf keinen Fall ein Risiko eingehen. Die Sache musste mit der Präzision eines Schweizer Uhrwerks ablaufen. Und Peter

war seiner Meinung nach perfekt für diesen Job geeignet. Einzig aus diesem Grund hatte er ihn zurückgerufen.
Seine Sekretärin sagte ihm, dass Peter eingetroffen sei. Addison legte die Mappe zurück in die Schublade, verschloss sie sorgfältig und stand auf, um Peter zu begrüßen.
Als Peter den Raum betrat, sah er einen großen, perfekt gekleideten Mann Ende fünfzig vor sich. Addison trug einen Maßanzug aus London, eine geschmackvolle Krawatte und ein Hemd, das er in Paris hatte anfertigen lassen. Und als er um den Tisch herumkam, um Peter die Hand zu geben, war auf seinen Schuhen auch nicht das kleinste Staubkörnchen zu erkennen. Er tat so, als würde er nicht bemerken, wie Peter angezogen war, dabei hätte er mit diesen Sachen nicht einmal sein Auto gewaschen – und Peter wusste das. Phillip Addison war glatt und kalt wie polierter Marmor. Ständig über jeden Verdacht erhaben, war es bisher niemandem gelungen, ihn zu fassen. Es beunruhigte Peter, dass Addison so freundlich zu ihm war. Sogar die Andeutungen bezüglich des Geldes, das Peter ihm noch schuldete, schienen vergessen zu sein.
Sie plauderten eine Weile lang über Nichtigkeiten. Peter begann sich zu entspannen, und Addison wiegte ihn endgültig in Sicherheit, indem er ihn schließlich fragte, was für eine Arbeit er sich denn so vorstelle. Peter zählte auf, für welche Bereiche er sich interessiere: Marketing, Finanzen, Investments, den Aufbau neuer Abteilungen oder Geschäftsbereiche – jede unternehmerische Aufgabe, die Addison ihm anvertrauen würde. Dann seufzte er und schaute Addison lange an. Jetzt war der Moment gekommen, die Karten auf den Tisch zu legen.
»Es ist so – ich brauche einen Job, und zwar dringend,

sonst findest du mich bald mit einem Einkaufswagen voller Lumpen und einer Blechtasse auf der Straße wieder – vielleicht sogar ohne Einkaufswagen. Ich bin bereit anzunehmen, was auch immer du mir anbietest. Mit einer Einschränkung: Ich will auf keinen Fall zurück in den Knast. Deshalb möchte ich in deinem legalen Geschäftsbereich für dich arbeiten, alles andere ist zu riskant für mich, das kann und will ich nicht tun.«

»Du bist anspruchsvoll geworden. Als ich dich vor fünf Jahren kennen lernte, hattest du weniger Skrupel.«

»Ich war dumm, unerfahren und ziemlich verrückt. Einundfünfzig Monate in Pelican Bay holen dich zurück auf den Boden der Tatsachen. Es war eine heilsame Kur, wenn man es so nennen will. Und ich werde nicht wieder zurückgehen. Eher lasse ich mich erschießen.«

»Du hast Glück, dass du überhaupt noch lebst«, sagte Addison barsch. »Eine Menge Leute fühlten sich von dir ziemlich verarscht. Was ist mit dem Geld, das du dir gepumpt hast?« Er stellte diese Frage nicht, weil er das Geld haben wollte, sondern um Peter daran zu erinnern, dass er ihm etwas schuldig war. Addison betrachtete diese Situation als einen glücklichen Einstieg in ihre Zusammenarbeit – Peter weniger.

»Ich sagte ja schon, ich würde gern für dich arbeiten, und du kannst das Geld nach und nach von meinem Gehalt abziehen. Mehr kann ich nicht tun. Ich habe nichts, was ich dir geben könnte.«

Addison wusste, dass Peter die Wahrheit sagte, aber Ehrlichkeit beeindruckte ihn nicht im Mindesten. Was Peter ihm bieten konnte, waren sein Verstand und seine Motivation – und das genügte für den Moment vollauf. »Ich

könnte dich immer noch töten lassen, das weißt du«, sagte Addison ganz ruhig. »Einige unserer gemeinsamen Freunde in Mexiko würden diesen Job nur zu gern übernehmen. Und in Kolumbien sitzt jemand, der entschlossen war, dich im Knast zu erledigen. Ich bat ihn, es nicht zu tun. Ich habe dich immer gemocht, Morgan.«
Addison sagte das auf eine Art, als würde er mit seinem Golfpartner sprechen. Er spielte regelmäßig mit Größen aus Wirtschaft und Politik und verfügte über wichtige Kontakte. Er war ein Krimineller auf höchstem gesellschaftlichem Niveau. Und wenn bei einem seiner Verbrechen jemals etwas schief lief, würde man ihn wahrscheinlich nicht drankriegen. Er war ein mächtiger Mann, dem Dinge wie Integrität oder Moral völlig fremd waren. Peter wusste: Wenn er tatsächlich für Addison arbeitete, wäre er für ihn nur ein Bauer in einem seiner Schachspiele. Aber wenn er das nicht tat, würde er früher oder später mit Sicherheit wieder in Pelican Bay landen.
»Falls das mit dem Kolumbianer stimmt, schulde ich dir Dank«, antwortete Peter höflich. Auf Addisons angebliche Sympathie für ihn wollte Peter lieber nicht eingehen, deshalb schwieg er. Peter hatte Addison nie ausstehen können, dafür wusste er einfach zu viel über ihn. Dieser Mann hatte eine perfekte Fassade, aber im Kern war er abgrundtief schlecht. Die wenigen Menschen, die ihn gut kannten und wussten, was sich hinter seiner Maske verbarg, verglichen Phillip Addison mit dem Teufel höchstpersönlich. Für die anderen war er ein erfolgreicher und ehrenwerter Geschäftsmann.
»Ich dachte, dass du mir lebend eines Tages nützlicher sein würdest«, sagte Addison, als hätte er etwas Bestimm-

tes im Sinn. »Es wäre Verschwendung gewesen, dich im Knast krepieren zu lassen. Ich habe nämlich einen ganz speziellen Auftrag für dich. Die Sache erfordert technisches Fingerspitzengefühl, sorgfältige Planung und Organisation sowie die Führung eines Teams hochkarätiger Experten.«

Peter war erleichtert, weil sie endlich über einen Job sprachen und nicht mehr von seinen Schulden oder irgendwelchen Leuten, die ihn ausschalten wollten. Und so, wie Addison die Aufgabe beschrieb, musste es sich um etwas ähnlich Anspruchsvolles wie eine Firmenübernahme handeln.

»Um was geht es?«, fragte er gespannt.

»Ich kann noch nicht zu viele Details offen legen. Zuerst brauchen wir mehr Informationen. Dafür wärst du zuständig. Aber zunächst muss ich wissen, ob du dabei bist. Ich möchte dich als Projektleiter engagieren. Du verfügst wahrscheinlich nicht über die entsprechenden technischen Kenntnisse, um den Job selbst durchzuführen, genauso wenig wie ich, aber ich möchte, dass du ein entsprechendes Expertenteam zusammenstellst. Du bist Mitunternehmer und wirst am Gewinn beteiligt. Und wenn du deine Sache gut machst, hast du deinen Anteil auch verdient.«

Peter hörte fasziniert zu. Es klang nach einer interessanten und profitablen Herausforderung, genau das, was er brauchte, um beruflich wieder auf die Beine zu kommen, eigene Investitionen tätigen und vielleicht sogar eine Firma gründen zu können. Er hatte einen guten Riecher für lohnende Kapitalanlagen und zudem eine Menge gelernt, bevor er vom Weg abkam. Das hier schien genau die

Chance zu sein, die er sich ersehnt hatte. Vielleicht wendete sich jetzt doch noch alles zum Guten. Am Ende war Addison doch anständiger, als er angenommen hatte.

»Ist es ein langfristiges Projekt, das sich über mehrere Jahre hinzieht?« Das würde ihn für lange Zeit an Addison binden – vielleicht länger, als ihm lieb war. Andererseits wäre er finanziell abgesichert und hätte genügend Zeit, eigene Pläne zu realisieren. Vielleicht würde man ihm dann sogar erlauben, seine Töchter zu besuchen, wovon er insgeheim träumte. Bei dem Gedanken an sie wurde ihm schwer ums Herz. Er hatte wirklich alles vermasselt, auch die Beziehung zu seinen Kindern, und konnte nur hoffen, dass er eines Tages die Möglichkeit bekam, sie doch noch richtig kennen zu lernen. Und wenn er finanziell wieder fest im Sattel saß, wäre es sicher einfacher, an Janet heranzutreten.

»Es handelt sich um ein eher kurzfristiges Projekt«, fuhr Addison mit seinen Erläuterungen fort. »Ich denke, wir können es innerhalb weniger Monate oder sogar Wochen durchführen. Wir werden natürlich Vorbereitungszeit brauchen, um weitere Informationen einzuholen und die organisatorischen Rahmenbedingungen zu schaffen. Die Durchführung des Projekts selbst dauert vielleicht einen Monat, maximal zwei. Und die Abschlussphase wird nicht viel Zeit in Anspruch nehmen. Die Gewinnbeteiligung könnte jedenfalls beachtlich ausfallen.«

Addison tat sehr geheimnisvoll, und Peter rätselte, um was es sich handelte. Vielleicht plante Addison, ein profitables Produkt auf dem Markt zu platzieren, und wollte, dass sich Peter um Marketing und Vertrieb kümmerte. Oder er hatte eine lukrative Investition im Auge, die Peter betreuen sollte. »Geht es um eine Produktvermarktung?«, versuchte sich Peter heranzutasten.

»In gewisser Weise.« Addison nickte. »Ich denke schon sehr lange über dieses Projekt nach und glaube, dass jetzt die Zeit dafür reif ist. Dass du mich heute Morgen angerufen hast, war eine glückliche Fügung«, sagte er mit diabolischem Grinsen. Peter war nie zuvor mit einem derartig kalten Blick bedacht worden.

»Wann soll ich anfangen?« Er dachte an die fünfzehn Dollar in seiner Brieftasche, die gerade noch für ein Abendessen und ein Frühstück reichten, vorausgesetzt, er ging zu McDonald's. Danach könnte er nur noch auf der Straße betteln gehen – und würde dafür womöglich sogar verhaftet werden.

Addison blickte ihm ungerührt in die Augen. »Wenn du willst, schon heute. Ich denke, jetzt ist der richtige Zeitpunkt für ein erfolgreiches Gelingen. Wir müssen das Projekt in mehrere Phasen unterteilen. Ich möchte, dass du die nächsten vier Wochen mit Recherchen und Vorbereitungen verbringst und geeignete Leute einstellst.«

Peter atmete innerlich auf. Das war mehr, als er zu hoffen gewagt hatte. »Was für Leute brauchen wir für den Job?« Noch immer war ihm schleierhaft, um was es bei der Sache eigentlich ging. Aber ganz offensichtlich war alles streng geheim und möglicherweise sehr rentabel – wahrscheinlich ein Produkt für eine exklusive Zielgruppe.

»Wen du einstellst, ist deine Sache. Ich möchte natürlich bei der Entscheidung einbezogen werden, aber ich glaube, dass du in diesem Bereich bessere Kontakte hast als ich«, erwiderte Addison gönnerhaft. Er schloss die

Schublade auf, in der sich der dicke Ordner befand, und reichte ihn Peter über den Tisch hinweg.
Peter schlug ihn auf und sah Addison überrascht und sichtlich beeindruckt an. In dem Ordner befanden sich Zeitungsausschnitte und Berichte über praktisch jedes Projekt, an dem Allan Barnes während der letzten vier Jahre beteiligt gewesen war. Peter wusste natürlich, wer Allan Barnes war, jeder in der Finanz- und Hightechbranche wusste das. Barnes war auf dem Neuen Markt wahrscheinlich das größte Genie, das die Welt je gesehen hatte. Der Ordner enthielt sogar Fotos von ihm und seiner Familie. Die Menge an Unterlagen war beeindruckend und lieferte ein ziemlich vollständiges Bild.
»Denkst du an ein Jointventure mit ihm?«
»Habe ich mal, aber das ist vorbei. Du bist offensichtlich nicht ganz auf dem Laufenden. Barnes ist tot, im Januar bei einem Bootstrip in Mexiko ertrunken. Er hinterließ eine Frau und drei Kinder.«
»Schade um ihn«, sagte Peter mit ehrlichem Bedauern und wunderte sich, dass dies an ihm vorübergegangen war. Allerdings hatte er in Pelican Bay manchmal wochenlang keine Zeitungen gelesen, weil ihn die Welt da draußen nicht interessiert hatte.
»Mit ihm als Mitspieler hätte das Projekt sicher einen besonderen Reiz, aber so wie die Dinge nun einmal liegen, bin ich auch bereit, mit seiner Witwe zusammenzuarbeiten«, erklärte Addison jovial.
»Bei was denn?« Peter sah ihn verständnislos an. »Managt sie jetzt die Geschäfte?« Er war wirklich nicht mehr auf dem Laufenden.
»Barnes hat ihr und den Kindern sein gesamtes Vermögen

hinterlassen«, erläuterte Addison. »Diese Information habe ich von einem Freund. Und ich weiß mit Sicherheit, dass Barnes bis zu seinem Tod eine halbe Milliarde Dollar gemacht hat. Was die Zukunft seiner Unternehmen angeht, herrscht eisiges Schweigen, aber ich bin davon überzeugt, dass seine Witwe jetzt die meisten oder zumindest die wichtigsten Entscheidungen fällt.«

»Hast du sie wegen eines gemeinsamen Investments kontaktiert?« Peter hatte nie den Eindruck gehabt, dass Allan Barnes auf dem gleichen Gebiet tätig gewesen war wie Addison, aber gerade deshalb konnte es eine interessante Sache sein. Peter vermutete, der Nutzen einer solchen Verbindung läge für Addison darin, dass Barnes' Reputation dann auf ihn abfärbte. Allan Barnes war ein äußerst angesehener Geschäftsmann gewesen. Und bei einem Projekt mitzumachen, bei dem die Namen Barnes und Addison fielen, war genau das, was Peter benötigte, um sich neue Geltung zu verschaffen. Ein Traum wurde wahr, und Peter lächelte Addison voller Respekt an.

Keiner von ihnen hatte auch nur die leiseste Ahnung, wie es um Allan Barnes' Finanzen in Wahrheit bestellt war. Barnes hatte ein derart perfekt verschachteltes Firmenimperium aufgebaut, dass selbst Addison mit seinen exzellenten Kontakten nicht davon in Kenntnis gesetzt worden war, was für einen Trümmerhaufen Barnes hinterlassen hatte.

»Nein, ich habe mich nicht an Mrs Barnes persönlich gewandt«, antwortete Addison. »Wir sind noch nicht so weit. Zuerst musst du die richtigen Leute für den Job finden.«

»Wahrscheinlich sollte ich den Ordner in Ruhe durchgehen, um mich in das Projekt einzuarbeiten …«
»Das denke ich nicht«, widersprach Addison und nahm Peter den Ordner aus der Hand. »Da drin ist lediglich die Geschichte seines Erfolgs dokumentiert, das spielt zwar eine Rolle, aber das meiste davon wirst du schon wissen«, erklärte er vage, als Peter ihn verwirrt ansah.
Dieses ganze Projekt war offenbar derartig geheim, dass er Leute für einen Job engagieren sollte, über den Addison ihm noch nichts verraten hatte, in einem Bereich, der nicht genannt wurde, und für ein nicht näher spezifiziertes Produkt. Das war mehr als konfus. Während Addison den Ordner wieder in die Schublade legte und sie sorgfältig verschloss, lächelte er Peter zufrieden über den Tisch hinweg an.
»Wen soll ich denn einstellen, wenn ich keine Ahnung habe, was wir eigentlich vorhaben?«, fragte Peter irritiert.
»Ich denke, das weißt du ganz genau. Muss ich es tatsächlich für dich aussprechen? Aber gut: Ich möchte, dass du einige deiner neuen Freunde anheuerst.«
»Was für neue Freunde?« Jetzt war Peter endgültig durcheinander.
»Ich bin sicher, du hast in den letzten vier Jahren einige sehr interessante Leute kennen gelernt, die unternehmerischen Mut haben, Risikobereitschaft zeigen, gern auf die Schnelle viel Geld verdienen und dann diskret verschwinden. Ich möchte, dass du gründlich über die potenziellen Angestellten nachdenkst. Wir werden die Leute, die für uns diesen ganz speziellen Job übernehmen sollen, sorgfältig auswählen müssen. Du sollst die Drecksarbeit kei-

neswegs selbst machen, aber ich erwarte von dir, dass du das Ganze überwachst und leitest.«
»Und das Projekt besteht worin?«, hakte Peter stirnrunzelnd nach. Ihm gefiel ganz und gar nicht mehr, was er nun hörte. In geschäftlicher Hinsicht waren die letzten vier Jahre seines Lebens nicht vorhanden, und das Einzige, worin sich seine Knastgesellen auskannten, waren Mord, Vergewaltigung, Erpressung und Ähnliches. Plötzlich lief es ihm eiskalt den Rücken hinunter. »Wie passt Allan Barnes' Witwe da rein?«
»Ganz einfach. Nachdem wir, besser gesagt du, das Projekt ans Laufen gebracht haben, unterbreiten wir ihr ein Angebot. Damit sie es auch annimmt, bekommt sie eine kleine Motivationshilfe. Sie wird bestimmt gern eine ansehnliche Summe investieren. Aber ich möchte nicht unverschämt sein und werde berücksichtigen, dass sie eine Menge Erbschaftssteuer zu zahlen hat. Angenommen, Barnes war eine halbe Milliarde wert, dann wird das Finanzamt mehr als fünfzig Prozent davon abkassieren. Zurückhaltend geschätzt, müssten ihr am Ende aber immer noch zweihundert Millionen Dollar bleiben. Und wir verlangen gerade einmal die Hälfte davon.«
»Und in was soll sie investieren?«, fragte Peter mit eisiger Stimme, obwohl in ihm bereits ein Verdacht keimte.
»In das Leben ihrer Kinder. Ich vermute, sie will die Kleinen wohlbehalten zurückbekommen. Im Grunde bitten wir sie, ihr Vermögen mit uns zu teilen, was meiner Meinung nach nicht unverschämt ist, und ich bin sicher, sie wird nur zu gern bezahlen. Glaubst du nicht auch?« Addison grinste teuflisch.

Peter sprang auf und starrte sein Gegenüber fassungslos an. »Ich soll für ein Lösegeld von hundert Millionen Dollar ihre Kinder entführen?« Addison musste völlig den Verstand verloren haben.
»Aber nicht doch.« Addison schüttelte betont geduldig den Kopf und lehnte sich in seinem Schreibtischsessel zurück. »Du sollst lediglich die Leute finden, die das für uns erledigen. Für diesen Job brauchen wir Profis und keine Amateure wie dich und mich. Du warst nicht mehr als ein kleiner Ganove, als du in den Knast gewandert bist, ein ungeschickter Drogendealer. Du bist kein Kidnapper, genauso wenig wie ich. Ich würde das Ganze nicht einmal als Kidnapping bezeichnen, es ist eine geschäftliche Transaktion. Allan Barnes hat seinerzeit das große Los gezogen, das war schon alles, und es hätte dir und mir genauso passieren können. Deshalb gibt es keinen Grund, warum seine Witwe alles für sich behalten sollte. Den Kindern wird nichts geschehen. Wir nehmen sie lediglich für kurze Zeit in Verwahrung und geben sie für ein Stück des Kuchens zurück, den Barnes seiner Frau hinterlassen hat. Das ist doch nicht zu viel verlangt. Barnes hat das Geld ja nicht einmal mit harter Arbeit verdient, zum Teufel! Er hatte lediglich Glück. Und unserem Glück werden wir jetzt ein bisschen nachhelfen.« Addison hatte ein dämonisches Leuchten in den Augen.
»Du bist doch komplett übergeschnappt!« Peter stand noch immer und blickte Addison entsetzt an. »Hast du überhaupt eine Ahnung, was man für Entführung kriegt? Dafür landen wir auf dem elektrischen Stuhl, selbst wenn den Kindern nichts passiert. Und du erwartest allen Ernstes von mir, dass ich das Ganze organisiere? Das werde

ich ganz bestimmt nicht tun! Such dir einen anderen.« Peter drehte sich um und marschierte zur Tür.
Addison hatte ungerührt zugehört. »An deiner Stelle würde ich jetzt nicht gehen, Morgan. Für dich steht zu viel auf dem Spiel.«
Peter wandte sich um und sah Addison regungslos an. Es war ihm egal, wie viel Geld er ihm schuldete. Eher ließ er sich umbringen, als bei dieser Sache mitzumachen. Es war abscheulich, die Angst und Sorge einer Mutter um ihre Kinder derart auszunutzen. Allein der Gedanke brachte ihn schier um den Verstand. »Das denke ich nicht.« Addison widerte ihn an. Was dieser Mann vorhatte, war unmenschlich und seine Gier geradezu krankhaft.
Peter wusste nicht, dass Addison in großen Schwierigkeiten steckte, und ohne eine Finanzspritze in dieser Größenordnung würde sein Imperium bald nicht mehr existieren. Schon seit geraumer Zeit wusch er für seine kolumbianischen Geschäftspartner Geld, indem er es in hoch riskanten Aktien anlegte, die einen enormen Gewinn versprachen. Eine Zeit lang hatte das perfekt funktioniert, bis sich das Blatt plötzlich wendete und der Kursverfall ihn beinahe ruinierte. Wenn die Kolumbianer erfuhren, wie viel Geld ihnen durch ihn durch die Lappen gegangen war, hatte sein letztes Stündlein geschlagen. Er musste schnellstens etwas unternehmen.
»Da täuschst du dich. Es geht um das Leben deiner Kinder.«
»Was meinst du damit?« Peter war blass geworden.
»Soweit ich weiß, hast du zwei kleine Töchter, die du seit Jahren nicht gesehen hast. Ich kenne übrigens deinen ehemaligen Schwiegervater von früher. Sehr erfolgreicher

Mann. Und ich habe keinen Zweifel, dass die Kinder ganz entzückend sind.« Während Addison das sagte, blickte er Peter unverwandt an.

»Was haben meine Kinder mit alldem zu tun?«, fragte Peter, dem es erneut eiskalt den Rücken hinunterlief. Der Gedanke, er habe seine Kinder in Gefahr gebracht, weil er sich mit Addison zu diesem Gespräch traf, verursachte ihm Übelkeit.

»Es dürfte nicht schwer herauszufinden sein, wo sie sich aufhalten. Wenn du dich quer stellst oder die Sache auffliegen lässt, sind deine Töchter tot. Von Lösegeld wird dabei keine Rede sein. Sie verschwinden einfach, leise und auf Nimmerwiedersehen.«

Peter war wie versteinert. »Habe ich das richtig verstanden: Wenn ich mich weigere, bei der Entführung der Barnes-Kinder mitzumachen, wirst du meine Töchter töten lassen?« Peters Stimme zitterte, denn er kannte die Antwort bereits.

»Genau das versuche ich dir klar zu machen. So wie ich es sehe, hast du überhaupt keine Wahl. Dennoch soll es sich für dich lohnen. Es gibt drei Barnes-Kinder, und ich gebe mich mit einem zufrieden, welches, ist mir egal. Falls du alle drei kriegen kannst, umso besser, aber eins tut es auch. Du wirst drei Männer für den Job anheuern, ausgebuffte Profis – keine Amateure wie dich. Die Sache muss absolut professionell abgewickelt werden, und nicht die geringste Kleinigkeit darf schief gehen. Ich zahle jedem der Männer fünf Millionen Dollar, entweder auf ein Schweizer oder ein südamerikanisches Konto. Jeder bekommt hunderttausend Dollar im Voraus und den Rest, sobald wir das Lösegeld haben. Du bekommst zehn Mil-

lionen Dollar, weil du die Sache organisierst. Außerdem vergessen wir deine alten Schulden.«
Peter hatte mitgerechnet. Wenn sich das Lösegeld auf hundert Millionen Dollar belief, dann behielt Addison fünfundsiebzig Millionen. Nicht gerade eine gleichberechtigte Aufteilung des Kuchens, aber Addison hatte ja deutlich gemacht, wer hier die Regeln bestimmte. Peter hatte nicht den Hauch einer Chance, sich aufzulehnen. Addison war zu allem fähig, und Peter wollte auf keinen Fall, dass eines der Kinder zu Schaden kam, weder seine eigenen noch die der Barnes'. Plötzlich standen fünf Leben auf dem Spiel, plus seines eigenen. »Du bist wahnsinnig«, sagte Peter und setzte sich wieder.
»Aber auch genial, wie du zugeben musst«, erwiderte Addison kalt lächelnd. »Der Plan ist gut. Jetzt ist es an dir, die richtigen Männer zu finden. Biete jedem die hunderttausend Dollar Anzahlung. Du bekommst jetzt schon zweihunderttausend. Kauf dir ein paar anständige Klamotten, und such dir eine vernünftige Unterkunft. Und mach dich auf die Suche nach einem Versteck für die Männer und das Kind, in dem sie bis zur Lösegeldzahlung sicher sind. Mrs Barnes hat gerade erst ihren Gatten verloren, sie wird sich mit der Zahlung beeilen.« Addison wollte das Eisen schmieden, solange es heiß war. Dass Peter ausgerechnet jetzt angerufen hatte, war das Zeichen, auf das er gewartet hatte. Addison zweifelte keine Sekunde lang daran, dass Peter in Pelican Bay die passenden Männer für diesen Job kennen gelernt hatte.
Peter überlegte noch immer, einfach hinauszumarschieren. Aber das Leben seiner Kinder stand auf dem Spiel. Und Janet würde sich wahrscheinlich weigern, auch nur

mit ihm zu sprechen, sodass er sie nicht einmal warnen könnte. Addison war ein gefährlicher Mann, er würde die Kinder umbringen lassen, ohne auch nur mit der Wimper zu zucken. Peter konnte dieses Risiko unmöglich eingehen. »Und wenn die Sache schief läuft? Was ist, wenn eins der Barnes-Kinder getötet wird?«
»Es ist deine Aufgabe, das zu verhindern. Eltern sind nicht sonderlich kooperativ, wenn sie für ein totes Kind Lösegeld zahlen sollen. Und die Polizei macht das auch nicht gerade umgänglicher.«
»Vergiss die Polizei. Wir haben das FBI auf den Fersen – von der Sekunde an, in der eins der Kinder verschwindet.«
»Haben wir, beziehungsweise du und deine Komplizen«, erwiderte Addison selbstgefällig. »Ich werde übrigens zu dieser Zeit in Europa sein. Wir wollen den Sommer in Südfrankreich verbringen, deshalb lege ich die Sache vertrauensvoll in deine Hände.« Und verhindere, mit der Sache in Verbindung gebracht zu werden, ergänzte Peter im Stillen. »Noch etwas. Falls einer deiner Männer geschnappt wird, bekommt er die Hälfte seines Anteils. Damit kann er sich einen guten Anwalt nehmen und notfalls seinen Ausbruch finanzieren.« Addison hatte wirklich an alles gedacht. »Und du, mein Freund, bist entweder abgebrüht genug, hier zu bleiben, oder du machst es dir in Südamerika gemütlich. Mit zehn Millionen Dollar kannst du dort ein äußerst angenehmes Leben führen. Wer weiß, vielleicht machen wir sogar weiterhin Geschäfte miteinander.«
Was so viel bedeutete wie: Addison würde ihn bis an sein Lebensende erpressen. »Wer sagt mir, dass ich dir trauen kann und du das Geld nicht für dich behältst?«

Als Peter diese Frage stellte, wusste Addison, dass er es geschafft hatte – Peter war dabei. »Du bekommst vorab zweihunderttausend bar auf die Hand. Der Rest wird auf ein Schweizer Nummernkonto überwiesen, sobald die Sache erledigt ist. Zweihunderttausend ist doch ein hübsches Taschengeld für einen Exsträfling, der nicht einmal ein Paar anständige Schuhe hat, findest du nicht auch?«
Peter antwortete nicht. Er würde niemandem erklären können, wo er das viele Geld herhatte.
Aber Addison hatte selbst daran gedacht. »Ich habe es übrigens so eingerichtet, dass ich jederzeit behaupten kann, ich hätte dir Geld für eine Investition vorgestreckt, die wir gemeinsam getätigt hätten und die sich als Volltreffer erwiesen habe. Niemand wird die Wahrheit erfahren.«
Aber Addison wusste es, und wie geschickt er seine Bücher auch frisieren mochte, es blieb immer ein Risiko, dass jemand dahinterkam. Die Gefängnisse waren voll von Typen, die sich in Sicherheit gewiegt hatten, bis sie am Ende doch jemand erwischte. »Was ist, wenn sie gar nicht so viel Geld hat? Vielleicht hat Barnes zum Schluss nur noch Verluste gemacht?« Peter war klar, dass schon weitaus verrücktere Dinge passiert waren, insbesondere bei riskanten Anlagen.
Aber Addison lachte nur. »Sei nicht albern! So viel Geld kannst du gar nicht in den Sand setzen, selbst wenn du es drauf anlegst.« Addison war überzeugt, dass Barnes dafür viel zu clever gewesen war. »Der Mann war pures Gold wert. Vertrau mir, das Geld ist da. Und sie wird zahlen. Ihr bleibt immer noch genug für ein angenehmes Leben, und ihre Kinder kriegt sie auch zurück.«

Wenn nichts schief geht, dachte Peter. Sein Leben hatte sich innerhalb von zwei Stunden in einen Albtraum verwandelt. Nie zuvor hatte er sich in einer derart ausweglosen Situation befunden. Er würde für den Rest seines Lebens auf der Flucht sein.

Addison öffnete eine Schublade in seinem Schreibtisch und nahm einen Umschlag heraus, den er kurz vor Peters Eintreffen hineingelegt hatte. Er warf ihm den Umschlag quer über den Tisch zu.

»Hier sind schon mal hunderttausend Dollar. Für den ganzen Kleinkram, den du dir besorgen musst. Die anderen hunderttausend kriegst du nächste Woche. Das ist ein kleiner Vorgeschmack auf die zehn Millionen, die du am Ende haben wirst. Vor nicht einmal zwei Stunden hast du als Bittsteller dieses Zimmer betreten, und heraus kommst du als reicher Mann – vergiss das nicht. Und solltest du mich jemals mit dieser Sache in Verbindung bringen oder meinen Namen auch nur im Schlaf flüstern, bist du ein toter Mann. Hab ich mich klar ausgedrückt? Falls du kalte Füße kriegst und aussteigen willst – denk immer an deine kleinen Töchter.« Er wusste ganz genau, dass er Peter in der Hand hatte. »Mach dich auf die Suche, und wähl die richtigen Männer aus. Ich möchte, dass ihr nächste Woche damit anfangt, die Barnes zu beobachten. Und versäum es nicht, deinen Männern eins zu verklickern: Wenn sie uns austricksen wollen und sich mit ihrem Vorschuss aus dem Staub machen, sind sie innerhalb von achtundvierzig Stunden tot. Dafür lege ich meine Hand ins Feuer.«

Peter sah in Addisons Augen, dass er meinte, was er sagte – und dass diese Warnung auch ihm galt. »Wann soll die Sache steigen?«, fragte er, während er wie betäubt den Umschlag einsteckte.

»Es müsste genügen, die Barnes vier bis sechs Wochen lang zu beobachten, damit du ihre Gewohnheiten ausreichend kennst. Du solltest Anfang Juli so weit sein, die Sache durchzuziehen.« Addison wollte am 1. Juli nach Cannes reisen, damit er außer Reichweite war, wenn es losging.

Peter nickte. An diesem Nachmittag hatte er seine Seele für das Leben seiner Töchter eingetauscht. Und mit ein bisschen Glück könnte er außerdem noch dafür sorgen, dass auch die Barnes-Kinder unversehrt blieben. Alles andere war jetzt unwichtig. Er drehte sich wortlos um und ging zur Tür. Als er sie fast erreicht hatte, rief Addison ihm nach: »Halt mich auf dem Laufenden.« Peter verließ das Büro und fuhr mit dem Aufzug ins Erdgeschoss. Als er aus dem Gebäude trat, war es bereits sieben Uhr. Die Angestellten hatten alle längst Feierabend gemacht. Die Straße war menschenleer. Peter eilte bis zur nächsten Ecke, beugte sich über eine Mülltonne und erbrach sich. Er konnte gar nicht mehr aufhören zu würgen.

9. Kapitel

Als Peter an diesem Abend auf seinem Bett im Übergangshaus lag, spielte er mit dem Gedanken, seine Exfrau anzurufen. Er wollte ihr sagen, sie solle gut auf die beiden Kinder aufpassen. Aber vermutlich würde sie nur denken, er sei verrückt geworden. Und solange er machte, was Addison von ihm verlangte, waren seine Töchter in Sicherheit. Es war das Einzige, was Peter in den letzten sechs Jahren für seine Töchter getan hatte, vielleicht sogar das Einzige, was er jemals für sie tun würde. Addison hielt seinen Plan für narrensicher, doch Peter war skeptisch. Alles hing jetzt davon ab, dass er die richtigen Männer fand. Wenn er leichtsinnige Anfänger erwischte, die schnell in Panik gerieten, konnte das die Kinder das Leben kosten. Was er brauchte, waren ausgebuffte Profis mit eisernen Nerven. Die Typen, die er aus dem Gefängnis kannte, hatten ihre Unfähigkeit schon demonstriert, indem sie sich hatten schnappen lassen. Addisons Strategie war im Grunde ziemlich clever – vorausgesetzt, Allan Barnes' Witwe konnte so viel Geld flüssig machen. Es war wohl kaum damit zu rechnen, dass sie hundert Millionen Dollar zu Hause in der Keksdose aufbewahrte. Während Peter grübelte, kam sein Zimmerkumpel herein. Morgen suche ich mir als Erstes ein Zimmer in einem anständigen Hotel, dachte Peter. Nichts übertrieben Teures oder Protziges. Er durfte keinen Verdacht erregen, indem er plötzlich mit Geld um sich warf. Addison wollte ihn offiziell als Berater auf die Gehaltsliste einer seiner Tochterfirmen setzen. Die Firma beschäftigte sich angeblich mit Marktforschung und war in Wirklichkeit eine Tarnfirma für Drogengeschäfte.

»Wie ist es heute gelaufen?«, fragte sein Zimmerkumpel, der einen mörderischen Arbeitstag bei Burger King hinter sich hatte.

Er stank entsetzlich nach Burgern und Pommes frites. Das war immerhin eine bescheidene Verbesserung gegenüber dem Mief, den er letzte Woche verbreitet hatte, als er in einem Fischimbiss beschäftigt gewesen war. »Gut. Ich hab einen Job gefunden. Morgen zieh ich hier aus«, antwortete Peter mit matter Stimme.

»Was ist das für ein Job?«, erkundigte sich der Mann und bedauerte, Peter als Mitbewohner zu verlieren. Peter war ruhig, ging ihm nicht auf die Nerven und kümmerte sich um seinen eigenen Kram.

»Marktforschung. Keine große Sache, aber für Miete und Essen reicht es.« Peter merkte selbst, dass er nicht gerade begeistert klang. Der Gedanke an das, was er in Wahrheit tun würde, bereitete ihm Magenschmerzen. Fast wünschte er, immer noch im Gefängnis zu sein. Dort hatte er wenigstens die Hoffnung gehabt, eines Tages ein anständiges Leben zu führen. Die konnte er jetzt begraben. Er hatte seine Seele dem Teufel verkauft.

»Hört sich doch gut an, Mann, freut mich für dich. Willst du los und zur Feier des Tages einen Happen essen gehen?«

Der Typ war ganz in Ordnung, er hatte ein bisschen mit Marihuana gedealt und seine Strafe im Bezirksgefängnis abgesessen. Peter mochte ihn, obwohl er unglaublich schlampig war. »Nee, lass mal. Mir brummt der Schädel. Außerdem muss ich früh zur Arbeit.« Er würde am folgenden Morgen damit beginnen, Männer für das geplante Vorhaben zu suchen. Es bedurfte einer Menge Fingerspitzengefühl, damit er nicht an Typen geriet, die ihn verpfiffen. Bevor er absolut sicher sein konnte, dass sie vertrauenswürdig waren, durfte er keinesfalls mit seinem Plan herausrücken. Dennoch blieb es eine heikle Angelegenheit. Bisher war ihm überhaupt nur ein Mann eingefallen. Der hatte zwar nicht wegen Kidnapping gesessen, müsste aber trotzdem genau der Richtige für diesen Job sein. Peter hatte eine ungefähre Ahnung, wo er ihn aufspüren konnte.

Der Gedanke an seinen »Job« ließ ihn nicht zur Ruhe kommen, und er wälzte sich die ganze Nacht lang schlaflos hin und her.

Nachdem er am nächsten Morgen aufgestanden war, begab er sich auf die Suche nach einem Hotelzimmer. Er fuhr mit dem Bus in Richtung Stadtzentrum und fand etwas Geeignetes an der Grenze zum Stadtteil Tenderloin, südlich von Nob Hill. Das Hotel war klein und dennoch unpersönlich. Es herrschte gerade genug Betrieb, sodass hier garantiert niemand auf ihn achten würde. Peter zahlte für einen Monat bar im Voraus und fuhr zurück zum Übergangshaus, um seine Sachen zu packen. Er hinterließ seinem Zimmerkumpel eine kurze Nachricht, in der er ihm viel Glück wünschte, meldete sich unten an der Rezeption ab und bestieg erneut den Bus in die Stadt. Nachdem er im Hotel sein Gepäck abgeladen hatte, ging er zu Macy's und kleidete sich komplett neu ein. Es war ein gutes Gefühl, dafür wieder die finanziellen Mittel zu haben. Er kaufte diverse bequeme Hosen, mehrere Hemden und Krawatten, ein Sportjackett, einen Lederblouson, einige Pullover, Unterwäsche und ein Paar anständige Schuhe. Zurück im Hotel machte er sich frisch und zog sich um. Als er danach die Straße entlangschlenderte und sich umschaute, wo er etwas essen könnte, fühlte er sich endlich wieder wie ein Mensch. Tenderloin war nicht gerade das beste Viertel. Neben biederen Geschäftsleuten und Touristen sah man Prostituierte und Betrunkene, die in Hauseingängen kauerten. In einem geparkten Auto wurde gerade ein Drogendeal abgewickelt. Hier beobachtete niemand den anderen, und man konnte schnell unbemerkt verschwinden – das kam Peter äußerst gelegen.

Nach dem Abendessen hängte er sich ans Telefon. Nach etwa einer halben Stunde hatte er herausbekommen, wo sich der Mann aufhielt, den er suchte. Am nächsten Morgen würde er mit dem Bus dorthin fahren. Als Nächstes kaufte er sich ein Handy. Das war laut Bewährungsauflagen untersagt, aber Addison wollte es so – und er war der Boss. Und wie sollte der Bewährungshelfer es auch mitkriegen? Der hatte ohnehin recht zufrieden gewirkt, als Peter ihm an diesem Morgen seine neue Adresse durchgegeben und mitgeteilt hatte, dass er einen Job gefunden habe. Wahrscheinlich würde er Peter in der nächsten Zeit nicht genauer unter die Lupe nehmen.

Peter rief in Addisons Büro an und hinterließ seine Handynummer und die Telefonnummer des Hotels auf dem Anrufbeantworter.

Fernanda machte Abendessen für die Kinder. Die drei waren ziemlich aufgeregt, weil bald die Ferien anfingen. Will fand es wahnsinnig spannend, drei Wochen in einem Lacrosse-Camp zu verbringen, Ash freute sich auf Tahoe und Sam auf sein Tagescamp.

Nachdem Fernanda die beiden jüngeren Kinder am nächsten Morgen zur Schule gebracht hatte, fuhr sie in die Stadt, um Jack Waterman aufzusuchen. Es gab eine Menge zu besprechen. Fernanda mochte Jack – obwohl er zu einem ständigen Überbringer schlechter Nachrichten geworden war. Sie waren seit Jahren befreundet, und jetzt kümmerte er sich um Allans Nachlass. Jack war fassungslos gewesen angesichts der katastrophalen Fehlentscheidungen, die Allan zu Lebzeiten getroffen hatte und die Fernanda und die Kinder jetzt ausbaden mussten.

Jacks Sekretärin brachte Fernanda eine Tasse Kaffee, Jack saß mit düsterer Miene hinter seinem Schreibtisch. Er hatte eine ziemliche Wut auf Allan. Fernanda war eine wunderbare Frau und hatte die Misere einfach nicht verdient.

»Hast du es den Kindern schon gesagt?«, fragte er.

Fernanda stellte die Tasse zurück auf den Tisch und schüttelte den Kopf. »Das mit dem Haus? Nein. Das müssen sie jetzt noch nicht wissen. Ich werde es erst im August zum Verkauf anbieten. Dann ist es immer noch früh genug, es ihnen zu sagen. Ich will nicht, dass sie sich schon jetzt Sorgen machen. Außerdem könnte es eine Weile dauern, bis wir einen Käufer gefunden haben.«

Es war ein sehr großes Haus mit hohen Unterhaltskosten, und auf dem Immobilienmarkt sah es derzeit nicht gerade rosig aus. Jack hatte ihr bereits gesagt, dass sie das Haus unbedingt bis zum Jahresende abstoßen müsse. Er hatte ihr zudem geraten, so viel vom Inventar wie möglich separat zu veräußern. Allan und Fernanda hatten das Haus für fast fünf Millionen Dollar eingerichtet. Manches war fest installiert, wie die Marmorbäder oder die moderne Einbauküche, aber allein der aus Wien stammende Kronleuchter, der damals vierhunderttausend Dollar gekostet hatte, könnte auf einer Auktion in New York sogar für einen höheren Betrag weggehen. Es gab eine Menge Dinge, die sich auf diese Weise zu Geld machen ließen. Aber Fernanda drückte sich davor. Es würde die Kinder beunruhigen, wenn sie anfing, das Haus langsam, aber sicher auszuschlachten. Sie lächelte Jack an und sagte, sie würde sich fragen, ob Allan eigentlich realisiert habe, was er ihr antue.

Jack hatte Allan gut gekannt und war davon überzeugt, dass Allan das auch nicht eine Sekunde lang getan hatte. Er war ein gut aussehender, charmanter und großartiger Mann gewesen, aber letztendlich hatte sich alles nur um ihn gedreht. Immerzu hatte er seine Geschäfte im Kopf gehabt. Auch während seines raketenhaften Aufstiegs zum Star des Neuen Marktes hatte er im Grunde stets an sich gedacht. Und als er sich das Leben nahm, spielte für ihn nur seine eigene Verzweiflung eine Rolle, und er blendete Fernanda und die Kinder vollkommen aus. Jack wünschte, er könnte mehr für sie tun. Er bewunderte Fernanda für die Stärke, die sie während der letzten vier Monate bewiesen hatte.

»Willst du diesen Sommer verreisen?«, fragte er und lehnte sich zurück.

Er war ein attraktiver Mann. Allan und er hatten gemeinsam Wirtschaft und Jura studiert, und Fernanda kannte ihn schon seit vielen Jahren. Jack hatte in den letzten Jahren mit eigenen Problemen zu kämpfen gehabt. Seine Frau, eine Anwältin, war im Alter von fünfunddreißig Jahren an einem Gehirntumor gestorben. Danach hatte er nie wieder geheiratet. Seine Ehe war kinderlos gewesen, und er beneidete Fernanda um ihre Familie. Augenblicklich bereitete es ihm gehöriges Kopfzerbrechen, wovon Fernanda und die Kinder in Zukunft eigentlich leben sollten. Er wusste, dass sie mit dem Gedanken spielte, in einem Museum zu arbeiten. Sie hatte sogar überlegt, an einer der Schulen zu unterrichten, die ihre Kinder besuchten, damit man ihr vielleicht das Schulgeld erließ. Aber das allein genügte nicht, damit sie über die Runden kam.

»Will fährt ins Sportcamp und Ashley mit Freunden nach Tahoe«, erwiderte sie. »Sam und ich bleiben hier. Vielleicht gehen wir ab und zu an den Strand.«

Jack dachte daran, dass er im August nach Italien reisen würde, und bekam ein schlechtes Gewissen. Am liebsten hätte er Fernanda und die Kinder eingeladen, ihn zu begleiten, aber er reiste mit Freunden und war nicht sicher, ob ihnen das recht wäre. In seinem Leben gab es keine neue Frau – allerdings hatte er schon immer eine Schwäche für Fernanda gehabt. Aus eigener Erfahrung wusste er, dass es für sie noch zu früh war, eine neue Beziehung in Erwägung zu ziehen, schließlich war Allan erst seit vier Monaten tot. Jack konnte sich gut daran erinnern, dass er nach dem Verlust seiner Frau ein ganzes Jahr lang keine Verabredungen getroffen hatte. Doch in den letzten Monaten waren seine Gedanken schon so manches Mal zu Fernanda gewandert. Sie brauchte jemanden, der sich um sie und die Kinder kümmerte, und Jack hatte sie alle vier sehr gern.

»Zu Beginn der Ferien könnten wir doch mit den Kindern für einen Tag oder länger nach Napa rausfahren«, schlug er vor.

Fernanda lächelte ihn dankbar an. Er war für sie wie ein Bruder, und sie wäre nie darauf gekommen, dass Jack etwas anderes im Sinn hatte und nur auf den passenden Moment wartete.

»Es würde ihnen sicher gefallen«, entgegnete sie.

»Ein Freund von mir hat ein Boot, ein wunderschönes Segelboot.«

Fernanda schwieg betroffen und nippte schweigend an ihrer Kaffeetasse. »Die Kinder lieben es herumzuschippern«, sagte sie schließlich. »Allan war oft mit ihnen im Boot unterwegs. Aber ich werde seekrank.« So sehr Allan an seiner Yacht gehangen hatte, war sie ihr verhasst. Und jetzt genügte die reine Erwähnung eines Bootes, um sie daran zu erinnern, wie Allan ums Leben gekommen war. Sie wollte in ihrem ganzen Leben kein Boot mehr betreten.

»Wir werden etwas finden, das wir alle mögen«, versuchte Jack, seinen Ausrutscher wettzumachen.

Während der folgenden zwei Stunden gingen sie Geschäftsunterlagen durch. Fernanda verfügte über eine rasche Auffassungsgabe, sodass sie noch vor zwölf mit allem fertig waren.

Jack wollte sie zum Mittagessen einladen, aber Fernanda sagte, sie müsse noch Besorgungen machen und habe am Nachmittag einen Zahnarzttermin. In Wahrheit brauchte sie eine Verschnaufpause. Sie hatten die ganze Zeit lang darüber geredet, wie schlecht es um ihre finanzielle Situation bestellt war. Wenn sie jetzt mit Jack essen ginge, würden sie zwangsläufig wieder über ihre Probleme und Allans Schulden sprechen. Sie wusste, dass sie Jack Leid tat. Er war sehr mitfühlend, aber sie kam sich dadurch erst recht schwach und hilflos vor. Deshalb war sie erleichtert, als sie sich nun verabschiedete, sich in ihr Auto setzte und allein nach Pacific Heights zurückfuhr. Sie atmete tief durch und versuchte, den Druck in ihrer Magengegend zu verscheuchen. So ging es ihr jedes Mal, wenn sie Jacks Büro verließ. Er hatte versprochen, sie anzurufen, und wollte nächste Woche zum Abendessen vorbeikommen. Wenn die Kinder dabei waren, hatten sie wenigstens keine Möglichkeit, das Thema Finanzen anzuschneiden. Jack war ein durch und durch praktisch denkender Mensch und nannte die Dinge manchmal ein bisschen zu deutlich beim Namen. Auf jeden Fall war er immer ein zuverlässiger Freund gewesen, und sie fand es schade, dass er nicht wieder geheiratet hatte. Sie wusste, wie sehr er seine Frau geliebt hatte. Jack hatte gegenüber ihr und Allan mehrfach betont, dass er einfach nicht die Richtige finde. Allan hatte Fernanda davon abgehalten, Jack zu verkuppeln, also hatte sie ihre Bemühungen eingestellt. Wenn sie auch nur geahnt hätte, dass Jack mehr als bloß freundschaftliche Gefühle für sie hegte, wäre sie entsetzt gewesen. Fernanda liebte Allan noch immer, und wenn er auch Fehler gemacht hatte, so war er doch ein wunderbarer Ehemann gewesen. Es war ihr gänzlich unvorstellbar, dass jemand anderes einmal seinen Platz einnehmen könnte. Das hatte sie auch ihren Kindern gesagt und insbesondere Sam damit sehr beruhigt.

Ashley hatte ein paar Mal mit Will über dieses Thema gesprochen.

»Ich möchte nicht, dass sie für immer allein bleibt«, sagte sie zu ihrem älteren Bruder, der jedes Mal aufgebracht reagierte, wenn Ashley davon anfing. Für ihn war es undenkbar, dass seine Mutter mit einem anderen Mann als seinem Vater zusammen war.

»Dad ist noch nicht lange tot. Hat sie etwa irgendwas zu dir gesagt?«, fragte er besorgt.

»Na ja, sie hat gesagt, dass sie sich mit niemandem verabreden möchte. Sie will bis an ihr Lebensende Dad treu bleiben. Das ist so furchtbar traurig.« Fernanda trug noch immer ihren Ehering, und wenn sie abends das Haus verließ, dann nur, um mit den Kindern ins Kino oder eine Pizza essen zu gehen. »Ich hoffe, dass ihr eines Tages jemand begegnet, in den sie sich verliebt«, erklärte Ashley nachdrücklich, während Will die Augen verdrehte.

»Es geht uns nichts an«, sagte er sehr bestimmt.

»Allerdings tut es das. Was ist mit Jack Waterman?«, schlug sie vor und erwies sich, was das betraf, als wesentlich scharfsinniger als ihre Mutter. »Ich glaube, er mag sie.«

»Red keinen Quatsch, Ash. Die beiden sind nur gute Freunde.«

»Ja, aber man kann nie wissen. Seine Frau ist auch gestorben, und er hat bisher nicht wieder geheiratet.« Plötzlich wirkte sie beunruhigt. »Glaubst du, er ist schwul?«

»Natürlich nicht. Er hatte einen Haufen Freundinnen – und du bist einfach widerlich!« Will stürzte aus dem Zimmer, wie immer, wenn Ashley das Thema auf das nicht existente Liebesleben ihrer Mutter brachte. Er wollte es

einfach nicht wahrhaben und sah überhaupt nichts Falsches darin, wenn sie bis an ihr Lebensende allein bleiben wollte.
Seine Schwester war in diesem Punkt wesentlich reifer als er.

Am Wochenende gingen die vier ihren üblichen Beschäftigungen nach, und während Fernanda in Marin von der Tribüne aus Wills Lacrosse-Spiel verfolgte, war Peter Morgan mit dem Bus unterwegs nach Modesto. In den neuen Sachen, die er sich von Addisons Geld gekauft hatte, machte er einen unauffälligen und seriösen Eindruck. Bei seinen Telefonaten am Vortag war er schnell fündig geworden. In dem zweiten Übergangshaus, das er anrief, teilte man ihm mit, dass Carlton Waters dort wohne. Peter hatte nicht die geringste Idee, was er eigentlich zu Waters sagen sollte, wenn er ihm gegenüberstand. Er müsste ihn erst einmal ein bisschen aushorchen, um zu erfahren, wie die Dinge bei ihm liefen. Und selbst wenn Waters kein Interesse an dem Job hätte – nach vierundzwanzig Jahren im Gefängnis würde er ganz bestimmt die richtigen Leute kennen. Ob er auch bereitwillig Auskunft geben würde, war allerdings eine andere Sache. Konnte sein, dass er ziemlich sauer wurde über Peters Vorschlag. Die »Projektvorbereitung«, wie Addison es genannt hatte, war längst nicht so leicht, wie es sich anhörte. Während der ganzen Busfahrt grübelte Peter, wie er das Ganze angehen könnte.
Es stellte sich heraus, dass das Übergangshaus nur wenige Blocks von der Bushaltestelle entfernt lag. Peter ging den Rest des Weges zu Fuß. Es war sehr heiß an diesem späten

Frühlingstag, und Peter zog seinen Lederblouson aus und krempelte die Ärmel seines Hemdes hoch. Schon wenig später waren seine neuen Schuhe staubig. Als er die Eingangstreppe hinaufstieg und auf die Anmeldung zustrebte, wirkte er dennoch wie ein Geschäftsmann. Der Mann hinter dem Tresen verkündete ihm, dass Waters das Haus kurz zuvor verlassen habe, aber er konnte ihm nicht sagen, wohin Waters gegangen sei und wann er wieder zurückkomme. Vielleicht besuche er seine Familie oder sei mit Freunden unterwegs. Spätestens um neun müsse Waters jedoch zurück sein – dann war Sperrstunde. So ging Peter wieder nach draußen, setzte sich auf die Veranda und wartete.

Als er gegen fünf gerade überlegte, irgendwo etwas essen zu gehen, sah er eine vertraute Gestalt in Begleitung zweier Männer langsam die Straße entlangschlendern. Waters war eine beeindruckende Erscheinung. Er wirkte wie ein Basketball- oder Footballspieler: kräftig, groß, mit breiten Schultern und sehr muskulös. Auch wenn Waters im Gefängnis nicht für Gewalttätigkeiten bekannt gewesen war, würde sich Peter nicht gern mit ihm anlegen.

Während Waters langsam näher kam, beobachtete er Peter argwöhnisch. Obwohl sie sich selten über den Weg gelaufen waren, hatte er ihn sofort erkannt.

Waters war genau das, was sich Addison für den Job wünschte: ein Profi – und das genaue Gegenteil eines Amateurganoven wie Peter Morgan.

Während Waters die Treppe zur Veranda hochstieg, musterte er Peter feindselig. Sie nickten sich kurz zu. Das war nicht gerade ein ermutigender Anfang.

»Suchst du jemanden?«, fragte Waters.
Peter nickte. »Wie läufts denn so?«, fragte er. Sie umkreisten einander, und Peter fürchtete, Waters würde ihn jeden Moment angreifen. Malcolm Stark und Jim Free hielten sich im Hintergrund. Sie wollten offenbar abwarten, wie sich die Sache entwickelte.
»Gut. Und bei dir?«
Sie ließen sich keine Sekunde lang aus den Augen, wie zwei Boxer, die einander taxierten. Peter wusste nicht, was er erwidern sollte, aber er hatte den Eindruck, dass Waters bereits klar war, zu wem er wollte.
Und ohne Peter überhaupt darauf anzusprechen, sagte Waters zu Stark und Free: »Ich komme in einer Minute nach.«
Die beiden bedachten Peter mit misstrauischen Blicken und gingen schließlich an ihm vorbei ins Haus. Die Tür mit dem Fliegengitter ließen sie hinter sich zufallen.
Waters sah Peter fragend an. »Du willst mich sprechen?«
Peter nickte und schluckte. Das Ganze war schwieriger, als er gedacht hatte. Es ging um viel Geld, trotzdem war schwer vorherzusagen, wie Waters auf das Angebot reagieren würde. Das hier war jedenfalls nicht der richtige Ort für eine solche Unterhaltung.
Waters spürte, dass es um etwas Wichtiges gehen musste. Es konnte gar nicht anders sein. Während der vier Jahre, die sie gemeinsam im Gefängnis gewesen waren, hatten sie kaum etwas miteinander zu tun gehabt, und jetzt fuhr Morgan seinetwegen den weiten Weg von San Francisco hier heraus.
»Können wir irgendwo in Ruhe reden?«, fragte Peter.
Waters nickte. »Am Ende der Straße ist ein Park.«

Er vermutete ganz richtig, dass Peter nicht gern in eine Bar oder ein Restaurant gehen wollte und schon gar nicht in den Gemeinschaftsraum des Übergangshauses. Peter schwebte ein Platz vor, an dem sie nicht so leicht belauscht werden konnten. »Das passt«, antwortete er und folgte Waters die Verandatreppe hinunter.

Peter war äußerst nervös, und während sie schweigend die Straße entlangmarschierten, hatte er das Gefühl, als läge ein Stein in seinem Magen. Sie brauchten immerhin zehn Minuten bis zu dem Park. Als sie ankamen, ließ sich Peter auf einer Bank nieder, Waters zögerte und setzte sich dann neben ihn. Er holte Kautabak aus seiner Tasche, eine Gewohnheit, die er im Gefängnis angenommen hatte. Peter bot er nichts davon an. Eine ganze Weile lang saß Waters einfach nur stumm da. Schließlich schaute er Peter mit einer Mischung aus Ärger und Neugier an.

Peter war genau die Art Häftling, für den er nicht den geringsten Respekt hegte. Ein reicher Idiot, der sich aus purer Dämlichkeit schnappen ließ und dann dem Aufseher in den Hintern kroch, um einen Job in dessen Büro zu kriegen. Waters war durch die harte Schule gegangen und hatte viel Zeit in Einzelhaft verbracht. Er war mit Mördern, Vergewaltigern und Entführern zusammen gewesen und hatte mehr als einen Kerl kennen gelernt, der in der Todeszelle endete. Peters vierjährige Stippvisite im Knast war ein Klacks im Vergleich zu seinen vierundzwanzig Jahren. Morgan interessierte ihn nicht im Geringsten. Aber da dieser Bursche den weiten Weg zurückgelegt hatte, nur um mit ihm zu reden, würde er zuhören – mehr nicht. Er spie den Tabak in hohem Bogen aus und wandte sich Peter zu.

»Was gibts?«, fragte er ungeduldig, spuckte noch einmal aus und sah Peter durchdringend an.
Die Intensität dieses Blicks verschlug Peter fast den Atem. »Jemand hat mir ein Geschäft vorgeschlagen«, begann er zögernd.
Waters registrierte, dass Peters Hände zitterten. Ihm war auch nicht entgangen, dass dessen Kleidung nagelneu war. Die Jacke und die Schuhe sahen teuer aus, offensichtlich ging es ihm gut. Waters hingegen packte für einen Mindestlohn Tomaten in Kisten, den Bürojob hatte er nicht bekommen.
»Ich weiß nicht, ob du vielleicht sogar selbst an der Sache interessiert wärst, aber ich brauche unbedingt deinen Rat.«
Waters war sofort klar, dass es um ein krummes Ding ging. Er lehnte sich zurück und runzelte die Stirn. »Wie kommst du darauf, dass ich interessiert sein könnte oder dir helfen würde?«, fragte er misstrauisch.
»Ich wusste nicht, wen ich sonst fragen könnte.« Peter entschied sich dafür, ehrlich zu sein. Das war der einzige Weg, einem so gefährlichen Mann wie Waters zu begegnen. Ihm war klar, dass er nur einen Versuch hatte. »Ich stecke in der Klemme. Als ich damals in den Knast kam, schuldete ich jemandem ein paar hunderttausend Dollar, und jetzt bin ich diesem Kerl direkt in die Arme gelaufen. Er sagte, er könne mich jederzeit umbringen, hat mir aber stattdessen ein Geschäft vorgeschlagen. Wenn ich ablehne, tötet er meine Kinder.«
»Nette Freunde hast du.« Waters streckte die Beine aus und besah sich seine staubigen Cowboystiefel. »Würde er das wirklich bringen?«, erkundigte sich Waters neugierig.

»Davon bin ich überzeugt. Ich stecke bis zum Hals drin. Und wie es aussieht, muss ich den Job für ihn erledigen.«
»Was für einen Job?« Scheinbar desinteressiert betrachtete Waters ausgiebig seine Stiefel.
»Ein ziemlich großes Ding. Es geht um viel Geld. Für dich sind fünf Millionen drin, wenn du mitmachst. Hunderttausend jetzt bar auf die Hand, der Rest, wenn die Sache über die Bühne ist.« Während Peter das sagte, wurde ihm bewusst, dass Waters ihm ein solches Wahnsinnsangebot eigentlich gar nicht übel nehmen konnte.
Waters nickte. Er war zu derselben Meinung gelangt, gab sich aber unbeeindruckt. »Wie viel springt für dich dabei raus?«
»Zehn, wenn alles erledigt ist. Zweihunderttausend vorab. Er will, dass ich das Ganze organisiere und die richtigen Leute dafür engagiere.«
»Wie viele?«
»Drei, einschließlich dir – falls du dabei bist.«
»Drogen?« Bei so viel Geld musste es einfach um Drogen gehen, aber selbst dann hatte die Geschichte bestimmt einen Haken. Niemand wäre sonst bereit, so viel zu zahlen. Aber Peter schüttelte den Kopf.
»Schlimmer. Oder besser. Kommt drauf an, wie man es sieht. Im Prinzip ist es eine ganz saubere Sache. Wir sollen jemanden entführen, nach der Lösegeldzahlung wieder freilassen und verschwinden. Mit ein bisschen Glück wird niemand verletzt.«
»Wer zum Teufel soll entführt werden?«, fuhr Waters ihn an. »Der Präsident?«
Fast hätte Peter gelacht, konnte es aber gerade noch un-

terdrücken. Das hier war eine ernste Angelegenheit, für sie beide. »Drei Kinder – oder wie viele wir auch immer erwischen. Eins würde genügen.«
»Ist der Typ irre? Er zahlt fünfundzwanzig Millionen Dollar, damit wir drei Kinder schnappen und putzmunter wieder abliefern? Was streicht er dabei ein?«
Peter war ein bisschen unwohl dabei, alle Details preiszugeben, aber er musste Waters einweihen, sonst würde er nicht mitmachen. »Das Lösegeld beträgt hundert Millionen Dollar. Er kriegt fünfundsiebzig.«
Waters stieß einen Pfiff aus und starrte Peter einen Augenblick lang an. Ohne Vorwarnung packte er Peter mit einer Hand an der Gurgel. Peter bekam kaum noch Luft und hatte das Gefühl, ihm platze gleich der Schädel. Waters' Griff war wie eine Schraubzwinge. Er kam mit seinem Gesicht ganz dicht an Peters heran.
»Wenn du mich verarschst, bist du ein toter Mann, das ist dir doch klar, oder?« Mit seiner freien Hand riss er Peters Hemd auf, um zu prüfen, ob er ein Mikrofon trug und die Cops mithörten.
»Ich sage die Wahrheit«, presste Peter mit dem letzten Rest Atemluft hervor. Waters hielt ihn fest, bis er beinahe ohnmächtig wurde. Dann ließ er ihn abrupt los, lehnte sich wieder mit dem Rücken an die Bank und wirkte völlig unbeteiligt.
»Wer ist der Typ?«
»Das darf ich nicht sagen.« Peter rieb sich den Hals. Er spürte noch immer den Druck von Waters' Hand. »Das ist Bestandteil der Vereinbarung.«
Waters nickte. Das war nicht unüblich. »Wer sind die Kinder?«

»Das kann ich dir erst verraten, wenn du dabei bist. Unser Auftraggeber will, dass wir sie vier bis sechs Wochen lang beobachten, um herauszufinden, wann und wo wir am besten zuschlagen können.«
»Ich kann niemanden überwachen, ich hab einen Job«, entgegnete Waters so pragmatisch, als ginge es um die Bildung einer Fahrgemeinschaft. »Ich könnte nur an den Wochenenden. Wo ist es, in Frisco?«
Peter nickte. »Ich kann während der Woche. Ist wahrscheinlich auch unauffälliger, wenn wir uns abwechseln.«
Das leuchtete auch Waters ein. »Du weißt schon, dass uns die Todesstrafe droht, wenn sie uns schnappen«, erklärte Waters vollkommen sachlich. »Wer sagt mir, dass dieser Typ uns nicht verpfeift? Ich traue niemandem, den ich nicht kenne.« Er äußerte es nicht, aber er traute Peter, wenn er ihn auch für reichlich naiv hielt. Im Gefängnis hatte er wiederholt gehört, dass der Typ okay sei. Er war zwar ein Arschkriecher, aber er hatte seine Zeit abgesessen und war sauber geblieben. Das war etwas, das Waters anerkannte.
»Du kannst dich auf mich verlassen: Er wird dichthalten. Jeder von uns muss einen Plan haben, wohin er sich anschließend absetzt. Wir sind auf uns selbst gestellt. Wenn einer quatscht, sind wir alle dran«, erwiderte Peter ganz ruhig.
»Er auch, falls du nicht die Klappe hältst. Er muss Vertrauen zu dir haben.«
»Vielleicht. Dieses geldgierige Schwein! Ich habe keine andere Wahl … Ich kann nicht das Leben meiner Kinder riskieren.«
Wieder nickte Waters. Obwohl er selbst keine Kinder

hatte, konnte er das nachvollziehen. »Mit wem hast du noch darüber gesprochen?«

»Mit niemandem. Du bist der Erste. Ich dachte, wenn du den Job nicht willst, hättest du zumindest eine Idee, an wen ich mich noch wenden könnte – oder du würdest mich zum Teufel jagen.« Sie mussten beide grinsen.

»Du hast ganz schön Mumm, mich zu fragen. Ich hätte dich windelweich prügeln können.«

»Oder mich erwürgen«, frotzelte Peter, und Waters lachte. »Und? Was hältst du von dem Ganzen?«

»Ich denke, dass der Typ entweder verrückt ist oder ziemlich reiche Freunde hat. Weißt du, wer entführt werden soll?«

»Ich kenne die Namen.«

»Und die haben wirklich so viel Kohle?«

»Allerdings«, versicherte Peter, und Waters wirkte beeindruckt. Er hatte nie zuvor gehört, dass von solchen Summen die Rede war, außer vielleicht bei Drogengeschäften. Und Peter hatte Recht, es klang nach einer sauberen Sache. »Ich muss noch einen Platz finden, wo wir uns mit den Kindern verstecken können.«

»Das ist nicht schwer. Alles, was du brauchst, ist eine Berghütte oder ein Wohnmobil, das du irgendwo in der Wildnis abstellst. Verdammt, es kann doch nicht so schwierig sein, den Babysitter für drei Bälger zu spielen. Wie alt sind sie eigentlich?«

»Sechs, zwölf und sechzehn.«

»Ziemliche Nervensägen also. Aber was solls, für fünf Millionen Dollar passe ich sogar auf Draculas Sprösslinge auf.«

»Aber Bestandteil des Deals ist, dass wir ihnen kein Haar krümmen.«
»Schon klar, bin schließlich kein Idiot«, fuhr Waters ihn gereizt an. »Niemand zahlt hundert Millionen Dollar für drei tote Bälger.«
Damit hatte er den Nagel auf den Kopf getroffen. »Ich gehe davon aus, dass die Frau schnell zahlen wird. Sie hat gerade erst ihren Ehemann verloren, und wenn das Leben ihrer Kinder auf dem Spiel steht, wird sie nichts riskieren wollen. Es dauert vielleicht ein oder zwei Wochen, bis sie das Geld zusammenhat, länger bestimmt nicht.«
»Gefällt mir, dass es eine Frau ist«, sagte Waters bedächtig. »Sie wird ihre Kinder zurückhaben wollen und uns nicht monatelang schmoren lassen.« Er stand auf. Er hatte genug gehört und wollte zurück zum Übergangshaus, um in Ruhe über die Sache nachzudenken. »Ich lasse es mir durch den Kopf gehen und gebe dir Bescheid. Wo finde ich dich?«
Peter reichte ihm einen Zettel, auf dem seine Handynummer stand. Er hatte sie aufgeschrieben, während er auf der Veranda gewartet hatte. »Falls du mitmachst, würdest du dann den Rest der Mannschaft auftreiben?«, fragte Peter und erhob sich ebenfalls.
»Würde ich. Es müssten sowieso Jungs sein, denen ich vertraue. Jemanden entführen kann jeder Idiot, aber entscheidend ist, auch die Klappe halten zu können. Wir setzen bei dieser Sache unseren Hintern aufs Spiel. Ich möchte sichergehen, dass meiner nicht hinterher im Gefängnis verrottet.«
»Wir sollen die Sache im Juli durchziehen. Dann ist unser Auftraggeber außer Landes. Bis er zurückkommt, soll al-

les über die Bühne sein.« Ihnen blieb etwas mehr als ein Monat, um alles zu planen, die anderen Männer zu finden, die Kinder zu beobachten und zuzuschlagen.

»Das sollte kein Problem sein«, erwiderte Waters.

Sie gingen ein ganzes Stück schweigend, und Peter fragte sich, was Waters wohl dachte und wann er von ihm hören würde. Waters sah ihn kein einziges Mal an, bis sie beim Übergangshaus ankamen. Erst als er bereits die Stufen erklomm, drehte er sich noch einmal um. Und so leise, dass niemand außer Peter es hören konnte, sagte er: »Ich bin dabei.« Ohne ein weiteres Wort schlenderte Waters ins Haus.

Peter blickte ihm regungslos hinterher, bis die Tür zuschlug. Zwanzig Minuten später saß er im Bus zurück nach San Francisco.

10. Kapitel

Nur wenige Tage später erhielt Peter einen Anruf auf seinem Handy. Es war Carlton Waters. Er sagte, er habe die Männer gefunden: Malcolm Stark und Jim Free. Er traue ihnen den Job zu und sei sicher, dass sie die Klappe halten könnten. Wenn alles vorbei war, wollten die drei über Mexiko nach Südamerika verschwinden und vielleicht ins Drogengeschäft einsteigen. Waters kannte jemanden, der ihnen Pässe besorgen und sie nach Mexiko bringen würde. Von da aus könnten sie überallhin. Keiner von ihnen war verheiratet oder anderweitig gebunden. Bei der Kleinen aus dem Coffeeshop hatte Jim Free kein Glück gehabt. Er war dahintergekommen, dass sie einen festen Freund hatte und einfach nur ein bisschen flirten wollte.

Jetzt fehlte nur noch das Versteck, wo sie mit den Kindern bis zur Lösegeldübergabe untertauchen könnten. Doch als Nächstes wollte sich Peter um ein Auto kümmern, das sie für die Überwachung nutzen würden, eines, das möglichst wenig auffiel. Und für die Aktion selbst brauchten sie eine Art Lieferwagen. Es war abgemacht, dass Waters am Samstag zu Peter ins Hotel käme, um ein paar Dinge zu besprechen. Carlton konnte die Überwachung an den Wochenenden von neun bis achtzehn Uhr übernehmen. Abends und an den übrigen Tagen beobachtete Peter die Barnes. Für zehn Millionen Dollar konnte man durchaus

den ganzen Tag und notfalls sogar die Nacht im Auto verbringen. Peter berichtete Addison, dass er die Jungs für den Job gefunden habe. Addison klang zufrieden und erklärte sich bereit, das Überwachungsauto und den Lieferwagen zu bezahlen. Sobald der Job gelaufen war, sollten beide Autos verschrottet werden.
Noch am selben Nachmittag kaufte Peter einen schwarzen Ford-Kombi. Der Wagen war fünf Jahre alt und hatte schon ziemlich viele Meilen drauf. Am nächsten Tag erstand er bei einem anderen Gebrauchtwagenhändler einen alten Lieferwagen und mietete einen Stellplatz in einem Parkhaus. Um Punkt sechs Uhr parkte er vor Fernandas Haus. Er würde sie und die Kinder anhand der Fotografien erkennen, die er in Addisons Ordner gesehen hatte, und hatte sich auch bereits ihre Namen eingeprägt.
Peter sah Fernanda mit Ashley nach Hause kommen und allein wieder aufbrechen. Er folgte ihr. Fernandas Fahrstil war mehr als riskant, sie hatte bereits zwei rote Ampeln missachtet. Peter fragte sich, ob sie vielleicht trank. In dem feinen Vorort Presidio parkte sie in der Nähe des Sportplatzes und stieg aus. Peter stellte seinen Wagen unweit von ihrem ab und ging ihr nach. Fernanda ließ sich auf der Tribüne nieder und schaute Will bei seinem Lacrosse-Spiel zu. Sobald das Spiel zu Ende war, schlenderten die beiden gemeinsam zum Auto. Bevor sie sich in den Wagen setzten, umarmten sie sich. Die Geste rührte Peter, obwohl er nicht hätte sagen können, warum. Fernanda war sehr hübsch. Sie hatte lange blonde Haare und war sehr zierlich. Als die beiden zu Hause aus dem Auto stiegen, lachte Will. Offensichtlich war er guter Laune, weil seine Mannschaft gewonnen hatte. Peter

beobachtete, wie die beiden Arm in Arm die Treppe zur Haustür hinaufgingen. Er wünschte sich plötzlich dazuzugehören, und als die beiden das Haus betraten und die Tür hinter sich zumachten, fühlte er sich irgendwie ausgeschlossen.

Das Licht in der Küche ging an, und Peter stellte sich vor, wie Fernanda das Abendessen für die Kinder zubereitete. Will und Ashley hatte er jetzt schon zu Gesicht bekommen, nur Sam noch nicht. Er dachte an den lachenden kleinen Rotschopf, der auf den Fotos abgebildet gewesen war.

Spät in der Nacht tauchte Fernanda am Fenster ihres Schlafzimmers auf. Peter betrachtete sie durch ein Fernglas und sah, dass sie weinte. Sie trug ein Nachthemd, die Tränen liefen ihr die Wangen herunter. Plötzlich drehte sie sich um und entfernte sich vom Fenster. Es war ein komisches Gefühl, jemanden heimlich zu beobachten und so viel Einblick in seine Privatsphäre zu bekommen. Das Mädchen im Balletttrikot, die Umarmung zwischen Mutter und Sohn, Fernandas Tränen, die wahrscheinlich ihrem Mann galten, das alles wirbelte in Peters Kopf umher. Als er schließlich zurück zum Hotel fuhr, war es zwei Uhr morgens. Im Haus der Barnes waren vor drei Stunden die Lampen erloschen, und Peter hielt es nicht für nötig, die ganze Nacht lang dort auszuharren.

Am nächsten Morgen um sieben parkte er wieder gegenüber des Hauses. Bis etwa Viertel vor acht tat sich gar nichts. Peter konnte nicht erkennen, ob in der Küche Licht brannte, weil diese Seite des Hauses zu stark von der Morgensonne beschienen wurde. Um zehn Minuten vor acht kam Fernanda aus dem Haus geeilt. Sie drehte sich um und sprach mit jemandem hinter ihr. Dann erschien Ashley, bepackt mit einer offenbar schweren Tasche. Will half ihr und ging danach zu seinem eigenen Wagen, der in der Garage parkte. Fernanda warf einen ungeduldigen Blick in Richtung Haustür, die noch immer weit offen stand. Und schließlich kreuzte das jüngste Mitglied der Familie auf. Als Peter den Kleinen sah, musste er lächeln. Sam trug ein leuchtend rotes T-Shirt mit einem Feuerwehrwagen auf dem Rücken, eine blaue Kordhose und rote Turnschuhe. Lauthals singend marschierte er die Eingangstreppe herunter. Fernanda lachte und winkte ihn zum Auto. Er kletterte auf den Rücksitz, seine Schwester saß vorn und hielt die Tasche auf dem Schoß.

Als sie wenig später vor der Schule eintrafen, stiegen alle drei aus. Peter fragte sich, was in der Tasche sein mochte, die Ashley nun die Treppe zum Schulgebäude hinaufschleppte. Sam hüpfte hinter ihr her die Stufen hoch. Er blieb noch einmal stehen, wandte sich um, grinste seine Mom an und winkte. Sie warf ihm eine Kusshand zu, winkte ebenfalls und setzte sich dann wieder in ihr Auto. Sie wartete, bis die beiden drinnen verschwunden waren, erst dann brauste sie los.

Fernanda fuhr ins Laurel-Village-Einkaufszentrum und betrat kurz darauf den Supermarkt. Sie schob ihren Einkaufswagen gemächlich durch die Reihen, und bevor sie etwas hineinlegte, las sie, was in den Produkten enthalten war. Sie suchte eine Menge Zeug für die Kinder aus, Cornflakes, Kekse und Snacks, außerdem ein halbes Dutzend Steaks. Am Blumenstand blieb sie lange stehen. Es machte den Eindruck, als würde sie gern einen Strauß kaufen, aber sie tat es nicht und ging schließlich mit trauriger Miene weiter. Peter hätte im Auto warten können, aber er folgte ihr, weil er herausfinden wollte, was für ein Mensch sie war. Je länger er sie beobachtete, desto mehr faszinierte sie ihn. An der Kasse reihte er sich hinter ihr in die Schlange ein, sah, dass sie eine Zeitschrift in die Hand nahm und wieder weglegte. Ihm gefiel, wie schlicht sie sich kleidete. Niemand wäre auch nur eine Sekunde lang auf die Idee gekommen, dass ihr Mann ihr fünfhundert Millionen Dollar hinterlassen hatte. Sie trug ein rosafarbenes T-Shirt, eine Jeans und Clogs und wirkte beinahe noch wie ein Teenager. Während sie warteten, drehte sie sich um und lächelte Peter unerwartet an.

Peter war nicht bewusst, wie sehr er Allan ähnelte. Als Fernanda die Zeitschrift zurücklegte, fiel es ihr auf, und sie musste ihn einfach anschauen. Als sie ihre Einkäufe auf dem Kassenlaufband deponierte, fiel ihr ein Paket Papierhandtücher zu Boden. Peter bückte sich und hob es auf.

»Vielen Dank«, sagte sie freundlich lächelnd.

Er bemerkte, dass sie noch immer ihren Ehering trug. Das war in seinen Augen eine sehr liebevolle Geste. Ihm gefiel einfach alles an ihr, und er hörte aufmerksam zu, als Fernanda mit dem Mann an der Kasse plauderte, der sie gut zu kennen schien. Sie erzählte, dass es den Kindern gut gehe und dass Will ins Sportcamp fahren werde. Peter ermahnte sich, nicht zu vergessen, warum er eigentlich hier war. Gleich darauf fragte er sich, wann genau Will im Camp sein würde. Falls es im Juli wäre, hieße das, Waters und seine Männer könnten höchstens zwei Kinder erwischen. Als Peter an die Entführung dachte, wurde ihm ganz elend zumute. Fernanda war eine so wunderbare

Frau und liebevolle Mutter, dass ihm das, was sie planten, abscheulicher vorkam denn je.
Noch während er ihr die California Street entlang nach Hause folgte, lastete der Gedanke, dass sie hundert Millionen Dollar zahlen sollte, um das zurückzubekommen, was ihr so kostbar war, schwer auf seiner Seele. Wieder schien sie zwei rote Ampeln und ein Stoppschild zu übersehen. Ihr Fahrstil war eine Katastrophe. Er grübelte darüber nach, was sie wohl so sehr beschäftigte, dass sie zu einer Gefahr im Straßenverkehr wurde. Als sie vor der Haustür hielt, rechnete Peter fest damit, dass eine Haushälterin oder ein ganzes Heer von Hausangestellten herausstürmen würde, um ihr beim Tragen der Einkäufe zu helfen. Stattdessen musste er verblüfft beobachten, wie Fernanda die Haustür aufschloss und eine Tüte nach der anderen ins Haus schleppte. Er konnte es sich nur so erklären, dass ihre Haushaltshilfe heute freihatte. Bis zum Mittag sah er Fernanda nur ein einziges Mal. Sie kam noch einmal heraus, weil sie anscheinend etwas im Auto vergessen hatte. Wieder fiel ihr das Paket mit den Papierhandtüchern hinunter, aber diesmal war Peter nicht zur Stelle, um es aufzuheben.
Als sie um drei Uhr aus dem Haus stürzte, sich ans Steuer ihres Kombis setzte und in Richtung Schule aufbrach, wirkte sie ein wenig abgehetzt. Fernanda ignorierte die Geschwindigkeitsbegrenzung und wäre beinahe mit einem Bus kollidiert. Sie wechselte ständig die Fahrspuren, ohne zu blinken, und zweimal hätte sie fast Passanten auf dem Fußgängerüberweg angefahren. Vor der Schule ihrer beiden Jüngsten brachte sie das Auto mit quietschenden Reifen zum Stehen. Ashley wartete schon vor dem Ge-

bäude, umgeben von ein paar Freundinnen, mit denen sie schwatzte und ausgelassen kicherte. Sam kam fünf Minuten später herausgerannt. Er trug ein riesiges Flugzeug aus Pappmaché, grinste übers ganze Gesicht und umarmte seine Mutter ungestüm. Peter schluckte. Plötzlich wurde ihm schmerzlich bewusst, was er selbst als Kind vermisst hatte. Ihm stand außerdem klar vor Augen, wie sein Leben aussehen könnte, wenn er nicht alles zerstört hätte. Er wäre mit Janet zusammen, hätte eine liebevolle Frau und Kinder, die an ihm hingen. Peter fühlte sich plötzlich sehr einsam.

Auf dem Rückweg hielt Fernanda vor einer Haushaltswarenhandlung. Sie kaufte Glühbirnen, einen neuen Besen und eine Proviantdose. Zu Hause setzte sie Sam ab und sprach kurz mit Will, der an die Haustür kam, um seinen kleinen Bruder in Empfang zu nehmen. Fernanda brach direkt wieder auf und chauffierte Ashley zum Ballettunterricht. Am späten Nachmittag holte sie sie wieder ab und fuhr anschließend zu einem von Wills Spielen. Ihr Leben schien sich ausschließlich um die Kinder zu drehen.

Peter beobachtete sie die ganze Woche über und sah sie nichts anderes tun, als die Kinder irgendwohin zu bringen und wieder abzuholen. Als er Addison einen kurzen Zwischenbericht lieferte, erwähnte er, dass es keinen einzigen Hausangestellten gebe, was ihm merkwürdig vorkomme.

»Na und? Was heißt das schon?«, konterte Addison gereizt. »Vielleicht ist sie geizig.«

»Vielleicht ist sie aber auch pleite«, erwiderte Peter, den diese Frau mehr und mehr beschäftigte. Wenn sie mit den Kindern zusammen war, hatte sie oft ein Lächeln auf dem

Gesicht, sie hatte Spaß mit ihnen, drückte und küsste sie oft. Aber sobald sie allein war, sah sie unendlich traurig aus. Jede Nacht erschien sie am Fenster ihres Schlafzimmers und weinte. Er wünschte dann, er könnte sie in die Arme nehmen und trösten, so wie sie es mit ihren Kindern tat.

»Niemand kann innerhalb eines Jahres fünfhundert Millionen Dollar ausgeben«, beharrte Addison.

»Nein, aber durch falsche Investitionen kann man sogar noch mehr verlieren, besonders wenn der Aktienmarkt so einbricht, wie es im letzten Jahr der Fall war.«

Das wusste Addison selbst nur zu gut. Aber er nahm an, dass sein Verlust im Vergleich zu Allan Barnes' Vermögen verschwindend gering war. »In den Zeitungen stand nichts davon, dass irgendeins von Barnes' Geschäften ein Misserfolg gewesen wäre. Glaub mir, Morgan, sie hat das Geld. Du bleibst an ihr dran?« Addison war zufrieden, wie sich die Dinge entwickelten. Peter hatte nicht lange gebraucht, um das Team zusammenzustellen, und am Wochenende wollte er sich in Tahoe nach einem Haus umsehen, am besten nach einem abgelegenen Wochenendhaus, wo er sich mit seinen Kumpanen verstecken konnte. Für Addison war das Ganze eine geschäftliche Transaktion – und sonst nichts.

»Natürlich«, sagte Peter unwirsch. »Sie macht sowieso die ganze Zeit nichts anderes, als die Kinder herumzukutschieren und rote Ampeln zu ignorieren.«

»Großartig. Wollen wir hoffen, dass sie die Kinder nicht umbringt, bevor wir zuschlagen. Trinkt sie?«

»Keine Ahnung. Sie macht eigentlich nicht den Eindruck. Ich glaube, sie ist ständig mit den Gedanken woanders oder einfach nur durcheinander.« Einen Tag zuvor hatte er beobachtet, wie Fernanda um ein Haar eine Frau angefahren hätte, die auf einem Zebrastreifen die Straße überquerte. Während die anderen Autofahrer wütend hupten, sprang Fernanda aus dem Auto und entschuldigte sich unablässig bei der Frau. Peter konnte ihr ansehen, dass sie während der Fahrt wieder geweint hatte. Fernanda zog ihn immer mehr in ihren Bann. Sie war einfach umwerfend schön. Wie wunderbar wäre es gewesen, wenn er sie unter anderen Umständen kennen gelernt hätte. In seinen Augen war sie die perfekte Frau. Er bewunderte, wie sie mit ihren Kindern umging, liebte es, sie zu betrachten, und stellte sich vor, wie sie als junges Mädchen gewesen sein mochte, als Barnes ihr zum ersten Mal begegnet war. Solche Gedanken quälten ihn mehr und mehr.

Warum war sie ihm nicht früher über den Weg gelaufen? Wie konnte das Schicksal nur so grausam sein? Während er damit beschäftigt gewesen war, sein Leben und das seiner Exfrau zu ruinieren, hatte sich Fernanda aufopferungsvoll um ihre Familie gekümmert. Sie hatte wirklich entzückende Kinder. Peter hatte Sam von der ersten Sekunde an ins Herz geschlossen. Ashley war eine Schönheit. Und Will war genau der Sohn, den sich jeder Mann wünschte. Wenn Peter nachts in seinem Hotelbett schlief, träumte er von Fernanda und konnte es kaum abwarten, am nächsten Morgen zu ihr zu fahren.

Nur widerwillig übergab er Waters am Samstag das Auto, damit dieser die Überwachung fortsetzte. Peter wollte mit dem Lieferwagen nach Tahoe fahren. Er hatte sich im Internet eine Liste von Häusern zusammengestellt, die zu vermieten waren. Niemand sollte Carlton und die Jungs zu Gesicht bekommen, und um ganz sicherzugehen, schaltete Peter auch keinen Makler ein. Wenn doch etwas schief lief, könnte er immer noch behaupten, die Männer seien in das Haus eingebrochen, während er sich in San Francisco aufgehalten habe. Er achtete gewissenhaft darauf, dass keine Verbindung zwischen ihm und den drei anderen hergestellt werden konnte. In Modesto wussten nur Stark und Free, dass Carlton in die Stadt gefahren war, und bis zur Sperrstunde wäre er wieder zurück.

»Was wird sie heute so tun?«, fragte Waters und steckte den Autoschlüssel ins Zündschloss.

Er trug eine Baseballkappe und eine Sonnenbrille. Wenn Peter ihr folgte, tat er nichts, um sein Aussehen zu verändern. Falls zu viele Leute in der Straße unterwegs waren, fuhr er ein paar Mal um den Block, bis die Luft wieder rein war. Bisher hatte er nicht den Eindruck, dass er irgendjemandem aufgefallen war, am allerwenigsten Fernanda.

»Wahrscheinlich fährt sie mit ihrem Ältesten zu einem Spiel, vielleicht nach Marin. Oder sie bringt das Mädchen zum Ballett. Den Jüngsten hat sie immer bei sich, wenn keine Schule ist. Sie unternehmen nicht viel, wahrscheinlich auch am Wochenende nicht.« Das Wetter war die ganze Zeit über fantastisch gewesen, dennoch ging Fernanda so gut wie nie nach draußen. »Sie ist fast immer mit den Kindern zusammen.« Peter kam sich vor wie ein Verräter.

Waters nickte, er hatte nicht vor, sich mit ihnen anzufreunden, für ihn war das Ganze ein Job wie jeder andere. Für Peter dagegen wurde es allmählich zur Obsession.

Aber das wusste Waters nicht. Er setzte sich in das Auto und fuhr zu der Adresse, die Peter ihm gegeben hatte.

Peter brach an diesem sommerlich schönen Samstag Ende Mai um zehn Uhr vormittags nach Tahoe auf. Während der Fahrt dachte er ständig an Fernanda und fragte sich, was passieren würde, wenn er jetzt aus der Sache ausstiege. Die Antwort war einfach: Addison würde zuerst seine Töchter und dann ihn umbringen lassen. Selbst wenn er sich der Polizei stellte – Addison würde ihn finden. Es gab keinen Weg zurück. Die Sache lief.

Und während Peter in einem Kaff namens Truckee ankam, folgte Waters Fernanda nach Marin, zu einem von Wills Lacrosse-Spielen. Er hatte mittlerweile alle drei Kinder zu Gesicht bekommen, und Fernanda war genau so, wie er sie sich vorgestellt hatte: eine typische Vorstadt-Hausfrau. Fernanda war zwar hübsch, aber für seinen Geschmack hatte sie zu wenig Pep. Er stand auf rassige Vollblutweiber – diese Fernanda schminkte sich ja nicht einmal. Tatsächlich benutzte Fernanda seit Allans Tod kein Make-up, es bedeutete ihr nichts mehr, ebenso wenig wie Designerkleidung, Schuhe mit hohen Absätzen und der Schmuck, den Allan ihr geschenkt hatte. Das meiste davon hatte sie ohnehin bereits verkauft, der Rest lag seit Januar im Safe.

Peter fuhr zu der ersten Adresse auf seiner Liste. Das Objekt erwies sich als völlig ungeeignet. Es stand inmitten anderer Wochenendhäuser und war von allen Seiten gut einsehbar. Bei den nächsten Häusern stieß er auf ähnliche Probleme. Zu seiner größten Erleichterung war das letzte perfekt. Eine lange, gewundene Auffahrt, unkrautüberwuchert und voller Schlaglöcher, führte zum Haus. Das

Gebäude selbst wirkte wie eine Bruchbude und war so zugewachsen, dass man nicht einmal durch die Fenster schauen konnte. Außerdem war es von Vorteil, dass überall Fensterläden angebracht waren. Es gab vier Schlafzimmer, eine Küche, die schon bessere Tage gesehen hatte, aber noch funktionsfähig war, und ein großes Wohnzimmer mit einem mannshohen Kamin. Wenige Meter hinter dem Haus ragten nackte Felswände empor. Der Eigentümer geleitete ihn durch die Räume und erklärte, dass er keine Verwendung mehr für das Gebäude habe. Seine Söhne hätten es hin und wieder genutzt, aber die seien schon vor Jahren nach Arizona gezogen, und er behalte das Haus lediglich als Geldanlage. Seit auch seine Tochter nicht mehr hierher kommen wolle, verpachte er es. Peter mietete es für sechs Monate und fragte, ob es in Ordnung sei, wenn er ein bisschen aufräumen und den Weg von Unkraut befreien würde, da er Klienten dorthin einladen wolle. Der Mann war begeistert und konnte sein Glück gar nicht fassen. Peter war der perfekte Mieter und hatte nicht einmal über den Preis verhandelt. Er unterschrieb den Mietvertrag, zahlte für drei Monate im Voraus und hinterlegte die Kaution in bar.

Als er um vier Uhr nachmittags auf dem Rückweg war, klingelte sein Handy. Waters war dran.

»Gibt es ein Problem?«, fragte Peter besorgt.

»Nein, alles bestens. Sie sind gerade bei einem Spiel von dem Jungen. Sie macht echt nicht viel, und immer hat sie eins von diesen Bälgern dabei. Mir ist nur etwas eingefallen. Wer beschafft eigentlich die Kanonen?«

Peter stutzte. »Ich dachte, du. Ich kann den Chef fragen, aber er wird bestimmt wollen, dass wir sie selbst besor-

gen. Kannst du dich darum kümmern?« Peter wusste, dass Addison zwar über die entsprechenden Kontakte verfügte, aber jegliche Verbindung zwischen sich und den Entführern vermeiden wollte.
»Vielleicht. Ich bin für Automatikwaffen.« Waters wusste ganz genau, was er wollte.
»Redest du von Maschinenpistolen?« Peter war überrascht. »Warum?« Die Kinder würden unbewaffnet sein und Fernanda auch.
»Das garantiert, dass alles schön ruhig und sauber abläuft«, erklärte Waters.
Peter nickte. Das waren genau die Profis, die Addison haben wollte. »Du kümmerst dich also darum«, sagte Peter, aber ganz wohl war ihm nicht dabei. Er erzählte von dem Haus, und Waters hielt es ebenfalls für perfekt. Die Vorbereitungen waren damit nahezu abgeschlossen. Jetzt mussten sie nur noch einen Termin im Juli festlegen und dann zuschlagen. Es hörte sich alles so einfach an, aber als das Telefonat beendet war, verspürte Peter sofort den vertrauten Schmerz in der Magengegend. Fernanda nachzuspionieren, war die eine Sache. Aber ihr mit Maschenpistolen bewaffnet die Kinder wegzunehmen und hundert Millionen Dollar Lösegeld zu fordern, eine ganz andere.

11. Kapitel

In der ersten Juniwoche begannen die Ferien, und am letzten Schultag hatte Fernanda alle Hände voll zu tun. Ashley und Sam machten bei Schulaufführungen mit, und anschließend musste Fernanda ihnen helfen, ihre gesammelten Werke aus dem Kunstunterricht und die Schulbücher nach Hause zu schaffen. Will hatte ein Endrundenspiel mit seinem Baseballteam und später am Abend noch ein Lacrosse-Spiel, das sich Fernanda jedoch nicht ansehen konnte, weil sie Ashleys Ballettaufführung besuchte. Fernanda hetzte von einem Termin zum nächsten. Bis zum Januar hatte ein Kindermädchen ihr einiges abgenommen, aber jetzt war sie auf sich allein gestellt. Es gab keine Verwandten, die sie unterstützen könnten, und da die Verbindung zu ihren Freunden längst eingeschlafen war, würde niemand von ihnen einspringen. Fernanda wurde immer bewusster, wie sehr ihr Leben auf Allan ausgerichtet gewesen war.

Nach dem Blickkontakt an der Supermarktkasse war es kurze Zeit später zu einer weiteren Begegnung mit Peter gekommen. In einer Buchhandlung hatte er ein Buch aufgehoben, das Fernanda heruntergefallen war. Er hatte sie zurückhaltend angelächelt, und sie hatte ihm höflich gedankt. Es beschlich sie das unbestimmte Gefühl, diesen Mann zu kennen, wusste ihn jedoch nicht einzuordnen.

Ihm war aufgefallen, dass sie nicht mehr weinte, wenn sie

nachts am Fenster erschien. Sie schaute jetzt immer mit verträumtem Blick auf die Straße, als würde sie auf jemanden warten. Wenn er sie in der Dunkelheit dort oben stehen sah, meinte er, ihre Gedanken lesen zu können. Bestimmt dachte sie in diesen Momenten an Allan. Dieser Mann war in Peters Augen ein solcher Glückspilz gewesen, dass eine Frau wie Fernanda ihn liebte. Er fragte sich, ob sich Allan dessen wohl bewusst gewesen war. Peter genoss jeden Augenblick, den er in Fernandas Nähe verbrachte. Wie gern hätte er eine solche Mutter gehabt, statt der Alkoholikerin, die seine Kindheit zum reinsten Albtraum hatte werden lassen. Manchmal war er fast ein bisschen eifersüchtig auf Fernandas Kinder.

Wenn er sie am Fenster beobachtete, verlangte es ihn danach, sie in die Arme zu nehmen. Aber er wusste, dass er das niemals würde tun können. Er war dazu verdammt, ihr noch mehr Kummer zu bereiten – einer Frau, die er bewunderte und nach der er sich sehnte.

An diesem Abend folgte er ihr zu Ashleys Ballettauftritt. Auf dem Weg dorthin hielt Fernanda an einem Blumengeschäft und kaufte einen Strauß langstieliger rosafarbener Rosen für ihre Tochter und einen weiteren Strauß für die Ballettlehrerin. Ashley war schon in der Ballettschule, und Sam schaute Wills Spiel zu. Die Mutter eines Freundes von Will hatte ebenfalls einen Sohn in Sams Alter und sich bereit erklärt, Sam mitzunehmen. Er hatte an diesem Nachmittag verkündet, dass Ballett nichts für »richtige Männer« sei.

Über einen Freund von Jim Free hatte Waters mittlerweile die Maschinenpistolen besorgt. Der Mann hatte sie in Golftaschen versteckt mit dem Bus von Los Angeles

hergebracht. Alles war vollkommen problemlos verlaufen. Als Peter zum Treffpunkt gefahren war, um die Waffen entgegenzunehmen, hatte er am ganzen Körper gezittert. Er hatte sie im Kofferraum seines Autos verstaut, und da blieben sie auch, denn er wollte nicht riskieren, dass sie in seinem Hotelzimmer entdeckt wurden. Falls sein Bewährungshelfer einmal ohne Vorwarnung bei ihm auftauchte, musste Peter mit einer Durchsuchung seiner Sachen rechnen. Bisher war das glücklicherweise noch nicht vorgekommen. Der Bewährungshelfer machte sich nicht sonderlich viele Gedanken über Peter, insbesondere jetzt, wo er einen Job hatte.
Peter wartete an diesem Abend vor der Ballettschule und sah Ashley herauskommen. Sie strahlte und trug ihr Rosenbouquet. Fernanda platzte offensichtlich vor Stolz. Sie holten Will und Sam ab und gingen zu Mel's Diner auf der Lombard Street. Nachdem sie sich an einen Tisch gesetzt hatten, suchte sich Peter einen Platz in einer Ecke ganz in ihrer Nähe. Fernanda konnte ihn nicht sehen, aber Peter war ihr so nah, dass er ihr Parfum roch. Sie trug an diesem Abend einen khakifarbenen Rock, einen weißen Kaschmirpullover mit V-Ausschnitt und zum ersten Mal, seit er sie beobachtete, Schuhe mit hohen Absätzen. Sie wirkte glücklich und sah sehr hübsch aus, trug ihr Haar offen und hatte sogar Lippenstift benutzt. Ashley war wegen des Auftritts ebenfalls geschminkt und hatte das Haar noch zu einem Dutt hochgesteckt. Will hatte das Lacrosse-Trikot mit seiner Nummer darauf angelassen, und Sam erzählte in allen Einzelheiten von dem Spiel. Wills Mannschaft hatte gewonnen, ebenso wie am Nachmittag das Baseballspiel. Es gab also viel zu feiern an diesem

Abend. Peter schaute ihnen heimlich zu und fühlte sich einsam und verloren. Und ihn plagte ein schlechtes Gewissen. Er wusste, was ihnen noch bevorstand, und es tat ihm in der Seele weh.
An den restlichen Junitagen verbrachten die Kinder viel Zeit zu Hause, hin und wieder kamen Freunde vorbei. Fernanda machte des Öfteren mit den Kindern Besorgungen. Einmal jedoch ging sie allein bummeln. Aber alles, was sie kaufte, war ein Paar Sandaletten. Sie hatte Jack Waterman versprochen, so wenig Geld wie möglich auszugeben. Er hatte sie und die Kinder für das Wochenende vor dem Memorial Day Ende Mai eingeladen, aber sie konnten leider nicht, weil Will ein Lacrosse-Spiel hatte und Fernanda ihn begleiten wollte. Sie verschoben das Treffen mit Jack auf den 4. Juli, dann war Will bereits im Camp und Ashley in Tahoe. Jack wollte Fernanda und Sam zu einem Picknick mitnehmen, das ein Freund von ihm veranstaltete. Sie freuten sich darauf – und Jack freute sich mehr, als Fernanda ahnte. Als sie den Kindern von dem Picknick erzählte, zog Ashley sie auf und behauptete, Jack sei in sie verknallt und mächtig scharf auf sie.
»Sei nicht albern, Ash. Er ist ein alter Freund. Was du da sagst, ist ungehörig.«
»Ist er echt verknallt in dich, Mom?«, fragte Sam neugierig und schaute kurz von dem Stapel Pfannkuchen auf, der sich auf seinem Teller türmte.
»Nein, ist er nicht. Er war schließlich ein Freund von Daddy.«
»Na und? Was macht das schon?«, gab Ashley achselzuckend zurück, während sie ein Stück Pfannkuchen stibitzte und Sam mit seiner Serviette nach ihr schlug.

»Wirst du ihn heiraten, Mom?« Sam sah Fernanda traurig an. Er vermisste seinen Dad und hing deshalb umso mehr an ihr. Die Vorstellung, sie mit einem Mann teilen zu müssen, jagte ihm Angst ein.

»Natürlich nicht«, erwiderte Fernanda fahrig. Das Gespräch machte sie nervös. »Ich werde niemanden heiraten. Ich liebe immer noch euren Dad.«

»Gut.« Die Antwort stellte Sam offensichtlich zufrieden. Er stopfte sich eine riesige Portion Pfannkuchen in den Mund und bekleckerte dabei sein T-Shirt mit Sirup.

Während der letzten Juniwoche verließ Fernanda das Haus so gut wie nie, sie war äußerst beschäftigt. Ashleys Tasche für Tahoe musste gepackt und Wills gesamte Sportausstattung sowie die übliche Wäsche gewaschen und gebügelt werden. Diese Arbeit schien kein Ende zu nehmen. Ständig bedienten sich die Kinder von den frischen Sachen, und am Ende der Woche war alles wieder schmutzig, und Fernanda konnte von vorn beginnen. Ashley hatte zudem mittlerweile Fernandas komplette Garderobe anprobiert und einiges stibitzt. Zu allem Überfluss verkündete Sam plötzlich, dass er nicht ins Tagescamp wolle.

»Komm schon, Sam, es wird dir gefallen«, versuchte Fernanda ihm gut zuzureden, während sie eine Ladung Wäsche in die Waschmaschine stopfte. Just in diesem Moment trippelte Ashley auf hohen Schuhen und in einem von Fernandas Pullovern durch die Waschküche.

»Du ziehst auf der Stelle diese Sachen aus!«, rief Fernanda ihrer Tochter strenger als sonst zu.

Sam verzog sich maulend. Kurz darauf kam Will atemlos in die Waschküche gelaufen. Er fragte, ob sie etwa seine

Schulterschoner bereits verstaut habe, er brauche sie unbedingt fürs Training.

»Wenn einer von euch noch einmal die gepackten Taschen anrührt, geht es ihm an den Kragen. Ich warne euch beide!«

Will schoss davon, um andere Schoner zu suchen, und Ashley schaute Fernanda entsetzt an. Anscheinend hatte ihre Mutter den Verstand verloren. Schon den ganzen Morgen über hatte Ashley den Eindruck gehabt, dass Fernanda unglaublich reizbar war. Damit lag sie nicht einmal falsch. Es fiel Fernanda furchtbar schwer, ihre beiden Großen wegfahren zu lassen. Sie brauchte ihre Kinder jetzt mehr denn je. Die drei brachten sie auf andere Gedanken und sorgten dafür, dass sie sich nicht einsam fühlte. Sam trennte sich wahrscheinlich ähnlich ungern von seinen Geschwistern und von ihr und weigerte sich deshalb, das Tagescamp zu besuchen. Fernanda erinnerte ihn an das Picknick in Napa, aber selbst das schien ihn nicht aufzumuntern. Er würde seinen Bruder und seine Schwester sehr vermissen. Will blieb drei Wochen lang weg, Ashley zwei. Für Sam und Fernanda war das eine kleine Ewigkeit.

»Sie werden schneller zurück sein, als du denkst«, versicherte Fernanda ihm. Aber sie sagte es auch, um sich selbst Mut zu machen.

Draußen vor dem Haus war Peter aus einem ganz anderen Grund bedrückt. In sechs Tagen sollte die Sache steigen, und damit wäre sein Überwachungsjob vorbei. Er beobachtete sie jetzt schon länger als einen Monat und stellte sich manchmal vor, ihr später einmal zufällig über den Weg zu laufen oder sie wieder zu beschatten, damit er sie wenigstens sehen könnte. Und mit etwas Glück würde sie niemals erfahren, dass er an dem Horror beteiligt war, der ihr noch bevorstand. Waters war weitaus weniger entzückt von ihr. In seinen Augen verlief ihr Leben furchtbar langweilig, und er fragte sich, wie sie das nur aushielt. Sie ging nie aus, und wenn sie schon einmal das Haus verließ, war immer eines der Kinder dabei. Aber das war genau das, was Peter so an ihr schätzte.

»Sie sollte uns dankbar sein, dass wir ihr die Bälger für eine Weile abnehmen«, hatte Waters am Ende einer Samstagsschicht zu Peter gesagt. »Diese Frau ist ja nie allein!«

»Sie ist eben eine verantwortungsvolle Mutter«, entgegnete Peter ganz ruhig.

»Kein Wunder, dass ihr Mann ins Gras gebissen hat. Der Typ muss an Langeweile verreckt sein«, brummte Carlton. Sie zu überwachen, war für ihn der stumpfsinnigste Teil des Jobs.

»Vielleicht ist sie öfter ausgegangen, als ihr Mann noch lebte«, versuchte Peter, sie zu verteidigen.

Waters zuckte mit den Schultern, übergab Peter das Auto und machte sich auf den Weg zur Bushaltestelle, um nach Modesto zurückzufahren. Er war froh, dass bald Schluss sein würde mit der Überwachung und sie endlich zuschlugen. Er konnte es kaum erwarten, das Geld in Händen zu halten. Bisher hatte der Boss Wort gehalten und sowohl ihm als auch Stark und Free jeweils hunderttausend Dollar gezahlt. Es befand sich in Koffern, die sie in Schließfächern am Busbahnhof von Modesto deponiert hatten. Wenn sie sich auf den Weg nach Tahoe machten, würden sie es mitnehmen. Alles war vorbereitet, und der Countdown lief.

Bisher ging alles nach Plan, und Peter hatte Addison versichert, dass es auch dabei bliebe.
Völlig unerwartet trat dann doch ein Problem auf, aber das ging nicht von Morgan und seinen Männern aus.
Phillip Addison saß hinter seinem Schreibtisch und diktierte seiner Sekretärin einen Brief, da marschierten zwei Männer herein, hielten ihm ihre Dienstmarken unter die Nase und erklärten, er sei verhaftet. Die Sekretärin lief heulend aus dem Zimmer, und niemand hielt sie auf.
Addison sah die beiden Männer an und zuckte mit keiner Wimper. »Das ist das Lächerlichste, was ich je gehört habe«, sagte er vollkommen gelassen und mit einem spöttischen Zug um die Lippen. Er fragte sich, ob dieser Besuch etwas mit seinen Rauschgiftlabors in Mexiko zu tun hatte. Allerdings konnte er sich kaum vorstellen, dass es irgendwo eine undichte Stelle gab. Die Leute, mit denen er zusammenarbeitete, waren äußerst zuverlässig. Die beiden Männer, die ihm noch immer ihre Marken präsentierten, trugen karierte Holzfällerhemden und Jeans. Der eine war Latino, der andere Afroamerikaner.
»Sie sind verhaftet, Addison«, wiederholte der Latino, und Addison fing an, lauthals zu lachen.
»Sie machen wohl Witze. Weswegen denn, in drei Gottes Namen?« Er wirkte nicht im Geringsten beunruhigt.
»Es besteht der begründete Verdacht, dass Sie in Geldschiebereien verwickelt sind. Dabei geht es um sehr hohe Beträge, die Sie regelmäßig über die Grenze schaffen. Das Ganze riecht förmlich nach Geldwäsche«, erklärte der Latino.
Die beiden Beamten fühlten sich nicht ganz wohl in ihrer Haut. Sie hatten an diesem Morgen in einem anderen Fall

als Undercoveragenten operiert und keine Zeit mehr gehabt, sich umzuziehen, bevor sie in Addisons Büro marschierten. Angesichts ihrer allzu lässigen Aufmachung kamen sie sich albern vor. Um einen Mann wie Addison einzuschüchtern oder zumindest zu beeindrucken, wäre ein etwas offizielleres Erscheinungsbild geeigneter gewesen. Addison saß einfach nur da und lächelte sie an wie zwei schlecht erzogene Kinder.

»Ich bin sicher, dass meine Anwälte das klären können – auch ohne dass Sie mich verhaften. Möchte einer der Herren vielleicht einen Kaffee?«

»Danke, nein«, erwiderte der Afroamerikaner höflich. Er und sein Kollege waren beide noch jung, und der für diesen Fall zuständige Special Agent hatte sie davor gewarnt, Addison zu unterschätzen. Er sei längst nicht der harmlose Geschäftsmann, den er nach außen gab. Die beiden jungen Agenten hatten das so verstanden, dass Addison möglicherweise bewaffnet sei. Aber von einer Waffe war weit und breit nichts zu sehen.

Als man ihm seine Rechte vorlas, wurde Addison klar, dass er keine Polizisten, sondern FBI-Beamte vor sich hatte. Das irritierte ihn zusätzlich, er ließ sich jedoch weiterhin nichts anmerken. In der Tat beruhte diese Verhaftung lediglich auf einem Verdacht, aber die Verantwortlichen hofften, dass sie bei den weiteren Ermittlungen Beweise finden würden. Sie beobachteten Addison schon seit geraumer Weile.

»Ich bin sicher, dass es sich um ein Versehen handelt, Officer … oh, Pardon, Special Agent.« Sogar der Titel klang in seinen Ohren lächerlich – als würden sie Räuber und Gendarm spielen.

»Trotzdem müssen wir Sie mitnehmen. Mr Addison, Sie sind vorläufig festgenommen. Müssen wir Ihnen Handschellen anlegen, oder begleiten Sie uns freiwillig?«
Addison hatte ganz bestimmt nicht vor, sich in Handschellen aus seinem Büro führen zu lassen. Ärgerlich stand er auf. Seine Spötteleien waren ihm erst einmal vergangen. Wie grün diese beiden Beamten auch aussehen mochten, sie meinten es tatsächlich ernst. »Wissen Sie eigentlich, was Sie da tun? Ich verklage Sie wegen unberechtigter Festnahme und Rufschädigung!« Addison war kreidebleich vor Wut. Seiner Meinung nach hatten die beiden Beamten keinerlei Handhabe, um ihn festzunehmen.
»Sir, wir tun nur unseren Job«, erwiderte der Afroamerikaner, Special Agent Price, und fügte höflich hinzu: »Begleiten Sie uns freiwillig, Sir?«
»Sobald ich mit meinem Anwalt gesprochen habe!«
Während Addison eine Nummer wählte, verharrten die beiden Beamten auf der anderen Seite des Tisches. Addison erklärte seinem Anwalt in wenigen Worten, was passiert war. Dieser riet ihm, mit den Beamten mitzugehen, und versprach, in einer halben Stunde im FBI-Büro zu sein. So lange würde Addison von San Mateo bis in die Stadt mindestens unterwegs sein.
Dies war wirklich das Letzte, was Addison jetzt gebrauchen konnte. »Ich reise in drei Tagen nach Europa«, verkündete er entrüstet, während die beiden Beamten ihn aus seinem Büro hinausbegleiteten. Seine Sekretärin war spurlos verschwunden, aber Addison sah an den Blicken der Angestellten, dass sie herumgetratscht hatte, was geschehen war. Er kochte innerlich.

Als er im FBI-Büro ankam und vom zuständigen Beamten, Special Agent Rick Holmquist, begrüßt wurde, war Addison kurz davor, einen Tobsuchtsanfall zu bekommen. Gegen ihn wurde wegen Steuerhinterziehung und illegalen Transports von Geldern über die Staatsgrenze ermittelt. Als sein Anwalt eintraf, empfahl er Addison, sich kooperativ zu zeigen. Der Haftbefehl war vom Bundesstaatsanwalt unterschrieben und das FBI mit der Durchführung der Untersuchung beauftragt. Addison wurde aufgefordert, sich mit seinem Anwalt und Special Agent Holmquist in einen Verhörraum zu begeben. Letzterer wirkte weder amüsiert noch schüchterte Addisons herrisches Auftreten ihn ein. Die Unschuldsbeteuerungen und Zornausbrüche beeindruckten ihn nicht im Geringsten. Und die herablassende Art, mit der Addison seine beiden Kollegen behandelt hatte, verschaffte ihm auch nicht gerade Pluspunkte.

Rick erlaubte Anwalt und Klient, sich kurz zu beraten, danach verhörte er Addison drei Stunden lang, ohne dass dabei etwas Wesentliches herausgekommen wäre. Rick hatte sich beim Bundesrichter einen Durchsuchungsbefehl für Addisons Büro besorgt. Es bestand der Verdacht, dass Addison Geld in Millionenhöhe wusch, und wie so oft in solchen Fällen kam der Tipp von einem bezahlten Informanten. Mit Addison hatte das FBI einen beachtlich dicken Fisch an der Angel. Als Addison erfuhr, dass sein Büro just in diesem Moment von einem halben Dutzend FBI-Agenten durchkämmt wurde, lief er krebsrot an und sah aus, als würde er jeden Moment explodieren.

»Kannst du nicht irgendetwas unternehmen? Das ist ein

Skandal!«, schrie er seinen Anwalt an, der den Kopf schüttelte und ihm erklärte, der Durchsuchungsbefehl sei korrekt ausgestellt, und er könne gar nichts tun.

»Ich fliege am Freitag nach Europa!«, rief Addison empört, als würde er von den Beamten erwarten, dass sie ihre Untersuchungen gefälligst auf Eis legten, bis er aus dem Urlaub zurückkäme.

»Das bleibt noch abzuwarten, Mr Addison«, erwiderte Rick höflich. Er hatte mit solchen widerlichen Typen wie Addison schon oft genug zu tun gehabt und genoss es, sie zappeln zu lassen. Außerdem war er wild entschlossen, Addison richtig in die Mangel zu nehmen. Er wusste ganz genau, dass die Kaution noch so hoch sein konnte – Addison verfügte über genügend Geld, um schnell wieder auf freiem Fuß zu sein. Aber bis dahin konnte er ihn nach Herzenslust vernehmen.

Und genau damit verbrachte Rick den Rest des Nachmittags. Anschließend wurde Addison darüber informiert, dass es zu spät sei, um an diesem Tag noch einen Bundesrichter zu finden, der die Kaution festsetze. Addison müsse wohl die Nacht in der Zelle verbringen und könne frühestens am nächsten Morgen nach der Anhörung vor dem Richter entlassen werden. Addison platzte fast vor Wut, aber seinem Anwalt waren die Hände gebunden. Noch immer konnte Addison nur mutmaßen, was im Endeffekt zu dieser Verhaftung geführt hatte. Es schien um finanzielle Unregelmäßigkeiten und größere Geldbeträge zu gehen, die nach Nevada verschoben worden waren, wo er unter einem anderen Namen ein Konto hatte. Die Behörden wollten jetzt wissen, woher das Geld auf diesem Konto stammte. Immerhin war er mittlerweile sicher, dass die Verhaftung nichts mit den Labors in Mexiko zu tun hatte. Die Gelder, die er dort einsetzte, kamen von einem Konto in Mexiko, das wiederum auf einen anderen Namen lief, und der Gewinn wurde auf verschiedene Schweizer Nummernkonten überwiesen. Es drehte sich bei der ganzen Geschichte anscheinend tatsächlich um Steuerhinterziehung. Rick konfrontierte ihn damit, dass während der letzten Monate mehr als elf Millionen Dollar über das Konto in Nevada gelaufen seien, und so, wie es aussehe, habe Addison weder dieses Geld noch die Zinsen versteuert. Als zwei Beamte Addison für die Nacht in eine Zelle brachten, bemühte sich dieser, möglichst unbeeindruckt zu wirken. Einen giftigen Blick in Richtung Special Agent Holmquist konnte er sich jedoch nicht verkneifen.

Danach sprach Rick mit den Agenten, die Addisons Büro durchsucht, aber nicht viel gefunden hatten. Sie waren Aktenordner und Computerdateien durchgegangen und hatten kistenweise Unterlagen mitgebracht. Sie hatten auch den Schreibtisch geöffnet, eine geladene Pistole, einige Personalakten sowie vierhunderttausend Dollar in bar aufgestöbert. Das ließ Rick aufhorchen. Warum sollte ein unbescholtener Geschäftsmann so viel Bargeld in der Schublade aufbewahren? Außerdem besaß Addison anscheinend keinen Waffenschein. Die Special Agents hatten alle Sachen aus Addisons Schreibtisch in zwei Kartons gepackt und überreichten sie Rick nun.

»Was soll ich damit?«, fragte er. Rick wollte sie gerade anweisen, die Kisten zu dem restlichen Zeug zu stellen, da besann er sich im letzten Moment eines Besseren und nahm sie mit in sein Büro.

Obenauf lag die Beweismitteltüte mit der Pistole. Darunter befanden sich Klarsichthüllen voller Zettel. Rick begann unverzüglich, alle durchzulesen. In den meisten Fällen handelte es sich um Notizen oder Namen mit Telefonnummern. Auf zweien stand der Name Peter Morgan, aber mit jeweils anderer Telefonnummer. Rick hatte den zweiten Karton bis zur Hälfte durchgearbeitet, da stieß er auf den Ordner über Allan Barnes, der so dick war wie das Telefonbuch von San Francisco. Sonderbar, dass jemand so viele Informationen über einen Menschen zusammentrug, und das auch noch über Jahre hinweg. Rick nahm sich vor, Addison darauf anzusprechen. Es gab etliche Fotos von Barnes, die aus Zeitungen und Zeitschriften ausgeschnitten waren, auf einigen war er zusammen mit seiner Familie abgebildet. Addison schien von diesem Mann geradezu besessen zu sein. Der restliche Inhalt der Kiste war für Rick ohne Bedeutung. Aber vielleicht interessierte sich der Staatsanwalt dafür. Rick sprach noch kurz mit den beiden Special Agents, die ihm die Kartons übergeben hatten. Die beiden waren sicher, alles aus dem Schreibtisch mitgenommen und als Beweisstück erfasst zu haben, sogar Addisons Handy, das er in der Eile liegen gelassen hatte.

»Wenn er Telefonnummern gespeichert hat, dürfen wir nicht vergessen, sie aufzuschreiben«, erinnerte Rick sie.

»Schon passiert.« Einer der beiden Special Agents grinste ihn an.

»Irgendetwas Besonderes?«

»Die gleichen Nummern wie in dem Schreibtisch. Während wir das überprüften, rief übrigens ein Typ namens Morgan an. Als ich sagte, ich sei vom FBI, hat er aufge-

legt«, berichtete der Special Agent amüsiert, und Rick lachte.
»Darauf wär ich jede Wette eingegangen.« Schon wieder dieser Name. Das musste nicht unbedingt etwas heißen, aber in Ricks Kopf läutete plötzlich eine Alarmglocke. Er hatte einen sechsten Sinn, wenn es um Verbrechen ging.
Als Rick an diesem Abend das Büro verließ, war es schon nach sieben Uhr. Addison blieb über Nacht in Untersuchungshaft. Sein Anwalt hatte mittlerweile aufgehört, sie damit zu nerven, doch eine Ausnahme zu machen. Er hatte schließlich aufgegeben und war gegangen. Die meisten Kollegen hatten schon längst Feierabend. Ricks Freundin war momentan verreist, und auf dem Heimweg beschloss er, seinen Freund und Exkollegen Ted anzurufen.
Rick hatte schon immer zum FBI gewollt. Seit vierzehn Jahren war er jetzt Special Agent, ihm fehlten noch sechs, um sich mit dreiundfünfzig pensionieren zu lassen. Ted erinnerte ihn gern daran, dass er nur noch ein Jahr arbeiten müsse, um sich nach insgesamt dreißig Dienstjahren zur Ruhe zu setzen – aber keiner von ihnen hatte ernsthaft vor, so bald schon aus dem Dienst auszuscheiden. Sie liebten beide ihre Tätigkeit, auch wenn Ricks Job sehr eintönig sein konnte und der Papierkram oft mörderisch war. Es gab Momente, so wie diesen, da wünschte er, noch immer zusammen mit Ted bei der Polizei von San Francisco zu arbeiten.
Ted ging schon beim ersten Klingeln an sein Handy, und als er Ricks Stimme erkannte, lächelte er.
»Na, langweilst du dich?«, zog Rick ihn auf. »Du warst so schnell dran. Ist wohl nicht viel los in der Stadt.«

»Ist ziemlich ruhig heute Abend«, bestätigte Ted. Manchmal war das ganz angenehm. Insbesondere heute, da sein Partner, Jeff Stone, krank war. »Was liegt bei dir so an?« Ted legte die Füße auf den Tisch. Er hatte gerade an dem Bericht über einen Raubüberfall gearbeitet, der sich am Tag zuvor ereignet hatte. Sonst war nicht viel zu tun, und Rick hatte durchaus Recht mit seiner Vermutung, dass ihm langweilig war.

»Ich hatte einen dieser Tage, an denen ich mich frage, warum ich von der Polizei weg bin. Ich komm gerade aus dem Büro und habe mich wieder durch Berge von Papier gewühlt. Wir haben jemanden wegen Steuerhinterziehung und Geldwäsche verhaftet. Der Typ ist ein richtig aufgeblasener Wichtigtuer.«

»Kenne ich ihn? Wir haben hier auch ein paar von der Sorte.«

»Keinen wie den. Aber du hast bestimmt schon von ihm gehört: Phillip Addison. Er ist der Kopf einer Reihe von Unternehmen und gehört zur so genannten feinen Gesellschaft. Der Knabe hat an die zweihundert Unternehmen, möglicherweise alles nur Strohfirmen, um Geld am Finanzamt vorbeizuschleusen.«

»Ziemlich dicker Fisch«, bescheinigte Ted ihm. Die großen Ganoven zu fassen, die hinter den Kulissen die Fäden zogen, war nicht leicht. »Was hast du mit ihm gemacht? Bestimmt ist er schon auf Kaution raus«, frotzelte er. Typen wie Addison hatten immer eine ganze Armee von Anwälten hinter sich. Und die Wirtschaftskriminellen kamen sowieso immer auf Kaution raus, es sei denn, es bestand Fluchtgefahr.

»Ich lasse ihn über Nacht in der Zelle schmoren. Als wir

mit dem Verhör fertig waren, konnten wir leider keinen Richter mehr auftreiben, um die Kaution festzulegen.« Rick grinste, und Ted lachte lauthals. Die Vorstellung, dass ein Mann wie Addison eine Nacht in Gewahrsam verbrachte, amüsierte sie beide ungemein.

»Peg ist in New York bei ihrer Schwester. Sollen wir irgendwo einen Happen essen? Ich bin zu müde, um mir was zu kochen«, schlug Rick vor.

Ted schaute auf die Uhr. Es war noch früh am Abend, und außer dem Bericht über den Raubüberfall stand bei ihm nichts an. Er hatte seinen Pieper und das Handy dabei, wäre jederzeit und überall erreichbar und könnte sofort zurückfahren, falls er gebraucht wurde. »In zehn Minuten bei Harry's«, nannte Ted einen ihrer bewährten Treffpunkte, ein einfaches, aber gutes Restaurant. Man würde ihnen wie immer einen ruhigen Tisch weiter hinten geben, damit sie sich ungestört unterhalten konnten. Um diese Zeit kamen ohnehin nicht mehr viele Leute zum Essen, am Abend wurde der Umsatz hauptsächlich an der Bar gemacht.

Als Ted eintraf, war Rick schon da und entspannte sich bei einem Bier am Tresen. Er hatte Feierabend und durfte etwas trinken. Ted indessen war im Dienst, und dann rührte er niemals Alkohol an, wie auch sonst selten.

»Du siehst ja grauenhaft aus«, sagte Ted grinsend. In Wahrheit wirkte Rick einfach nur müde. Er hatte einen langen Arbeitstag hinter sich, der von Ted hingegen hatte gerade erst angefangen.

»Danke, du siehst auch nicht besser aus«, gab Rick das Kompliment zurück.

Sie setzten sich an einen Tisch in der Ecke und bestellten

zwei Steaks. Es war mittlerweile kurz vor acht, Ted hatte noch bis Mitternacht Dienst. Sie aßen und sprachen bis halb zehn über verschiedene Fälle, da fiel Rick plötzlich etwas ein.

»Du könntest mir übrigens einen Gefallen tun. Im Schreibtisch von diesem Addison haben wir einen ganzen Stapel Zettel mit Notizen gefunden. Ein Name tauchte öfter auf. Es war fast so, als sollte ich ihn sehen.«

»Komm mir nicht mit diesem übersinnlichen Quatsch. Du hast zu viele Folgen von *Akte X* gesehen.« Ted verdrehte die Augen. Aber da er im Moment nicht viel zu tun hatte, fragte er: »Wie heißt der Kerl? Ich werde ihn für dich überprüfen, sobald ich wieder im Büro bin. Wenn du Lust hast, kannst du auch mitkommen.«

»Keine schlechte Idee. Ich hasse es, nach Hause zu gehen, wenn Peg nicht da ist. Das ist ein schlechtes Zeichen. Ich fürchte, ich habe mich schon an sie gewöhnt.« Er wirkte nachdenklich. Das Singleleben, das er seit seiner Scheidung geführt hatte, war ganz nach seinem Geschmack gewesen, aber in letzter Zeit hatte er Ted gegenüber immer wieder erklärt, dass es mit dieser Frau anders sei.

»Ich hab dir ja prophezeit, dass du sie am Ende noch heiraten wirst. Warum auch nicht? Sie ist eine tolle Frau. Du hättest es weiß Gott schlechter treffen können.« Das war seinem Kumpel in der Tat ein paar Mal passiert. Rick hatte eine Schwäche für Frauen, die nicht zu ihm passten.

»Genau das sagt sie auch immer.« Rick grinste. Er zahlte, da er an der Reihe war, dann fuhren sie gemeinsam zu Teds Büro.

Dort angelangt reichte Rick Ted einen Zettel, auf dem er den Namen und die beiden Telefonnummern notiert hatte. Mithilfe des Computers konnten sie feststellen, ob dieser Morgan vorbestraft war oder sogar schon eine Gefängnisakte existierte. Rick war bisher nicht fündig geworden, anscheinend gab es keine Vergehen auf Bundesebene. Manchmal fand sich aber stattdessen etwas auf Staatsebene.

Ted gab nun den Namen in den Computer ein. Während sie auf das Ergebnis warteten, besorgte er ihnen einen Kaffee. Rick nutzte die Zeit, um Ted von Peg vorzuschwärmen. Es war nicht zu übersehen, wie verrückt er nach ihr war. Es gefiel Ted, dass die Sache zwischen den beiden ernst wurde und sie sogar vom Heiraten sprachen. Er hatte es immer gut geheißen, wenn Menschen diesen Schritt wagten, aber Rick war seit seiner Scheidung stets davor zurückgeschreckt.

Sie tranken noch ihren Kaffee, da spuckte der Computer die Antwort aus. Ted warf einen Blick auf den Ausdruck, runzelte die Stirn und reichte ihn Rick. »Dein Freund, der Steuerhinterzieher, pflegt aber interessanten Umgang. Dieser Morgan wurde erst vor sechs Wochen aus Pelican Bay entlassen. Er ist auf Bewährung raus.«

»Weswegen hat er gesessen?« Rick nahm den Ausdruck entgegen und las alles sorgfältig durch. Jedes einzelne von Peters Vergehen war aufgelistet, ebenso wie der Name seines Bewährungshelfers und die Adresse des Übergangshauses in Mission. »Was hat Mr Highsociety denn mit so einem Typen zu schaffen?«, überlegte Rick laut.

»Schwer zu sagen. Vielleicht kennen sie sich aus der Zeit, bevor Morgan ins Gefängnis kam, und er hat ihn angerufen, als er wieder draußen war«, mutmaßte Ted, während er ihre Kaffeetassen noch einmal füllte.

»Schon möglich.« In Ricks Kopf schrillten die Alarmglocken, aber er hatte nicht die geringste Ahnung, warum. »In Addisons Schreibtisch lag eine Menge sonderbares Zeug. Eine geladene Pistole, vierhunderttausend Dollar in bar und eine Akte über einen Typen namens Allan Barnes, die fast zehn Zentimeter dick war. Es waren sogar Fotos von Barnes' Frau und seinen Kindern dabei.«
Jetzt war es Ted, der aufhorchte. Dieser Name war ihm nicht unbekannt. »Merkwürdig. Ich hatte vor etwa einem Monat dienstlich mit ihnen zu tun. Hübsche Kinder.«
»Jetzt tu doch nicht so unschuldig. Ich habe das Foto von Mrs Barnes selbst gesehen. Sie sieht echt klasse aus! Bei welcher Gelegenheit bist du ihr über den Weg gelaufen?«
Rick wusste, wer diese Leute waren. Wegen seines raketenartigen Aufstiegs hatte Allan Barnes oft genug die Titelblätter der Zeitschriften geziert. Aber er war aus anderem Holz geschnitzt als Addison, der sich bewusst in die Klatschspalten brachte, indem er eine Opernpremiere besuchte. Über Barnes hatte es nie Gerüchte wegen irgendwelcher krummen Dinger gegeben, er war bis zu seinem Ende ein sauberer Geschäftsmann geblieben. Rick wunderte sich deshalb, dass Ted der Witwe dieses Mannes begegnet war.
»In ihrer Straße gab es ein Bombenattentat«, klärte Ted ihn auf.
»Wo bitte leben die? Auf einem Truppenübungsplatz?«
»Sehr witzig! Sie wohnen in Pacific Heights. Jemand hat das Auto von Richter McIntyre in die Luft gejagt, wenige Tage nachdem Carlton Waters aus dem Knast rausgekommen ist.« Ted schwieg plötzlich nachdenklich. Jetzt war auch bei ihm der Groschen gefallen. »Gib mir doch noch

mal den Computerausdruck.« Ted ergriff das Blatt und las alles noch einmal sorgfältig durch. »Allmählich glaub ich auch an Übersinnliches. Carlton Waters hat ebenfalls in Pelican Bay gesessen. Wenn die beiden im selben Knast waren, kennen sie sich vielleicht. Tauchte bei den Sachen in Addisons Schreibtisch auch der Name Waters auf?« Rick schüttelte den Kopf. Auf dem Ausdruck stand, wann Morgan entlassen worden war. Ted tippte etwas in den Computer ein. Als er die Antwort hatte, sah er Rick an. »Die beiden wurden am gleichen Tag entlassen.«
»Ich sags nur ungern, aber das muss nichts heißen.« Rick wollte realistisch bleiben. Und Ted wusste, dass Rick wahrscheinlich Recht hatte. Als Cop durfte man Zufälle nicht überbewerten, nur selten steckte mehr dahinter. »Was ist aus der Sache mit der Autobombe geworden?«
»Bisher nicht viel. Um mir diesen Waters anzusehen, bin ich nach Modesto rausgefahren. Ich war neugierig und wollte ihn wissen lassen, dass wir ihn im Auge behalten. Der Kerl ist eigentlich zu clever, um für so ein Ding seine Bewährung zu riskieren.«
»Wer weiß. Es hat schon die verrücktesten Sachen gegeben. Hast du im Computer gecheckt, ob noch andere Fans des Richters gerade erst entlassen wurden?« Rick kannte Ted und wusste, dass die Frage eigentlich überflüssig war. Ted war der gewissenhafteste und gründlichste Polizist, den er kannte. Mehr als einmal hatte er sich gewünscht, er hätte Ted damals überreden können, mit ihm gemeinsam zum FBI zu wechseln. Sie waren ein tolles Team gewesen, und Ted fehlte ihm. Manche der Leute, mit denen Rick jetzt zusammenarbeiten musste, machten ihn schier wahnsinnig. Noch immer tauschten er

und Ted sich über ihre Fälle aus, spielten sich Informationen zu und hatten schon oft einen Fall gelöst, indem sie einfach nur darüber sprachen und sich gegenseitig auf Ideen brachten – so wie jetzt.
»Hab ich. Fehlanzeige.«
»Du hast mir immer noch nicht gesagt, was die Barnes-Witwe mit der Sache zu tun hat. Sie wird wohl kaum zu den Verdächtigen gehört haben«, ulkte Rick.
Ted schüttelte amüsiert den Kopf. »Sie wohnt nicht weit vom Haus des Richters entfernt. Eins ihrer Kinder hat zu der fraglichen Zeit aus dem Fenster geguckt. Ich habe dem Kleinen ein Foto von Waters gezeigt – leider hat der Junge ihn nicht wiedererkannt. Wäre ja auch zu schön gewesen. Bisher haben wir keine heiße Spur.«
»*Sie* war also keine heiße Spur?« Rick warf Ted einen vielsagenden Blick zu. Er liebte es, Ted aufzuziehen, und wusste genau, dass der es ihm mit gleicher Münze heimzahlen würde – insbesondere wenn es um das Thema Frauen ging. Ted war Shirley ein Leben lang treu gewesen, und Rick gab ihm immer wieder zu verstehen, das sei doch nicht normal. Andererseits bewunderte er Ted für sein Durchhaltevermögen, vor allem da er an dem, was Ted seit Jahren sagte – oder eben nicht –, merkte, dass es mit dieser Ehe nicht zum Besten stand.
»Ich war rein dienstlich da«, stellte Ted klar.
»Ihr habt also keinen Verdächtigen«, brachte Rick die Rede wieder auf den Fall, und Ted schüttelte den Kopf.
»Nicht einen einzigen. Es war trotzdem interessant, sich diesen Waters einmal anzusehen. Ein zäher Bursche. Schien so, als wolle er sauber bleiben, vorerst jedenfalls. Hat sich nicht gerade über meinen Besuch gefreut.«

»So ein Pech aber auch«, lautete Ricks trockener Kommentar. Er wusste nur zu gut, wer Carlton Waters war, und hatte für Verbrecher dieses Kalibers nicht das Geringste übrig.
»Genau das habe ich auch gedacht«, erwiderte Ted.
Rick schaute ihn an. In seinem Kopf arbeitete es. Dass er nicht darauf kam, welche Verbindung zwischen Addison und Morgan bestand, fuchste ihn. Es musste nichts heißen, dass Morgan am selben Tag wie Waters entlassen worden war, aber es konnte auch nicht schaden, die Sache einmal genauer unter die Lupe zu nehmen. Und da Morgan auf Bewährung draußen war, fiel er in Teds Zuständigkeit. »Würdest du mir einen Gefallen tun? Ich kann schlecht einen meiner Jungs damit beauftragen, wenn ich nicht wirklich etwas in der Hand habe. Kannst du morgen jemanden zu dem Übergangshaus schicken, in dem Morgan wohnt? Er ist auf Bewährung raus, du brauchst also keinen Durchsuchungsbefehl, um dir seine Sachen anzusehen. Ich möchte wissen, was er mit diesem Addison zu tun hat und ob er mit anderen ›interessanten‹ Leuten in Verbindung steht. Ich weiß nicht warum, aber dieser Typ zieht mich geradezu magisch an.«
»Jetzt sag mir nicht, du bist beim FBI schwul geworden«, scherzte Ted. »Direkt morgen früh werde ich selbst hinfahren. Falls ich etwas finde, gebe ich dir sofort Bescheid.« Mit etwas Glück würde er Morgan am Vormittag nicht antreffen und könnte in Ruhe dessen Sachen durchgehen.
»Ich danke dir«, sagte Rick, faltete den Computerausdruck mit den Informationen über Morgan zusammen und steckte ihn ein. Vielleicht würde dieser Ausdruck

noch nützlich werden, insbesondere dann, wenn Ted in dem Übergangshaus auf etwas stieß.
Aber alles, was Ted am nächsten Morgen dort vorfand, war Morgans Nachsendeadresse. Der Mann hinter dem Schreibtisch sagte ihm, Morgan sei ausgezogen. Anscheinend war sein Bewährungshelfer noch nicht dazu gekommen, die Adresse im Computer zu aktualisieren. Ted las die neue Adresse und erfasste, dass es sich um ein Hotel im Bezirk Tenderloin handelte.
Als er dort wenig später ankam, verkündete ihm der Mann an der Rezeption, Morgan sei nicht da. Ted zeigte ihm seine Dienstmarke und verlangte den Schlüssel zu Morgans Zimmer. Der Portier wollte wissen, ob sein Gast in Schwierigkeiten stecke, aber Ted versicherte, es sei eine reine Routineüberprüfung. Damit gab sich der Mann zufrieden. Er zuckte mit den Schultern und reichte Ted den Schlüssel. Morgan war nicht der erste Häftling auf Bewährung, der in diesem Hotel abstieg.
Morgans Zimmer war sauber und aufgeräumt. Die Sachen im Kleiderschrank sahen neu aus, die Papiere auf dem Schreibtisch waren zu einem ordentlichen Stapel zusammengelegt. Ted entdeckte nichts Ungewöhnliches. Morgan besaß weder Waffen noch Drogen, er rauchte nicht einmal. Auf dem Schreibtisch lag ein dickes Adressbuch, das mit einem Gummiband zusammengehalten wurde. Ted blätterte es durch und entdeckte unter dem Buchstaben A den Namen Addison und eine Telefonnummer. Als er den Schreibtisch durchsuchte, fiel sein Blick auf etwas, das ihn schlagartig innehalten ließ. In der Schreibtischschublade lagen zwei Notizzettel. Auf dem einen stand Carlton Waters' Nummer in Modesto und auf

dem anderen – Fernandas Adresse! Ted lief es eiskalt den Rücken hinunter. Kein Name und keine Telefonnummer, nur die Adresse. Ted hatte sie sofort erkannt. Er machte die Schreibtischschublade zu, legte das Adressbuch wieder genauso hin, wie er es vorgefunden hatte, schaute sich noch einmal prüfend um und verließ das Zimmer. Sobald er wieder im Auto saß, rief er Rick an.
»Irgendetwas braut sich da zusammen.« Was zum Teufel machte ein Typ wie Morgan mit Fernandas Adresse? Welche Verbindung gab es zwischen ihm und Waters? Was hatten Addison und Morgan miteinander zu tun? Und warum hatte Addison eine zentnerschwere Akte über Allan Barnes angelegt? Zu viele Fragen, auf die es keine Antwort gab. Und zwei verurteilte Verbrecher, die beide am selben Tag entlassen worden waren. Ein paar Zufälle zu viel für Teds Geschmack. Da war etwas in Teds Stimme, das Rick schon seit Jahren nicht mehr bei ihm gehört hatte. Ted hatte Angst, und er konnte nicht sagen, warum.
»Ich war gerade in Morgans Zimmer«, informierte er Rick. »Er wohnt nicht mehr in dem Übergangshaus, sondern in einem Hotel in Tenderloin. Sein Kleiderschrank ist voller neuer Klamotten. Ich werde mich bei seinem Bewährungshelfer erkundigen, ob Morgan einen Job gefunden hat.«
»Was denkst du, woher kennt er Addison?« Diese Frage beschäftigte Rick am meisten. Er kam gerade von der Anhörung wegen Addisons Kaution. Der war ziemlich glimpflich davongekommen: Die Kaution war auf zweihundertfünfzigtausend Dollar festgesetzt worden, ein Klacks für Addison. Der Richter erlaubte ihm sogar, in zwei Tagen nach Europa zu reisen. Die Ermittlungen ge-

gen ihn liefen zwar noch, aber sein Anwalt betonte, dass dies auch in Addisons Abwesenheit geschehen könne, es sei Sache des FBI und nicht die seines Klienten. Der Richter stimmte zu und sah auch keine Fluchtgefahr, schließlich leitete Addison ein Firmenimperium. Rick musste tatenlos zusehen, wie Addison mit seinem Anwalt davonfuhr. Was Ted in Morgans Zimmer entdeckt hatte, fand er überaus interessant.

»Vielleicht sind sie tatsächlich alte Freunde. Der Name Addison steht schon länger in Morgans Adressbuch, das konnte man an der Tinte sehen«, kombinierte Ted. Aber warum hatte dieser Mann Fernandas Adresse?

»Was läuft da?« Rick sprach genau das aus, was Ted gerade durch den Kopf ging.

»Das frage ich mich auch. Das Ganze gefällt mir nicht, ohne dass ich sagen könnte, warum. Die Sache stinkt, ich rieche es förmlich.« Ihm kam eine Idee. »Könnte ich vorbeikommen und mir diese Akte über Barnes ansehen, die Addison angelegt hat?« Vielleicht stieß er dabei auf etwas.

»Und du könntest mir noch einen Gefallen tun«, sagte Ted, während er den Schlüssel ins Zündschloss steckte. Er würde auf kürzestem Weg zu Rick ins Büro fahren. Er wusste nicht, welche Rolle Fernanda in dieser Sache spielte, aber eine innere Stimme sagte ihm, dass sie der zentrale Punkt war.

»Was für einen Gefallen?«, hakte Rick nach. Er hatte den Eindruck, als wäre Ted mit seinen Gedanken schon ganz woanders.

Tatsächlich versuchte Ted, das Puzzle zusammenzusetzen, aber bisher hatte es noch nicht Klick gemacht. Morgan. Waters. Addison. Fernanda. Die Autobombe. Einzelteile, von denen er nicht wusste, wie sie zusammenhingen. Noch nicht. »Überprüf doch mal Addisons Finanzen. Grab so tief, wie du nur kannst. Bin gespannt, was du dabei zutage förderst.« Ted startete den Wagen. Er wusste, dass Rick das früher oder später ohnehin tun würde, aber Ted wollte diese Information sofort.

»Wir sind bereits dabei. Er hat irgendeine schmutzige Geschichte in Nevada laufen, es geht um Steuerhinterziehung.« Die Steueroase Nevada war für Typen wie Addison eine Topadresse. »Bisher sind wir auf nichts gestoßen, wofür wir ihn hinter Gitter bringen können. Mehr als eine gepfefferte Geldstrafe wird er nicht kriegen. Er hat verdammt gute Anwälte«, sagte Rick, und er klang enttäuscht. »Aber wir suchen weiter.«

»Ich meine, richtig tief graben, das Unterste zuoberst kehren. Nimm notfalls sein Büro auseinander.«

»Im Ernst?« Rick fragte sich, wonach Ted eigentlich suchte.

Aber das wusste Ted ja selbst noch nicht einmal. Lediglich sein Gefühl sagte ihm, dass mehr hinter der Sache steckte. »Natürlich nicht. Du sollst ihn wirklich gründlich überprüfen. Ich möchte wissen, ob er in finanziellen Schwierigkeiten steckt. Nimm dir jede Kleinigkeit vor. Ich will alles, was du kriegen kannst, so schnell wie möglich.« Ermittlungen des FBI konnten sich ziemlich hinziehen, wenn es um Geld ging und kein Menschenleben auf dem Spiel stand. Aber vielleicht war ja genau Letzteres der Fall. »Setz alle Hebel in Bewegung, ich bin in zehn Minuten da«, drängte Ted, während er zügig in Richtung Stadtzentrum fuhr.

»Ein bisschen Zeit brauche ich schon.«

»Wie viel?« Ted klang sehr besorgt.
»Ein paar Stunden, vielleicht ein, zwei Tage. Ich versuche, heute noch so viel wie möglich rauszubekommen.« Seine Leute sollten den Zentralcomputer in Washington und ihre Informanten anzapfen, aber das dauerte.
»Mann, ihr Jungs seid vielleicht lahm! Tu, was du kannst. Bis nachher.«
»Lass mich jetzt endlich loslegen. Während wir Addisons Finanzen unter die Lupe nehmen, kannst du dir den Barnes-Ordner ansehen. Bis gleich.« Rick legte auf.
Als Ted Ricks Büro betrat, lag der Ordner über Allan Barnes auf dem Schreibtisch, und drei Special Agents waren damit beschäftigt, am Computer zu recherchieren, Informanten anzurufen und alle Quellen anzuzapfen, die ihnen zur Verfügung standen. Das hätte sowieso auf dem Programm gestanden, wurde jetzt aber massiv beschleunigt. Drei Stunden später – Rick und Ted aßen gerade ein Sandwich – hatte sich die Aktion bereits bezahlt gemacht. Die Special Agents kamen in Ricks Büro und legten einen Stapel Ausdrucke auf den Tisch.
»Was habt ihr herausgefunden?« Rick schaute seine drei Kollegen fragend an.
Ted hatte die Barnes-Akte durchgesehen, war aber auf nichts gestoßen, was ihn weitergebracht hätte.
»Addison steht mit dreißig Millionen in der Kreide. Das Schiff sinkt«, berichtete einer der Special Agents. Einer ihrer zuverlässigsten Informanten hatte sich als wahre Goldgrube erwiesen.
»Zum Teufel!«, rief Rick und blickte Ted an. »Das ist eine Menge Holz.«
»Seine Holdinggesellschaft ist ziemlich in Bedrängnis ge-

raten«, fuhr der Special Agent fort. »Bisher hat er es geschafft, die Sache nicht publik werden zu lassen, aber das wird nicht mehr lange gut gehen. Mit diesem Drahtseilakt könnte er im Zirkus auftreten. Wir vermuten, er hat für seine südamerikanischen Geschäftspartner Geld investiert, und das ging schief. Um es zu vertuschen, hat er Geld aus seinen anderen Firmen gezogen, und jetzt ist er bis zum Hals verschuldet. Er braucht eine satte Finanzspritze, aber die gibt ihm keiner. Ein anderer Informant sagte uns, dass Addison schon seit Jahren Geld wäscht. Deshalb auch das Konto in Nevada, aber wir wissen noch nichts Genaues. Wenn du in Erfahrung bringen wolltest, ob er in Schwierigkeiten steckt, so lautet die Antwort ja, und zwar ziemlich tief. Wenn du rauskriegen willst, für wen und wie viel Geld er investiert hat, brauchen wir mehr Zeit. Und mehr Leute. Das ist erst einmal die Schnellauswertung. Wir müssen noch eine ganze Menge überprüfen, aber es sieht ziemlich düster für ihn aus.«

»Ich denke, wir haben erst einmal, was wir brauchen«, entgegnete Rick und dankte den dreien für die rasche und gute Arbeit. Sobald sie wieder allein waren, wandte er sich an Ted. »Und? Was denkst du?« Er konnte förmlich sehen, wie es in Teds Kopf arbeitete.

»Ich denke, wir haben einen Typen, der bankrott ist. Eine Frau, der ihr Mann fünfhundert Millionen Dollar hinterlassen haben soll, und zwei Exsträflinge, die seit sechs Wochen wieder draußen sind und sich über Wasser halten müssen. Auf irgendeine Weise gibt es eine Verbindung zwischen ihnen und Addison. Weißt du, was ich glaube? Dass Addison es auf die Barnes-Familie abgesehen hat, deshalb auch der Ordner. Wenn ich meiner Fantasie einfach mal freien Lauf lasse, dann tippe ich, dass Addison Morgan als Mittelsmann benutzt hat, um an Waters heranzukommen. Vielleicht machen sie jetzt gemeinsame Sache, vielleicht auch nicht. Ich glaube, während Waters Mrs Barnes ausspionierte, hat er die Autobombe für Richter McIntyre angebracht. Wahrscheinlich war er es doch, das wären mir sonst zu viele Zufälle. Pech für uns, dass ihn der Barnes-Junge auf dem Foto nicht erkannt hat. Ich glaube, Dreh- und Angelpunkt bei der ganzen Sache ist Fernanda Barnes. Ich weiß, das klingt verrückt, und ich kann nichts davon beweisen, aber mein Gefühl sagt mir, dass ich richtig liege.«

Im Laufe der Jahre hatten sie gelernt, dem Instinkt des Partners zu vertrauen, und genau das tat Rick jetzt. Alles, was Ted gesagt hatte, ergab in Ricks Augen einen Sinn. Aber zwischen einer Vermutung und stichhaltigen Beweisen lag eine Menge Arbeit. Die Ermittlung brauchte seine Zeit, und manchmal kostete genau diese Zeit Menschenleben. Wenn Ted Recht hatte, bestand auch in dem Fall dieses Risiko. Bisher hatten sie keinen konkreten Anhaltspunkt, und deshalb war es schwer, das vermeintliche Opfer zu schützen.

»Was haben diese Gangster vor?«, fragte Rick. Sie waren schon zu lange Polizisten, um einen derartigen Verdacht auf die leichte Schulter zu nehmen. »Irgendeine Art von Betrug?«

Ted schüttelte den Kopf. »Nicht wenn ein Typ wie Waters mit von der Partie ist. Wir reden nicht von Wirtschaftskriminalität. Ich denke eher, Mrs Barnes und die Kinder bieten sich förmlich an für eine Entführung. Addison braucht möglichst schnell dreißig Millionen Dollar. Und sie soll um die fünfhundert Millionen schwer sein. Es gefällt mir nicht, wie gut diese beiden Dinge zusammenpassen, und auch nicht, dass Waters im Spiel ist.«

Rick gefiel das genauso wenig. Ihm kam noch etwas anderes in den Sinn. »Addison will unbedingt in zwei Tagen nach Europa. Warum zur Hölle, wenn er pleite ist?«

»Seine Frau ahnt wahrscheinlich nichts von der finanziellen Misere. Außerdem würde er die Entführung ohnehin nicht selbst durchziehen. Und außer Landes zu sein, verschafft ihm ein wasserdichtes Alibi. Zumindest meint er das, darauf wette ich. Wenn meine Vermutungen zutreffen, dann lautet die Frage: Wer wird es tun und wann?«

»Wirst du Morgan aufs Revier zitieren und ihn verhören? Oder Waters?«

Ted schüttelte den Kopf. »Dann wüssten sie, dass wir ihnen auf der Spur sind. Ich will abwarten, was ihr nächster Schritt ist. Aber Fernanda Barnes sollten wir in jedem Fall warnen.«

»Bekommst du Leute zu ihrem Schutz bewilligt?«

»Vielleicht. Ich werde noch heute Abend mit dem Captain sprechen. Aber vorher will ich zu ihr fahren. Vielleicht hat sie etwas gesehen oder weiß etwas, ohne sich dessen bewusst zu sein.« Möglich, dass der Captain ihn für verrückt hielt, aber bisher hatte es sich für ihn immer gelohnt, auf Teds Gespür zu setzen.

Rick hätte ihm auch gern einige seiner Jungs zur Unterstützung angeboten, aber noch hatte er nicht genügend Beweise, um dies rechtfertigen zu können. Vorerst war diese Sache ausschließlich ein Fall für die Polizei von San Francisco, und Rick ging nicht davon aus, dass der Bundesstaatsanwalt bereit wäre, Leute zum Schutz der

Barnes-Familie abzustellen. Trotzdem würde Rick ihn anrufen, allein um die Behörden auf dem Laufenden zu halten.
Ted stand auf, und man konnte ihm ansehen, wie beunruhigt er war. Er hasste Fälle wie diesen. Jemand war in Gefahr, und es lag an ihnen, ein Verbrechen zu verhindern. Aber noch wusste er nicht wie. Er wollte gerade aufbrechen, da sah er Rick plötzlich fragend an. »Willst du nicht mitkommen und dir selbst ein Bild machen? Ich könnte deine Kombinationsgabe gut gebrauchen.«
Rick nickte, und gemeinsam mit Ted verließ er das Büro. Zwei aufreibende Tage lagen hinter ihm, angefangen mit der Verhaftung Addisons, einem Namen auf einem Zettel und einer dicken Akte. Zunächst hatte nichts davon einen Sinn ergeben, aber langsam kamen die Dinge in Bewegung. Rick und Ted waren lange genug dabei, um zu wissen, dass sie sich in die Lage der Verbrecher hineinversetzen mussten, um ihnen einen Schritt voraus zu sein. Ted hoffte, dass es ihnen auch in diesem Fall gelänge.
Sobald sie im Auto saßen, rief Ted über Handy bei Fernanda an. Rick hatte im Büro Bescheid gesagt, dass er für ein paar Stunden unterwegs sei. Wieder mit Ted zusammenzuarbeiten, machte ihm richtig Spaß. Aber das konnte er Ted nicht sagen, der hatte im Moment bestimmt keinen Sinn für solche Gespräche.
Als sich Fernanda meldete, war sie ein wenig außer Atem. Sie sagte, sie packe gerade die Tasche ihres Sohnes, der ins Sportcamp fahren wolle.
»Geht es noch einmal um die Autobombe?«, fragte sie.
Offenbar war sie sehr eingespannt. Ted konnte laute Musik im Hintergrund hören. Er wollte Fernanda nicht un-

nötig beunruhigen, aber er musste sie vorsichtshalber warnen. »Nicht direkt«, erwiderte Ted ausweichend. »Es hat damit zu tun, aber eigentlich geht es um etwas anderes. Ich würde gern noch einmal vorbeikommen.«

Fernanda sagte, sie erwarte ihn.

Ted parkte kurz darauf in der Auffahrt. Während er zur Haustür ging, schaute er sich unauffällig um. Er fragte sich, ob das Haus vielleicht beobachtet wurde. Womöglich waren Morgan oder Waters irgendwo hier draußen. Deshalb hatte sich Ted auch dafür entschieden, das Haus ganz offensichtlich durch die Vordertür zu betreten. Peter Morgan würde ihn nicht als Polizisten erkennen, und falls sich Waters hier herumtrieb, könnte die offenkundige Anwesenheit der Polizei ein wirkungsvolles Abschreckungsmittel sein. Das FBI hielt sich oft im Verborgenen, und Ted schätzte das ganz und gar nicht, er vertrat die Meinung, dass die Opfer dadurch zu lebendigen Ködern wurden.

Peter Morgan sah die beiden tatsächlich hineingehen. Einen Moment lang dachte er, es seien Cops, verwarf die Idee aber sofort wieder. Warum sollte die Polizei bei Fernanda auftauchen? Wahrscheinlich kriegte er so langsam Wahnvorstellungen, weil Tag X näher rückte. Er wusste, dass Addison wegen irgendwelcher Steuergeschichten verhaftet worden war. Der hatte ihm versichert, dass er nicht im Geringsten beunruhigt sei, er würde wie vorgesehen in zwei Tagen nach Europa reisen, und alles liefe weiter nach Plan. Es gab also keinen Grund zur Sorge. Wer auch immer diese beiden Männer waren, die Fernanda besuchten, sie schien sie gut zu kennen. Sie hatte den Asiaten, der an der Tür geklingelt hatte, mit einem freudigen Lächeln begrüßt. Vielleicht waren es Börsenmakler oder Anwälte, die sich um ihr Vermögen kümmerten. Peter fand es überflüssig, Addison darüber zu informieren. Außerdem hatte dieser ihn angewiesen, in nächster Zeit nur dann anzurufen, wenn es ein Problem gebe, und das war in Peters Augen nicht der Fall.

12. Kapitel

Fernanda öffnete die Tür, lächelte die beiden Männer freundlich an und ließ sie eintreten. Ted war dieses Mal in Begleitung eines anderen Mannes, und ihr fiel auf, wie vertraut und ungezwungen die beiden miteinander umgingen. Allerdings sah Ted besorgt aus. Fernanda führte die beiden Männer ins Wohnzimmer.

Oben hörte jemand so laut Musik, dass der Kronleuchter vibrierte.

»Sind die Kinder zu Hause?«, wollte Ted wissen.

Sie lachte. »Mein Musikgeschmack ist das nicht.« Sie bot ihren Gästen etwas zu trinken an, beide lehnten jedoch dankend ab. Der unbekannte Mann strahlte eine gewisse Autorität aus, und sie überlegte, ob er vielleicht Teds Vorgesetzter war.

Ted bemerkte ihren Blick und stellte ihr Rick als Special Agent beim FBI und alten Freund vor. Fernanda wunderte sich, dass das FBI plötzlich ins Spiel kam, und als sich Ted noch einmal erkundigte, ob alle Kinder zu Hause seien, nickte sie irritiert.

»Will fährt morgen ins Sportcamp, vorausgesetzt, er packt seine Tasche bis dahin nicht wieder aus.« Es kam ihr vor, als würde sie die Olympiamannschaft betreuen. Kaum zu glauben, dass diese Berge an Ausrüstung nur für einen einzigen Spieler sein sollten. »Ashley fährt übermorgen nach Tahoe, und Sam und ich werden ein paar

Wochen allein sein.« Noch immer wusste sie nicht, was dieser Besuch zu bedeuten hatte, und sie sah die beiden Männer fragend an.

»Mrs Barnes, ich wollte mit Ihnen reden, weil ich mir Sorgen mache«, begann Ted vorsichtig. »Bisher ist es lediglich ein Verdacht, aber meine langjährige Erfahrung sagt mir, dass wir ihn nicht auf die leichte Schulter nehmen sollten.«

»Das klingt sehr ernst«, sagte Fernanda stirnrunzelnd und schaute von einem zum anderen.

»Ich fürchte, das ist es auch. Polizeiarbeit ist wie das Zusammensetzen eines Puzzles, bei dem man achthundert Teile mit Himmel hat und zweihundert mit blauem Meer. Lange Zeit kann man gar nichts erkennen, und dann bekommt man Schritt für Schritt ein kleines Stück Himmel hin, dann ein Fleckchen Meer, und auf einmal passt immer mehr zusammen, und man erkennt das ganze Bild. Bisher haben wir nicht mehr als ein Stück Himmel, ein ziemlich kleines sogar, aber was ich darauf erkenne, gefällt mir ganz und gar nicht.«

Fernanda fragte sich, was er ihr damit sagen wollte und ob sie oder eines der Kinder etwas verbrochen hatten, ohne dass es ihnen bewusst war. Ted machte einen solch ernsten und bekümmerten Eindruck, dass ihr langsam unbehaglich wurde. Ihr entging auch nicht, dass Rick sie aufmerksam beobachtete. »Haben wir etwas angestellt?«, fragte sie geradeheraus und blickte Ted in die Augen.

Er schüttelte den Kopf. »Nein. Aber ich befürchte, jemand könnte Ihnen etwas antun. Deshalb sind wir hier.« Er machte eine kurze Pause.

»Warum sollte uns jemand etwas antun wollen?«, gab sie verwundert zurück.
Ted wurde klar, wie fremd Fernanda die Welt des Verbrechens war, während sie für ihn zum Alltag gehörte. »Ihr Mann ist ein sehr erfolgreicher Geschäftsmann gewesen und hat eine Menge Geld verdient. Leider gibt es skrupellose Verbrecher, die davon angezogen werden. Diese Typen sind gefährlicher, als Sie sich vorstellen können. Es könnte sein, dass jemand es auf Sie abgesehen hat und Sie bereits beobachtet. Wie gesagt, bisher ist es kaum mehr als ein Gefühl, aber so langsam beginnen sich die Puzzlestücke ineinander zu fügen. Ich möchte Ihnen gern erzählen, was mir durch den Kopf geht, und dann schauen wir weiter.«
Rick hatte schon immer bewundert, wie einfühlsam Ted vorging. Er war offen und ehrlich, ohne Mrs Barnes unnötig zu ängstigen. Ted würde ihr nichts verheimlichen, das war nicht seine Art. Er fand es wichtig, potenzielle Opfer über eine Gefahr aufzuklären, und setzte dann alles daran, sie zu schützen.
»Ich bekomme eine Gänsehaut«, bemerkte Fernanda und versuchte, an Teds Augen abzulesen, wie ernst die Lage tatsächlich war. Was sie sah, behagte ihr ganz und gar nicht.
»Das tut mir Leid«, erwiderte Ted mit sanfter Stimme. Er hätte Fernanda am liebsten in den Arm genommen, um sie zu beruhigen. »Special Agent Holmquist hat gestern einen Mann verhaftet.« Er warf einen kurzen Blick auf Rick, der zustimmend nickte. Ted fuhr fort: »Er steht an der Spitze eines weit verzweigten Unternehmens. Dem Anschein nach ist er sehr erfolgreich. Er wurde wegen steuerlicher Unregelmäßigkeiten und des Verdachts der

Geldwäsche verhaftet. Nach außen ist er ein biederer Geschäftsmann und Familienvater.« Fernanda hörte aufmerksam zu. »Wir haben heute Morgen einige Informationen eingeholt und erfahren, dass dieser Mann in Wahrheit Schulden in Höhe von dreißig Millionen Dollar hat. Er hat Geld bei Investitionen verloren, und dieses Geld gehörte nicht einmal ihm, sondern Leuten, für die Gesetze keine Bedeutung haben. Noch wissen sie es nicht, aber sobald sie davon erfahren – und das kann nicht mehr lange dauern –, wird dieser Mann ziemliche Probleme bekommen.«

»Sitzt er im Gefängnis?« Sie hatte noch im Kopf, dass Ted erwähnt hatte, der Mann sei am Tag zuvor verhaftet worden.

»Nein, er wurde auf Kaution entlassen. Es wird wahrscheinlich sehr lange dauern, bis wir ihn vor Gericht stellen können. Er hat gute Anwälte, einflussreiche Beziehungen und ist sehr clever. Dennoch steckt er in großen Schwierigkeiten. Er braucht Geld, und zwar schnell, sonst ist nicht nur sein Unternehmen, sondern wahrscheinlich auch sein Leben in Gefahr. In so einer Situation kommen die Leute auf verrückte Ideen.«

»Was hat die ganze Sache mit uns zu tun?« Fernanda konnte sich auf all das keinen Reim machen.

»Das weiß ich noch nicht. Der Mann heißt Phillip Addison. Sagt Ihnen der Name etwas?« Fernanda schüttelte zögernd den Kopf, und Ted schloss aus ihrer Miene, dass sie scharf überlegte.

»Ich glaube, ich habe den Namen schon einmal in der Zeitung gelesen, aber begegnet ist mir dieser Mann noch nie. Möglich, dass Allan ihn kannte.«

Ted nickte nachdenklich. »Wir haben in seinem Schreibtisch eine Akte gefunden. Eine ziemlich dicke Akte, die prall gefüllt war mit Zeitungsausschnitten über Ihren Mann. Addison scheint von Ihrem Mann und seinem Erfolg geradezu besessen zu sein und hat jeden seiner Schritte verfolgt. Vielleicht bewunderte er ihn.«
»Ich glaube, eine Menge Leute haben das getan«, erklärte Fernanda und lächelte wehmütig. »Allan verkörperte für viele die Verwirklichung des amerikanischen Traums. Die meisten dachten, er hätte einfach nur Glück gehabt. Das hatte er auch, aber wichtiger war seine Kompetenz. Allan hatte eine Art sechsten Sinn für lohnende Investitionen. Er hat immer viel riskiert«, sagte sie traurig. »Aber die Leute sehen nur die Erfolge.«
»Wir wissen nicht, warum Addison diesen Ordner angelegt hat, und zwar über Jahre. Vielleicht steckt nichts Böses dahinter, aber diese Sammlung ist Besorgnis erregend vollständig. Addison besitzt nicht nur Fotos von Ihrem Mann, sondern auch von Ihnen und den Kindern.«
»Sind Sie deshalb beunruhigt?«
»Auch. Es ist ein Teil unseres Puzzles. Vielleicht sind es sogar zwei Teile. In Addisons Schreibtisch entdeckte Special Agent Holmquist außerdem einen Zettel mit einem Namen. Wir haben den Burschen überprüft. Er heißt Peter Morgan und ist ein Exsträfling, der erst vor wenigen Wochen entlassen wurde. Ein ganz untypischer Kleinkrimineller. Morgan ist Harvardabsolvent und hat einen MBA. Irgendwann fing er an, Drogen zu nehmen, und geriet schnell auf die schiefe Bahn. Er hat gut vier Jahre wegen Drogenhandels gesessen. Ihn hat man erwischt, die großen Fische gingen durch die Maschen. Noch vor we-

nigen Wochen hatte Morgan keinen Penny, und jetzt scheint er plötzlich zu Geld gekommen zu sein. Morgan wurde am selben Tag entlassen wie ein Bursche namens Carlton Waters. Ich weiß nicht, ob Sie sich an den Namen erinnern? Er hat vierundzwanzig Jahre wegen Mordes im Gefängnis gesessen. Wir fanden seine Telefonnummer in Morgans Hotelzimmer. Es gibt eine Verbindung zwischen den beiden.«

»War das nicht der Mann, dessen Foto Sie uns nach dem Bombenattentat gezeigt haben?« Der Name kam Fernanda vage bekannt vor.

Ted nickte. »Genau der. Es muss nicht unbedingt etwas bedeuten, aber es ist auffällig, dass Sie nur wenige Häuser von der Stelle entfernt wohnen, wo dieser Kerl möglicherweise eine Bombe gelegt hat. Ich kann es nicht beweisen, aber der Verdacht besteht. Ist Ihnen in letzter Zeit jemand aufgefallen, irgendwer, der mehr als einmal hier auftauchte? Fühlen Sie sich beobachtet? Folgt Ihnen jemand?« Sie schüttelte den Kopf, und Ted nahm sich vor, ihr Morgans Foto zu zeigen. »Auf einem Zettel in Morgans Hotelzimmer stand Ihre Adresse. Unterm Strich haben wir einen gefährlichen Mörder, einen Mann, der schnell viel Geld braucht und Informationen über Ihren Mann sammelt, und einen Kleinkriminellen, der vielleicht die Verbindung zwischen den beiden herstellt.«

Während sich Ted reden hörte, kam sein Verdacht ihm selbst sehr weit hergeholt vor. Trotzdem war er fest davon überzeugt, dass diese Verbrecher etwas planten, und er wollte, dass Fernanda begriff, wie ernst die Sache war. »Für mich ist entscheidend, dass Addison so schnell wie

möglich dreißig Millionen Dollar auftreiben muss. Und ich fürchte, das hat ihn auf eine Idee gebracht.«
»Warum sollte er es auf mich abgesehen haben, wenn er Geld braucht?«, fragte Fernanda überrascht.
Rick musste lächeln. Sie war nicht nur äußerst hübsch, sondern auch sehr sympathisch und offenherzig. Er mochte sie auf Anhieb. Und er sah auf den ersten Blick, dass es zwischen ihr und Ted gehörig knisterte.
»Sie sind das perfekte Opfer. Eine trauernde Witwe, der ihr Mann viel Geld hinterlassen hat. Für diese skrupellosen Verbrecher sind Sie eine Schatztruhe, mit der sie ihre Probleme lösen können. Sie gehen davon aus, dass dreißig oder sogar fünfzig Millionen für Sie kein großer Betrag sind. Solche Typen neigen dazu, Opfer ihrer eigenen Fantasie zu werden. Während sie im Gefängnis sitzen, träumen sie von dem großen Coup und denken sich die wildesten Geschichten aus. Wir wissen außerdem nicht, was Addison ihnen erzählt hat. Diese Männer denken nicht wie Sie und ich. Um zu bekommen, was sie wollen, schrecken sie auch vor Gewalt nicht zurück. Vielleicht kann Addison diese Kerle selbst nicht richtig einschätzen. Er bringt einen Ball ins Rollen, verliert die Kontrolle, und am Ende werden Menschen verletzt, oder es passiert sogar Schlimmeres. Wir haben für all das noch keine Beweise, aber ich sage Ihnen, irgendetwas ist im Anzug.«
»Sie denken, dass meine Kinder und ich in Gefahr sind?« Das Ganze war ihr so unvorstellbar, dass sie es erst einmal verdauen musste.
»Ja, das tue ich«, antwortete Ted rundheraus. »Ich glaube, dass diese Ganoven Sie im Visier haben. Sie verfügen über eine Menge Geld.«

Jetzt hatte Fernanda verstanden. Sie sah Ted an und sagte laut und deutlich: »Da ist nichts.«
»Was meinen Sie? Nichts, was auf eine Gefahr hinweist?«
Ted war enttäuscht. Offenbar glaubte sie ihm nicht und hielt ihn für übergeschnappt.
»Kein Geld«, sagte sie kurz und bündig.
»Ich verstehe nicht. Was meinen Sie mit ›kein Geld‹?«
»Ich habe kein Geld. Um das Andenken meines Mannes nicht in den Schmutz zu ziehen, haben wir es bisher geheim gehalten, auf Dauer wird uns das jedoch nicht gelingen. Allan hat nicht nur alles verloren, was er besaß, sondern außerdem ein paar hundert Millionen Dollar Schulden gemacht. Wir werden nie herausfinden, ob er sich in Mexiko das Leben genommen oder diesen Unfall zumindest provoziert hat, weil er es nicht ertragen konnte, gescheitert zu sein. Seit seinem Tod habe ich so viel wie möglich verkauft, das Flugzeug, das Boot, Immobilien, meinen Schmuck, Gemälde. Dieses Haus wird im August zum Verkauf angeboten. Wir besitzen nichts mehr. Auf meinem Konto ist nicht einmal mehr genug Geld, um bis zum Ende des Jahres über die Runden zu kommen. Vielleicht muss ich sogar die Kinder von der Schule nehmen.«
Während sie Ted alles erzählte, war sie vollkommen ruhig. Sie hatte jetzt schon so lange mit all den Sorgen, der Trauer und Angst gelebt, dass sie mittlerweile daran gewöhnt war.
Ted sah sie verblüfft an. »Habe ich Sie richtig verstanden? Es gibt überhaupt kein Vermögen? Keine Anlagen, nicht einmal ein paar Millionen als Notgroschen auf einem Schweizer Nummernkonto?«
Fernanda erinnerte sich an ihr eigenes Entsetzen, als sie

die ganze Tragödie erfasst hatte. »Wir können uns nicht einmal neue Schuhe leisten. Ab November weiß ich nicht mehr, wovon ich die Lebensmittel bezahlen soll. Ich werde mir auf jeden Fall einen Job suchen. Im Moment ist es eine Vollzeitbeschäftigung, alles zu veräußern, sich um die Steuern zu kümmern und sich einen Überblick über die Schulden zu verschaffen. Glauben Sie mir, Detective Lee, wir sind arm wie die Kirchenmäuse. Uns ist nur dieses Haus geblieben, und wenn es mir gelingt, es mit dem kompletten Inventar für einen sehr guten Preis zu verkaufen, dann reicht es vielleicht gerade, um die persönlichen Schulden meines Mannes zu bezahlen. Was seine Geschäftsschulden angeht, so werden seine Anwälte Konkurs anmelden, damit ich dafür nicht auch noch geradestehen muss. Wenn Mr Addison glaubt, er könne dreißig Millionen Dollar aus mir herauspressen, muss ich ihn leider enttäuschen. Vielleicht sollte man ihm das einmal mitteilen.«

Knapp und sachlich hatte sie ihnen die Geschichte erzählt. »Falls jemand mich oder die Kinder entführt, wird er nicht einmal zehn Cent kriegen«, lautete Fernandas trockenes Fazit. »Wir haben nichts, und es gibt auch keine reichen Verwandten, die für uns zahlen würden.« Sie beschönigte nichts und suchte auch nicht nach Rechtfertigungen für die waghalsigen Transaktionen ihres Mannes. Ted fühlte sich sehr angezogen von der Würde und Aufrichtigkeit, mit der sie ihre Misere eingestand. »Ich schätze, wir haben uns keinen Gefallen damit getan, unsere Situation geheim zu halten. Aber ich dachte, ich sei es Allan schuldig. Er hat in seinem Abschiedsbrief geschrieben, wie verzweifelt er sei und dass er sich schäme. Ich wollte das Bild des erfolgreichen Geschäftsmannes so lange wie möglich aufrechterhalten. Irgendwann muss es natürlich ans Licht kommen, ich denke, sogar schon bald. Er hat alles verloren, bei riskanten Investitionen und Geschäften, die sich als Flop erwiesen. Ich weiß nicht, was genau passiert ist, ob er den Überblick verloren und die Warnsignale übersehen hat oder ob ihm alles zu sehr zu Kopf gestiegen ist und er sich für unbesiegbar hielt. Auf jeden Fall war er das nicht. Niemand ist das. Auch Allan hat Fehler gemacht.«

Das war eine höfliche Umschreibung der Tatsache, dass er Frau und Kinder mit nichts als ein paar hundert Millionen Dollar Schulden zurückgelassen hatte. Ted brauchte einen Augenblick, um alles zu verarbeiten und sich darüber klar zu werden, welche Folgen das für Fernanda hatte, insbesondere falls es wirklich zu einer Entführung kam. Am meisten beunruhigte ihn, dass sie in weitaus größerer Gefahr schwebte, als er gedacht hatte. Alle Welt ging davon aus, dass sie reich war. Wenn jemand sie oder die Kinder kidnappte und dann erfuhr, dass es nichts zu holen gab, waren die Geiseln so gut wie tot.

Ted versuchte, sich nicht anmerken zu lassen, wie besorgt er war. »Existiert vielleicht eine Versicherung für den Fall einer Entführung?« Er wusste, dass es derartige Versicherungen gab und dass Leute wie Allan so etwas oft abschlossen. Man konnte sich sogar gegen Erpressung versichern.

»Nein. Alle Versicherungen, die wir hatten, sind gekündigt. Momentan sind wir nicht einmal krankenversichert. Unser Anwalt bemüht sich gerade, eine Versicherung zu finden, die uns aufnimmt. Allans Lebensversicherung wird wegen seines Abschiedsbriefs nicht ausgezahlt. Eine Versicherung gegen Entführung haben wir nie abgeschlossen. Allan hat wahrscheinlich nicht geglaubt, dass wir gefährdet seien.«

Hätte er doch bloß, dachte Ted, und Rick gingen ähnliche Gedanken durch den Kopf. Bei dem vielen Geld, das Allan Barnes verdient hatte, waren er, mehr noch aber Fernanda und die Kinder, großen Gefahren ausgesetzt. Dass ihm das anscheinend überhaupt nicht bewusst gewesen war, machte Ted richtig wütend. Er ließ es sich jedoch nicht anmerken.

»Mrs Barnes«, sagte Ted ganz ruhig, »ich fürchte, das war ein großer Irrtum. Diese Männer gehen davon aus, dass Sie das Geld haben. Jeder tut das. Je schneller die Fakten also ans Licht kommen, desto besser für Sie – obwohl ich vermute, dass die meisten Leute es nicht glauben werden. Aber das wird sich mit der Zeit hoffentlich ändern. Momentan sind Sie ein scheinbar lohnendes Opfer, das sich in Wahrheit nicht einmal freikaufen könnte. Diese drei, von denen ich Ihnen erzählt habe, sind ziemlich unangenehme Burschen, und irgendetwas brüten sie aus. Ich will Ihnen keine Angst einjagen, aber ich denke, Sie und die Kinder schweben in großer Gefahr.«

Fernanda saß ganz still da, schaute ihn lange an und versuchte, Haltung zu bewahren. Aber zum ersten Mal geriet ihre mühsam aufrechterhaltene Beherrschung ins Wanken, und ihre Augen füllten sich mit Tränen. »Was soll ich tun?«, flüsterte sie, während die Musik von oben noch immer dröhnte. »Wie kann ich meine Kinder schützen?«

Die beiden Männer fühlten sich unbehaglich, denn sie

konnten Fernanda nichts garantieren. Ted holte tief Luft. Er hatte zwar noch nicht mit dem Captain gesprochen, aber er setzte darauf, dass dieser seinem Instinkt vertrauen würde. »Das ist unsere Aufgabe. Ich würde gern für die nächsten ein oder zwei Wochen hier ein paar Männer zu Ihrer Bewachung postieren, so lange, bis wir herausgefunden haben, was diese Verbrecher im Schilde führen. Vielleicht erweist sich mein Verdacht auch als unbegründet, aber mein Gefühl sagt mir, dass Sie bereits beobachtet werden.« Rick nickte zustimmend. »Was meinst du?«, wandte sich Ted ihm zu. »Addison ist dein Fall. Kannst du für ein oder zwei Wochen jemanden abstellen?« Das FBI war an dem Fall dran, und Ted wusste, dass Rick befugt war, eine solche Entscheidung zu treffen.
Rick zögerte, dann nickte er. »Ich könnte einen, vielleicht auch zwei Männer entbehren. Länger wird es leider nicht gehen. Aber lass uns abwarten, was in der Zeit passiert.« Immerhin war Fernandas Mann eine bedeutende Persönlichkeit gewesen, was ihm als Argument für die Dringlichkeit des Falls dienen konnte. Und mit Addison hatten sie einen ziemlich dicken Fisch an der Angel, den sie vielleicht der Anstiftung zu einem Kapitalverbrechen überführen könnten.
»Ich möchte einfach auf Nummer sicher gehen«, erklärte Ted.
Fernanda nickte. Plötzlich hatte sich ihr Leben in einen noch schlimmeren Albtraum verwandelt, als es in den letzten Monaten ohnehin schon der Fall gewesen war. Allan war tot, und jetzt waren auch noch die Kinder in Gefahr. Nie zuvor hatte sie sich so schutzlos und allein gefühlt. Der Gedanke, einem ihrer Kinder könnte etwas zu-

stoßen, versetzte sie geradezu in Panik. Sie hatte die ganze Zeit lang um Fassung gerungen, aber jetzt liefen Tränen über ihre Wangen, und Ted schaute sie mitfühlend an.

»Kann Will trotzdem ins Camp fahren?«, fragte sie mit tränenerstickter Stimme.

»Wer weiß alles davon?«, hakte Ted nach.

»Nur seine Freunde und einer seiner Lehrer.«

»Hat etwas darüber in den Zeitungen gestanden?«

Fernanda schüttelte den Kopf. Für die Medien waren sie nicht mehr interessant. Allans schillernde Karriere war vorüber, und während der letzten fünf Monate hatte sie an keinem gesellschaftlichen Ereignis mehr teilgenommen. Fernanda war froh, dass die Zeitungen nicht mehr über ihre Familie berichteten. Sie hatte es nie gemocht, und jetzt würde es ihr noch weniger gefallen. Jack hatte sie bereits vorgewarnt, dass es eine Menge schlechter Presse geben würde, sobald Allans Finanzmisere publik wurde.

»Ich denke, er kann fahren«, beantwortete Ted ihre Frage. »Aber Sie sollten vorher mit ihm über die Sache sprechen, damit er vorsichtig ist. Auch die Leitung des Camps muss informiert werden. Falls dort irgendjemand nach Will fragen sollte, falls Fremde, angebliche Freunde oder Verwandte auftauchen, muss es heißen, er sei nicht da, und wir müssen sofort informiert werden.«

Sie nickte, nahm ein Taschentuch und schnäuzte sich. Sie trug ständig ein Taschentuch bei sich, weil sie immer wieder an Allan erinnert wurde und dann oft in Tränen ausbrach. Sie brauchte nur einen Schrank zu öffnen oder eine Schublade herauszuziehen, und schon fand sie etwas von ihm. Seine Golfschuhe. Sein Notizbuch. Oder eine Sportkappe. Oder einen Brief, den er ihr vor Jahren geschrieben hatte. Im gesamten Haus wimmelte es von Dingen, die sie zum Weinen brachten.

»Was ist mit Ihrer Tochter? Mit wem fährt sie nach Tahoe?«

»Mit einer Schulfreundin und deren Familie. Ich kenne die Eltern, sie sind sehr verantwortungsbewusst.«

»Gut. Sie soll ruhig mitfahren. Wir werden die örtliche Polizei anweisen, die Familie zu überwachen. Ein Mann wird draußen vor dem Haus im Auto postiert werden. Wahrscheinlich ist es ganz gut, Ihre Tochter von hier wegzubringen. Ein potenzielles Opfer weniger, um das wir uns Sorgen machen müssen.«

Bei diesen Worten zuckte Fernanda zusammen, und Ted blickte sie entschuldigend an. Für ihn war das Ganze jetzt ein Fall, und er hatte sein dienstliches Ziel vor Augen, nämlich ein Verbrechen zu verhindern. Rick ging es genauso, er sah die Möglichkeit, Addison dingfest zu machen. Für Fernanda aber ging es um ihre Kinder. Sie hatte mehr Angst als je zuvor in ihrem Leben. Ted brauchte sie nur anzuschauen, um das zu erkennen. In seinem Kopf lief jetzt alles auf Hochtouren. Er würde so schnell wie möglich zwei Männer zum Schutz von Fernanda und den Kindern hierher schicken.

»Was ist mit Ihnen und Sam? Haben Sie irgendwelche Pläne?«

»Sam besucht nur das Tagescamp.« Mehr konnte sie sich nicht leisten. Es war schon ein Kraftakt gewesen, Wills Sportcamp zu bezahlen, aber sie hatte es ihm nicht abschlagen wollen. Die Kinder merkten zwar, dass ihr Leben längst nicht mehr so luxuriös war wie zuvor, aber sie wollte erst mit ihnen reden, wenn das Haus zum Verkauf angeboten wurde. Von da an ließ sich die Fassade ohnehin nicht länger aufrechterhalten.

»Begeistert bin ich von der Idee nicht gerade«, sagte Ted besorgt. »Wann fahren die beiden anderen?«

»Will fährt morgen, Ashley übermorgen.«

»Sehr gut«, entfuhr es Ted. Ihm war daran gelegen, die Anzahl der möglichen Opfer zu reduzieren. Fragend blickte er Rick an. »Was meinst du, Männer in Zivil oder in Uniform?« Ted hatte den Satz noch nicht ganz ausgesprochen, da wusste er schon, was Rick antworten würde. Was diesen Punkt betraf, waren sie nie einer Meinung. Die Polizei bevorzugte deutlich erkennbaren Personenschutz, um etwaige Täter abzuschrecken. Das FBI lockte die Verbrecher gern in eine Falle. Aber in diesem Fall ging es darum, herauszufinden, was die Verdächtigen vorhatten, weshalb Ted ausnahmsweise mit Rick übereinstimmte.

»In Zivil natürlich«, entgegnete der nun prompt.

»Macht das einen Unterschied?«, wollte Fernanda wissen. Sie war ganz durcheinander.

»O ja«, erwiderte Ted ruhig. »Es kann einen großen Unterschied machen. Wenn wir Männer in Zivil einsetzen, werden die Verdächtigen vielleicht früher aktiv.«

»Man erkennt Ihre Kollegen also nicht als Polizisten?«

Ted nickte. »Ich möchte nicht, dass Sie oder die Kinder das Haus verlassen, bis unsere Männer hier sind. Hatten Sie für heute etwas geplant?«

»Wir wollten gerade los, um irgendwo eine Pizza zu essen. Aber wir können auch zu Hause bleiben.«

»Das wäre mir wirklich lieber«, sagte Ted sehr ernst. »Ich

rufe sie an, sobald ich mit dem Captain gesprochen habe. Mit ein bisschen Glück kann ich bis Mitternacht zwei Leute hierher beordern.«

»Werden die Männer hier schlafen?«, fragte Fernanda erschrocken.

Ted und Rick lächelten.

»Das wollen wir nicht hoffen. Sie sollen aufpassen und nicht schlafen, während womöglich jemand durchs Fenster einsteigt. Gibt es im Haus eine Alarmanlage?« Er ging eigentlich davon aus, fragte aber trotzdem nach. Als Fernanda nickte, fuhr er fort: »Schalten Sie die ein und lassen Sie sie an, bis unsere Männer da sind.« Dann wandte er sich an Rick. »Was ist mit dir?«

»Ich werde morgen früh zwei Männer hierher schicken.« Bis dahin genügte die Anwesenheit der Polizisten, außerdem musste Rick seine Leute erst von anderen Aufgaben abziehen und sie ersetzen, das brauchte seine Zeit. Fernanda tat ihm Leid. Situationen wie diese hatte er oft erlebt, sowohl bei der Polizei als auch beim FBI, und er wusste, wie sehr jene an den Nerven zerrten. Und leider kam es trotz aller Schutzmaßnahmen immer wieder zu Gewalt. »Es sind dann vier Männer zu Ihrem Schutz hier, das sollte Ihre Sicherheit gewährleisten. Und was die beiden älteren Kinder angeht, stimme ich Detective Lee zu. Es ist gut, sie aus der Gefahrenzone zu bringen.«

Fernanda nickte und stellte eine Frage, die ihr in der letzten halben Stunde immer wieder durch den Kopf geschossen war. »Wenn sie tatsächlich versuchen, uns zu entführen, wie werden sie das wohl anstellen?«

Ted seufzte. Er hasste es, darauf zu antworten. Eines war zumindest sicher: Da die Entführer auf Lösegeld aus waren, würden sie Fernanda nicht töten. »Sie werden Ihnen wahrscheinlich auflauern, wenn Sie unterwegs sind, Sie gewaltsam überwältigen und das Kind mitnehmen. Oder sie versuchen, ins Haus einzudringen, aber das werden sie wohl kaum wagen, wenn ich vier Männer hier postiere.« Und falls doch, das wusste er aus Erfahrung, gäbe es wahrscheinlich Tote. Er konnte nur hoffen, dass dann nicht auch Fernanda und die Kinder unter den Opfern waren. Doch die Männer, die mit der Überwachung beauftragt waren, kannten das Risiko und handelten stets sehr umsichtig.

Rick schaute Ted an. »Wir brauchen Fingerabdrücke und Haarproben von den Kindern.« Er sagte es so behutsam wie möglich, dennoch sah Fernanda ihn entsetzt an.

»Wozu?« Dabei kannte sie die Antwort bereits.

»Wir müssen die Kinder gegebenenfalls identifizieren können. Wir brauchen auch Ihre Fingerabdrücke und eine Haarprobe«, sagte er entschuldigend.

»Ich werde im Laufe des Tages jemanden vorbeischicken«, kündigte Ted an.

Fernanda vermochte kaum noch einen klaren Gedanken zu fassen. Das hier war kein Traum. Sie konnte einfach nicht glauben, was sich gerade abspielte. Waren es am Ende nur die Hirngespinste zweier Polizisten, die diesen Job schon zu lange machten? Oder lagen sie richtig mit ihrer Vermutung, und es würde schon bald etwas passieren?

»Ich werde gleich noch jemanden hierher beordern, der die Nummernschilder der Autos in dieser Gegend überprüft«, sagte Ted mehr zu Rick als zu Fernanda. »Ich will wissen, wer sich da draußen herumtreibt.«

Rick nickte. Fernanda fragte sich, ob da draußen tatsächlich jemand lauerte und das Haus beobachtete.
Während die beiden Männer aufstanden, betrachtete Ted Fernanda unauffällig. Sie sah aus, als stünde sie unter Schock. »Ich rufe Sie bald an und lasse es Sie wissen, wie es weitergeht. In der Zwischenzeit verriegeln Sie die Türen und lassen keins der Kinder aus dem Haus.«
Während er das sagte, reichte er ihr seine Karte. Er hatte ihr bereits eine gegeben, wusste aber nicht, ob sie die noch hatte. Tatsächlich war sie in irgendeiner Schublade verschwunden. Fernanda hatte nicht damit gerechnet, dass sie die Karte tatsächlich einmal brauchen würde.
»Rufen Sie mich sofort an, falls irgendetwas ungewöhnlich ist. Meine Handynummer steht hier drauf, und meinen Pieper habe ich immer dabei. Ich melde mich später noch einmal.«
Sie nickte nur, unfähig, einen Ton herauszubringen, und begleitete die beiden Männer zur Tür. Sie reichten einander zum Abschied die Hand.
Als Ted hinausging, drehte er sich noch einmal um. Er wollte sie nicht zurücklassen, ohne ihr etwas Aufmunterndes zu sagen. »Alles wird gut«, erklärte er mit sanfter Stimme. Dann folgte er Rick die Treppe hinunter.
Fernanda verschloss rasch die Tür und schaltete die Alarmanlage ein.
Peter Morgan beobachtete, wie die beiden Männer aus dem Haus traten, und dachte sich nichts dabei.
Rick setzte sich zu Ted ins Auto und schaute seinen früheren Partner erschüttert an. »Kannst du dir vorstellen, dass jemand so viel Geld verliert? In den Zeitungen stand, ihr Mann besäße etwa fünfhundert Millionen Dollar. Und

das ist höchstens ein, zwei Jahre her. Barnes muss doch verrückt gewesen sein!«

»Allerdings«, pflichtete Ted ihm bei und wirkte bedrückt. »Oder er hatte nicht das geringste Verantwortungsgefühl. Wenn sie die Wahrheit sagt« – und er konnte sich nicht vorstellen, dass sie log –, »dann sitzt sie ganz schön in der Patsche. Insbesondere falls Addison und seine Jungs wirklich hinter ihr her sind. Die werden nicht glauben, dass kein Geld mehr da ist.«

»Und dann?«, fragte Rick nachdenklich.

»Dann wird es brutal.« Dann, das wussten sie beide, wäre es Sache des Sondereinsatzkommandos, das taktieren und mit den Geiselnehmern verhandeln musste. Ted hoffte inständig, dass es dazu nicht kommen würde. Er wollte tun, was in seiner Macht stand, um das zu verhindern. »Der Captain wird denken, wir hätten einen Joint geraucht«, sagte er grinsend zu Rick. »Scheint so, als würden wir jedes Mal in ein Wespennest stechen, sobald wir zusammen sind.«

»Ich vermisse das«, erwiderte Rick lächelnd.

Ted dankte ihm, dass er zwei Männer für die Bewachung zur Verfügung stellen wollte. Er wusste: Wenn nicht bald etwas geschah, würde Rick diesen Einsatz nur für kurze Zeit rechtfertigen können. Aber sein Gefühl sagte ihm, dass sie nicht lange warten mussten. Addisons Verhaftung hatte die Burschen sicher nervös gemacht, außerdem glaubte Ted, dass Addisons geplante Abreise nach Europa der Startschuss für die Entführung war. Wenn er Recht hatte, würde wenige Tage danach etwas passieren.

Ted fuhr Rick zurück in sein Büro, und nur eine halbe Stunde später betrat er seine eigene Dienststelle.

»Ist der Captain da?«, fragte er dessen Sekretärin, ein hübsches Mädchen in blauer Uniform.
Sie nickte. »Er hat ziemlich miese Laune«, flüsterte sie.
»Gut. Ich auch«, erwiderte Ted grinsend und marschierte schnurstracks in das Büro.

Will sprang in Riesensätzen die Treppe herab und stürmte auf die Haustür zu, bis Fernanda ihn abrupt stoppte.
»Halt! Die Alarmanlage ist eingeschaltet«, rief sie lauter als notwendig.
Will hielt inne und sah sie überrascht an. »Was soll der Blödsinn? Ich will nur meine Schienbeinschoner aus dem Auto holen.«
»Das geht jetzt nicht«, sagte sie streng.
Will war sichtlich irritiert. »Stimmt was nicht, Mom?«
Fernanda nickte und ihre Augen füllten sich mit Tränen. »Ja. Ich muss mit euch reden.«
Die ganze Zeit über hatte sie am Tisch gesessen und überlegt, was und wann sie es den Kindern sagen sollte. Die drei hatten in den vergangenen Monaten genug durchgemacht, sie hätte ihnen die drohende Katastrophe gern erspart. Doch jetzt konnte sie es nicht länger aufschieben, Will hatte sowieso schon gemerkt, dass etwas in der Luft lag. »Würdest du bitte nach oben gehen und Sam und Ashley holen, mein Schatz? Ich habe etwas Wichtiges mit euch zu besprechen«, sagte sie mit trauriger Stimme. Die letzte Familiensitzung hatte sie kurz nach Allans Tod einberufen, als sie den Kindern die schreckliche Nachricht überbringen musste. Deshalb zeigte Fernandas Ankündigung bei Will eine entsprechende Wirkung. Sie sah deutlich die Angst in seinen Augen. Ohne ein weiteres Wort

drehte er sich um und lief die Treppe hinauf, um seinen Geschwistern Bescheid zu geben. Fernanda zitterte am ganzen Körper. Jetzt ging es nur noch darum, die Kinder zu schützen. Und sie betete, dass Polizei und FBI dazu in der Lage sein würden.

13. Kapitel

Fernandas Unterhaltung mit den Kindern verlief besser als erwartet. Fünf Minuten nachdem Will die Treppe hinaufgestürmt war, kamen die drei herunter, Will vorneweg, gefolgt von Ash, und Sam bildete das Schlusslicht. Zuvor hatten sie in Sams Zimmer kurz Kriegsrat gehalten und überlegt, was passiert sein könnte, waren aber zu keinem Ergebnis gelangt. Die drei sahen genauso besorgt aus wie ihre Mutter.

Fernanda wartete, bis sich Sam und Ash auf dem Sofa niedergelassen hatten. Will schnappte sich den ehemaligen Lieblingssessel seines Vaters. Seit Allan nicht mehr dort saß, war dies Wills Stammplatz.

»Was ist los, Mom?«, fragte Will leise.

Fernanda wusste nicht, womit sie anfangen sollte. Es gab so viel zu sagen, aber leider nichts Gutes. Sie wollte den Kindern so wenig wie möglich verheimlichen. Ted hatte ihr eindringlich erklärt, dass sie eingeweiht werden müssten. Und sie ahnte, dass er Recht hatte. Wenn die Kinder nichts von der Gefahr wussten, in der sie schwebten, würden sie vielleicht unnötige Risiken eingehen.

»Es ist nur eine Vermutung«, begann sie wahrheitsgemäß, »und vielleicht ist an der Sache auch gar nichts dran.«

Kaum hatte sie die Worte ausgesprochen, da bekam Ashley panische Angst. Sie dachte, ihre Mutter sei krank – und sie hatten doch niemanden mehr außer ihr.

Mit schreckerfüllten Augen blickte sie Fernanda an und brachte keinen Ton heraus.

»Es ist gut möglich, dass gar nichts passieren wird«, setzte Fernanda noch einmal an, während für die Kinder Sekunden voller Ungewissheit qualvoll langsam verstrichen. »Gerade war die Polizei hier. Sie haben gestern jemanden verhaftet, den sie für einen gefährlichen Verbrecher halten. Dieser Mann interessiert sich offensichtlich sehr für uns – und unser Geld.« Sie wollte ihnen nicht gerade jetzt sagen, dass sie gar keins mehr hatten. »Dieser Mann steht in Verbindung mit zwei Exsträflingen, die gerade erst aus dem Gefängnis entlassen wurden. Natürlich kennen weder eurer Vater noch ich einen dieser Männer«, fügte sie beschwichtigend hinzu. Die Kinder schauten sie verständnislos an. Sie hatten nicht die geringste Vorstellung, was das mit ihnen zu tun haben sollte. »Die Polizei hält alle drei Männer für sehr gefährlich, und der Mann, der gestern verhaftet wurde, steckt in großen Schwierigkeiten. Er braucht dringend Geld. Jetzt befürchtet die Polizei« – sie schluckte und kämpfte dagegen an, dass ihre Stimme versagte –, »dass diese Männer versuchen könnten, einen von uns zu entführen, um Lösegeld zu erpressen.« Nun war es endlich heraus. Eine scheinbare Ewigkeit lang starrten die Kinder sie einfach nur an.

»Ist deshalb die Alarmanlage eingeschaltet?«, fragte Will befremdet.

»Ja. Die Polizei und das FBI werden jeweils zwei Männer zu unserer Sicherheit herschicken. Sie bewachen uns während der nächsten Wochen. Vielleicht wird gar nichts passieren, aber sie wollen auf Nummer sicher gehen und uns eine Zeit lang nicht aus den Augen lassen.«

»Kommen die Männer etwa zu uns ins Haus?«, fragte Ashley und wirkte entsetzt, als ihre Mutter nickte. »Kann ich denn trotzdem nach Tahoe?«
Fernanda lächelte. Zumindest war ihre Tochter nicht derart verängstigt, dass sie ihren Urlaub aus dem Blick verlor. Wahrscheinlich hatten die drei den Ernst der Lage noch gar nicht richtig begriffen.
»Ja, die Polizei denkt sogar, dass es gut ist, wenn wir nicht alle hier sind. Aber du musst vorsichtig sein, vor allem wenn Fremde in deiner Nähe auftauchen.« Wie gut, dass sie sich auf die Familie, mit der Ashley reiste, hundertprozentig verlassen konnte.
»Ich fahre nicht ins Camp«, verkündete Will entschieden. Er hatte – anders als seine Geschwister – verstanden, was auf dem Spiel stand. Er war der Älteste, und jetzt, da sein Vater nicht mehr da war, sah er sich in der Rolle des Beschützers.
Aber Fernanda fand, dass er für diese Aufgabe noch ein bisschen zu jung war. »Doch, das tust du«, widersprach sie energisch. »Das meine ich ernst. Falls irgendetwas passieren sollte, rufe ich dich sofort an. Du bist im Camp sicherer als hier, und außerdem würdest du sowieso nur verrückt werden, wenn du mit Sam und mir die ganze Zeit im Haus bleiben müsstest. Solange diese Sache nicht geklärt ist, werden wir nicht viel unternehmen können. Also, genieß deine Ferien.«
Will schwieg und dachte nach.
Sam beobachtete seine Mutter aufmerksam. »Hast du Angst, Mom?«, erkundigte er sich.
Fernanda nickte. »Ja, ein bisschen schon«, gab sie zu und untertrieb absichtlich. »Das alles klingt ja auch sehr be-

drohlich. Aber die Polizei wird uns beschützen, Sam. Es wird uns nichts geschehen.« Sie war sich dessen längst nicht so sicher, doch sie wollte die Kinder beruhigen.
»Haben die Polizisten ihre Pistolen dabei, wenn sie hier sind?«, fragte Sam neugierig.
»Ich denke schon.« Sie erzählte lieber nicht, dass die Polizisten in Zivil erscheinen würden, um die Verbrecher zu schnappen, wenn sie zuschlugen. Und dass sie selbst als Köder dienten. »Sie werden gegen Mitternacht hier sein. Bis dahin dürfen wir unter keinen Umständen das Haus verlassen. Der Alarm bleibt eingeschaltet, und wir passen auf, was draußen vorgeht.«
»Muss ich ins Tagescamp?« Sam hoffte, das hätte sich nun erledigt. Ihm gefiel die Vorstellung, dass Männer mit Pistolen das Haus bewachen würden. Das versprach aufregend zu werden.
»Ich denke nicht. Aber wir beide werden eine Menge anderer Dinge unternehmen.« Sie könnten ins Museum oder in den Zoo gehen oder zusammen etwas basteln. Auf jeden Fall wollte Fernanda, dass Sam immer in ihrer Nähe blieb.
»Jippieh!!!« Einen Freudenschrei ausstoßend, tanzte Sam durch den Raum.
Will befahl ihm, sich wieder hinzusetzen. »Habt ihr denn überhaupt nicht kapiert, um was es geht? Jemand will uns oder Mom entführen, und ihr denkt nur an eure Ferien!« Will war sehr aufgebracht, und nachdem Sam und Ash mit betretenen Mienen wieder nach oben gegangen waren, sagte er mit wilder Entschlossenheit: »Ich fahre nicht ins Camp, Mom. Ich lasse dich nicht allein und spiele in aller Seelenruhe drei Wochen Lacrosse.«

Fernanda wusste, dass er mit seinen fast siebzehn Jahren alt genug war, um die ganze Wahrheit zu erfahren. »Du bist dort sicherer, Will«, wiederholte sie mit Tränen in den Augen. »Genauso wie Ash in Tahoe. Sam und ich haben hier vier Beschützer, uns wird nichts zustoßen. Es wäre mir wirklich lieber, du würdest fahren, damit ich nicht auch noch um dich Angst haben muss.«
»Aber was ist mit dir?«, fragte Will besorgt und nahm sie in den Arm.
Das trieb Fernanda erneut die Tränen in die Augen. »Ich bin nicht in Gefahr. Mir wird niemand etwas tun.« Das klang so überzeugt, dass Will sie überrascht anblickte.
»Warum bist du dir so sicher?«
»Wer sollte das Lösegeld zahlen, wenn nicht ich?« Es war ein entsetzlicher Gedanke, aber sie wussten beide, dass sie Recht hatte.
»Und Sam?«
»Vier Polizisten werden es ja wohl schaffen, auf ihn aufzupassen.« Sie lächelte tapfer.
»Wie konnte es nur dazu kommen, Mom?«
»Ich weiß es nicht. Vermutlich haben wir einfach Pech. Dass dein Vater so erfolgreich war, hat diese Leute offenbar auf verrückte Ideen gebracht.«
»Das alles ist wirklich schrecklich.« Er sah noch immer entsetzt aus. Fernanda hasste es, ihre Kinder mit diesen Dingen zu konfrontieren, aber ihr blieb keine andere Wahl, und sie war stolz darauf, wie die drei mit der Situation umgingen, insbesondere Will.
»Ja, das ist es«, stimmte sie zu. »Es gibt eine Menge böser Menschen auf dieser Welt. Ich kann nur hoffen, dass sie rasch das Interesse an uns verlieren. Und vielleicht irrt

sich die Polizei ja auch. Ist dir jemand aufgefallen, der uns oder das Haus beobachtet?« Sie fragte eigentlich nur der Form halber und erschrak, als Will zögerte und dann nickte.

»Ich bin nicht sicher, aber ich habe ein paar Mal einen Mann in einem Auto bemerkt, das auf der anderen Straßenseite parkte. Er wirkte eigentlich ganz normal, hat mich sogar angelächelt. Der Grund, warum er mir auffiel, war ...«, Will wirkte plötzlich verlegen, »dass er Dad ein bisschen ähnlich sah.«

Seine Worte ließen in Fernandas Kopf eine Alarmglocke läuten, aber sie wusste nicht, warum. »Erinnerst du dich an irgendetwas Auffälliges?«, fragte sie beunruhigt. Vielleicht hatte die Polizei doch Recht, und man hatte sie bereits ins Visier genommen.

»Anders als Dad hatte er blonde Haare. Seine Klamotten erinnerten mich auch an Dads. Einmal hatte er ein blaues Hemd an, ein anderes Mal einen Blazer. Er schien auf jemanden zu warten.«

Fernanda wollte mehr von dem Fremden in Erfahrung bringen, doch Will wusste nichts weiter zu berichten. Er ging schließlich in sein Zimmer, um mit einigen Freunden zu telefonieren und sich für die Ferien von ihnen zu verabschieden. Fernanda hatte ihm eingeschärft, nur ja niemandem von dieser Entführungsgeschichte zu erzählen. Ted hatte ihr gesagt, wie wichtig es sei, dass nichts an die Öffentlichkeit dringe. Falls die Presse Wind davon bekäme und die Sache publik machte, riefe es im Nu Trittbrettfahrer auf den Plan.

Fernanda wählte Teds Nummer, sie wollte ihm erzählen, was Will beobachtet hatte. Die Sekretärin teilte ihr mit,

Ted sei in einer Besprechung mit dem Captain, werde sie aber später zurückrufen. Daraufhin ging Fernanda zum Fenster und schaute hinaus. Sie fragte sich, ob da draußen jemand auf der Lauer lag.

Währenddessen führten Ted und der Captain eine hitzige Diskussion. Der Captain vertrat die Auffassung, der Fall sei Sache des FBI, schließlich habe Addisons Verhaftung den Stein ins Rollen gebracht. Die Polizei von San Francisco habe mit alldem nichts zu tun, und er werde seine Männer nicht als Babysitter für eine Highsociety-Hausfrau und ihre drei Kinder missbrauchen.

»Gib mir wenigstens etwas Zeit!«, gab Ted wütend zurück. Er und der Captain waren alte Freunde. Auf der Polizeiakademie war der Captain zwei Jahrgänge über ihm gewesen, und sie hatten seither schon bei unzähligen Fällen zusammengearbeitet. Der Captain hegte großen Respekt für Teds Arbeit, aber dieses Mal hielt er ihn schlichtweg für übergeschnappt. »Ich bin einer großen Sache auf der Spur. Nur ein paar Tage, eine Woche, vielleicht zwei. Wenn ich bis dahin nichts herausbekommen habe, putze ich ein Jahr lang deine Schuhe!«

»Ich will weder, dass du meine Schuhe putzt, noch, dass wir das Geld der Steuerzahler zum Fenster rauswerfen. Was zum Teufel macht dich so sicher, dass Carlton Waters mit der Sache zu tun hat? Es gibt keinerlei Beweise, und das weißt du auch!«

Ted sah ihm kämpferisch in die Augen. »Ich brauche keine Beweise, ich habe den hier.« Er zeigte auf seinen Bauch. Ted hatte bereits eine Polizistin losgeschickt, die als Politesse verkleidet die Nummernschilder der Autos in Fernandas Straße überprüfte. Es gab in der Gegend zwar keine Parkuhren, aber Dauerparker mussten eine entsprechende Plakette hinter der Windschutzscheine befestigen, sonst durften sie ihr Auto nicht länger als zwei Stunden dort stehen lassen. Eine Politesse auf ihrem Kontrollgang würde also nicht auffallen. Ted war gespannt, was sie herausfinden würde. Noch als Ted mit dem Captain stritt, rief sie ihn an. Die Sekretärin kam herein und verkündete, Detective Jamison sei am Telefon und müsse dringend mit Detective Lee sprechen. Der Captain wirkte verärgert, weil Ted den Anruf entgegennahm. Ted lauschte dem Bericht seiner Kollegin, dankte ihr und legte auf.

»Jetzt wirst du mir wahrscheinlich sagen, dass Carlton Waters mit einer Schrotflinte in der Hand vor Fernanda Barnes' Haustür steht.« Der Captain verdrehte die Augen.

Aber Ted blickte ihn ernst an. »Nein, ich sage dir, dass Peter Morgan, der auf Bewährung entlassene Straftäter, in dessen Hotelzimmer wir Waters' Nummer fanden, in einem Auto sitzt, das genau gegenüber vom Haus der Barnes steht. Und einer der Nachbarn hat ausgesagt, dass Morgan schon seit Wochen in dieser Gegend parkt. Der Mann mache einen netten Eindruck, und der Nachbar habe sich deshalb keine Gedanken darüber gemacht.«

»Mist.« Der Captain fuhr sich mit der Hand durchs Haar und blickte Ted düster an. »Mehr brauche ich nicht. Falls die Typen diese Frau oder ihre Kinder tatsächlich entführen, wird die Presse über uns herfallen, weil wir nichts getan haben, um es zu verhindern. Okay, okay. Wen hast du auf die Sache angesetzt?«

»Bisher noch niemanden.« Ted war nicht scharf darauf

gewesen, in dieser Sache Recht zu behalten, doch nun konnte er sich ein triumphierendes Grinsen nicht verkneifen. Wie gut, dass Jamison so schnell auf Peter Morgan gestoßen war. Ted würde seine Leute instruieren, die Finger von ihm zu lassen, um ihn nicht zu alarmieren. Er wollte alle, die mit ihm unter einer Decke steckten, erwischen, ob Carlton Waters dazugehörte oder nicht.

»Wie viele Kinder sind im Haus?« Der Captain klang mürrisch, aber Ted kannte ihn und wusste, dass er besorgt war.

»Sie hat drei Kinder. Eins fährt morgen ins Sportcamp, ein weiteres übermorgen nach Tahoe. Wir werden den dortigen Sheriff informieren. Nur Mrs Barnes und ihr sechsjähriger Sohn befinden sich dann noch im Haus.«

Der Captain nickte. »Lass sie rund um die Uhr von zwei Leuten bewachen. Das sollte genügen. Stellt uns dein Kumpel Holmquist Leute zur Verfügung?«

»Ich denke schon«, antwortete Ted ausweichend. Es war ein bisschen heikel, dass er erst mit Rick und dann mit dem Captain über die Sache gesprochen hatte, aber so liefen die Dinge eben manchmal.

»Erzähl ihm, was du über Morgan herausgefunden hast, und sag ihm, er soll zwei Leute hinschicken, sonst kriegt er einen Tritt in den Hintern, wenn ich ihn das nächste Mal sehe.«

»Danke, Captain.« Ted grinste ihn erneut an und verließ das Büro. Er musste einige Anrufe erledigen, um die Bewachung von Fernanda und Sam anlaufen zu lassen. Danach telefonierte er mit Rick, um ihm die Sache mit Morgan zu berichten. Außerdem ließ er sich ein Fahndungsfoto von Morgan besorgen, das er Fernanda und den Kindern zeigen wollte. Schließlich nahm er einen Vordruck aus seiner Schreibtischschublade und versah ihn mit einem Aktenzeichen. Jetzt war es ein offizieller Fall. Er trug Fernandas Namen ein und die der Kinder. In die Rubrik *Verdächtige* schrieb er: *Peter Morgan*. Um die anderen einzutragen, war es noch zu früh, allerdings notierte er den Namen Phillip Addison und machte ein paar kurze Angaben zu dem Barnes-Ordner. Das war erst der Anfang. Ted wusste, dass der Rest bald folgen würde. Die Puzzleteile rückten eines nach dem anderen an ihren Platz. Bisher konnte man auf dem Bild nur Peter Morgan erkennen, aber Teds Gefühl sagte ihm, dass es nicht mehr lange dauern würde, bis auch die anderen sichtbar wurden.

Um sechs Uhr abends fuhr Ted noch einmal zu Fernanda. Wie beim letzten Mal betrat er das Haus wie ein Gast durch den Haupteingang. Er hatte seine Krawatte abgenommen und eine Baseballjacke übergezogen. Der Polizist, den er mitgebracht hatte, trug Jeans, Sweatshirt und eine Baseballkappe. Er hätte einer von Wills Freunden sein können und Ted sein Vater. Fernanda und die Kinder aßen gerade in der Küche Pizza. Nachdem sie Ted durch den Spion erkannt hatte, hatte sie ihn sofort hereingelassen. Der junge Mann an seiner Seite war bepackt mit einer großen Sporttasche, die er wie ein Teenager über der Schulter trug. Ted bat ihn, für das Nehmen der Fingerabdrücke alles so weit vorzubereiten. Nachdem Fernanda ihn gebeten hatte, Platz zu nehmen, setzte er sich zu ihr und den Kindern an den Tisch und holte einen Umschlag hervor.

»Haben Sie wieder ein Foto mitgebracht?«, fragte Sam neugierig.

Ted lächelte ihn an. »Ja, habe ich.«
»Wer ist es diesmal?« Sam verhielt sich ganz wie der Hilfssheriff, zu dem Ted ihn bei seinem ersten Besuch ernannt hatte. Er bemühte sich, möglichst routiniert zu klingen, worüber seine Mutter lächeln musste. In diesem Moment wurde ihr bewusst, wie selten sie in letzter Zeit lachte. Es gab auch kaum Grund dazu. Ted hatte sie zuvor angerufen und von Morgan erzählt. Offensichtlich stand er mit seinem Wagen schon seit Wochen ständig in ihrer Straße, und sie hatte es nicht bemerkt. Das sprach nicht gerade für ihre Beobachtungsgabe und beunruhigte sie. Zu ihrer Erleichterung befand sie sich ab sofort unter Polizeischutz. Sam fand das alles unheimlich spannend und fragte Ted, ob die Männer Waffen tragen würden. Er wollte sich offenbar vergewissern, ob seine Mutter die Wahrheit gesagt hatte.
»Ja, das tun sie«, versicherte ihm Ted, während er das Fahndungsfoto aus dem Umschlag zog und es Will reichte. »Ist das der Mann, den du in dem Auto auf der anderen Straßenseite gesehen hast?«
Will sah es sich einige Sekunden lang an, dann nickte er und gab es Ted zurück. »Ja, das ist er.« Er wirkte ein wenig schuldbewusst. Es war ihm nie in den Sinn gekommen, seiner Mutter von diesem Mann zu erzählen.
Ted ließ das Foto herumgehen. Weder Ashley noch Sam kannten den Mann. Als Fernanda das Bild in Händen hielt, betrachtete sie es sehr lange. Irgendwo hatte sie diesen Mann schon mal gesehen, aber sie konnte sich nicht mehr erinnern, wo. Doch plötzlich fiel es ihr ein. Es war im Supermarkt gewesen und ein weiteres Mal in der Buchhandlung. Ihr war etwas heruntergefallen, und der

Mann hatte es aufgehoben. Und genau wie Will war auch ihr sofort seine große Ähnlichkeit mit Allan aufgefallen. Sofort berichtete sie Ted von den beiden Begegnungen.

»Wissen Sie noch, wann das war?«, fragte Ted.

Es musste in den letzten Wochen gewesen sein, wann genau konnte sie nicht mehr sagen.

»Er ist auch jetzt in der Nähe«, erklärte Ted ganz ruhig, und Ashley hielt die Luft an. »Aber wir werden vorerst nichts unternehmen. Wir wollen abwarten, mit wem er Kontakt aufnimmt. Wenn einer von euch aus dem Haus geht, dann möchte ich, dass ihr nicht zu ihm hinschaut. Tut so, als sei er gar nicht da und als wüsstet ihr von nichts.«

»Ist er wirklich jetzt gerade da draußen?«, fragte Ashley.

Ted nickte. Dank Detective Jamisons Beschreibung wusste er, wie der Wagen aussah und wo er ungefähr stand. Als er vorhin die Straße hinuntergefahren war, hatte er sich jedoch nichts anmerken lassen, sondern hatte mit dem jungen Polizisten auf dem Beifahrersitz herumgealbert, um den Eindruck zu vermitteln, er sei ein Bekannter der Familie, der seinen Sohn zu dessen Freund bringt.

»Glauben Sie, er weiß, dass Sie ein Cop sind?«, erkundigte sich Will.

»Ich hoffe nicht. Wäre gut, wenn er mich für einen Freund deiner Mutter hielte.« Sobald vier Leute hier Posten bezogen, bestand natürlich die Gefahr, dass Morgan und seine Komplizen Verdacht schöpften. Aber Ted blieb keine andere Wahl. Fernanda und die Kinder mussten beschützt werden. Und wenn es die Gangster ein für alle Mal in die Flucht schlug, war das auch gut. Ted hatte dafür gesorgt, dass auch Polizistinnen eingesetzt wurden, sodass es mit Sicherheit länger dauerte, bis Morgan Verdacht schöpfte. Doch früher oder später musste er einfach merken, dass zweimal täglich vier Erwachsene zu Besuch kamen, Fernanda überallhin begleiteten und dass sie nie allein im Haus war. Der Captain hatte vorgeschlagen, ein Zivilfahrzeug der Polizei vor dem Haus zu postieren. Ted hielt das momentan für überflüssig, und die Vorstellung, dass sich ein Beamter und Morgan aus ihren Autos heraus gegenseitig beäugten, erschien ihm grotesk. Außerdem würden Polizisten des nächstgelegenen Reviers verstärkt in der Gegend Streife fahren.

Als Ted mit seinen Erläuterungen fertig war, hatte auch der junge Beamte seine Vorbereitungen abgeschlossen und seine komplette Ausrüstung auf Papiertüchern ausgebreitet. Zwei komplette Sets für Fingerabdrücke lagen auf der Spüle. Ted bat alle, nacheinander ans Waschbecken zu treten, Will zuerst.

»Wofür brauchen Sie unsere Fingerabdrücke?«, fragte Sam neugierig. Er war gerade groß genug, um erkennen zu können, was der Beamte machte. Es sah sehr kunstfertig aus. Er rollte Wills Finger erst fachmännisch auf dem Stempelkissen von einer Seite zur anderen und wiederholte diesen Vorgang dann auf einem Block, auf dem für jeden von Wills Fingern ein Feld eingezeichnet war.

Will stellte überrascht fest, dass keinerlei Farbreste an seinen Fingern zurückblieben. Diese Prozedur musste er zweimal über sich ergehen lassen. Will wusste, wozu es gut war, ebenso wie Ashley und Fernanda, aber keiner von ihnen mochte es Sam erklären.

»Die Polizei will einfach wissen, wer du bist«, sagte Ted

schlicht. »Es gibt verschiedene Methoden, das herauszufinden, aber das hier ist die beste. Deine Fingerabdrücke bleiben ein Leben lang gleich.« Dies war eine Information, die Sam nicht unbedingt brauchte, aber es lenkte ihn ab.

Ashley war als Nächste dran. Dann folgte Fernanda, und zum Schluss kam Sam an die Reihe. Seine Fingerabdrücke sahen auf dem Block winzig klein aus.

»Warum machen Sie das alles doppelt?«, erkundigte sich Sam, als der Beamte seine Abdrücke zum zweiten Mal nahm.

»Ein Satz ist für die Polizei«, erklärte Ted, »und der andere für das FBI. Es möchte gern einen eigenen.« Während die anderen um sie herumstanden und zuschauten, lächelte er Sam an.

Sobald der Polizist fertig war, holte er eine kleine Schere aus seiner Tasche, zwinkerte Sam zu und fragte unsicher: »Darf ich dir eine Haarsträhne abschneiden?«

Sam starrte ihn mit weit aufgerissenen Augen an. »Warum das denn?«

»Mithilfe der Haare können wir eine Menge Dinge herausfinden. Man nennt es einen DNA-Test.« Dies war eine Unterrichtsstunde, die sich keiner von ihnen gewünscht hatte.

»Sie meinen, wenn ich zum Beispiel entführt werde?« Sam wirkte plötzlich ängstlich.

Der Polizist zögerte, und Fernanda mischte sich ein.

»Es ist eine reine Vorsichtsmaßnahme. Wir alle müssen das über uns ergehen lassen, ich auch.« Sie nahm dem Mann die Schere aus der Hand und schnitt erst Sam eine Strähne ab, dann sich selbst und anschließend den beiden

anderen Kindern. Sie bemühte sich, so wenig Aufhebens wie möglich darum zu machen, und vermutete, dass es für die Kinder wahrscheinlich weniger bedrohlich war, wenn sie es tat und nicht ein Fremder.
Kurz danach gingen die Kinder nach oben. Sam wollte eigentlich unten bei Fernanda bleiben, aber Will hatte ihn an die Hand genommen und ihm gesagt, er müsse etwas mit ihm besprechen. Er nahm an, dass seine Mutter mit Ted über den Fall reden wollte, und Sam sollte das besser nicht mitbekommen, es würde ihm nur Angst machen.
»Wir brauchen Fotos der Kinder«, sagte Ted leise, sobald sie allein waren. »Und Personenbeschreibungen. Größe, Gewicht, besondere Kennzeichen, alles, was Ihnen einfällt. Das ist neben den Haaren und Fingerabdrücken sehr wichtig.«
»Wird all das denn irgendetwas bringen, falls die Kinder tatsächlich entführt werden?« Sie hasste es, ihn danach zu fragen, aber sie musste es einfach wissen.
»Es kann eine entscheidende Rolle spielen, insbesondere bei jemandem, der so jung ist wie Sam.« Er wollte ihr nicht sagen, dass manchmal Kinder in Sams Alter entführt wurden und zehn Jahre später wieder auftauchten. Diese Kinder wurden so lange in einem anderen Staat oder gar Land festgehalten und wuchsen bei einer fremden Familie auf. Fingerabdrücke und Haaranalysen konnten dann bei der Identifizierung helfen. Im Fall von Ashley oder Will würden die Dinge anders laufen, die Verbrecher brächten sie kaum in anderen Familien unter. Ted konnte nur hoffen, dass sie nach der Lösegeldübergabe freigelassen wurden, ansonsten müssten die Abdrücke und Haarproben vielleicht einem grausigen Zweck dienen … Ted würde al-

les tun, um diesen Ausgang zu verhindern. Dennoch mussten sie auf das Schlimmste vorbereitet sein. Er bat Fernanda, ihm die geforderten Informationen so schnell wie möglich zu übermitteln. Kurz darauf verließen er und sein Kollege das Haus.

Fernanda saß allein in der Küche vor den leeren Pizzakartons und starrte vor sich hin. Sie fragte sich zum wiederholten Mal, wie sie in solch eine Sache hatte hineingeraten können und vor allem wann das alles wohl vorbei wäre. Momentan konnte sie nur hoffen, dass die Männer, die einen Anschlag auf ihre Familie planten, gefasst wurden. Sie klammerte sich daran, dass alles vielleicht doch nur Hirngespinste waren. Allein die Vorstellung, dass eines ihrer Kinder entführt wurde, versetzte sie so sehr in Panik, dass sie die drei am liebsten nie mehr aus dem Haus gelassen hätte. Sie bemühte sich dennoch, Ruhe zu bewahren, allein um der Kinder willen. Sie dachte zunächst, dies würde ihr ganz gut gelingen, aber dann merkte sie, dass sie die leeren Pizzakartons in den Kühlschrank gestellt und die Geschirrtücher in den Mülleimer gestopft hatte.

»Beruhige dich«, sagte sie laut zu sich selbst, »alles wird gut.« Aber während sie die Geschirrtücher aus dem Mülleimer holte, sah sie, dass ihre Hände zitterten. Sie wünschte, Allan wäre hier. Er hätte diese Situation bestimmt viel souveräner gemeistert als sie.

»Alles in Ordnung, Mom?« Will kam in die Küche, um sich ein Eis zu holen.

Fernanda wollte gerade nach oben gehen. »Ich denke schon.« Sie war müde, dieser Tag hatte sehr an ihren Kräften gezerrt. Sie setzte sich nun auf den Stuhl Will gegenüber, der sein Eis aß.

»Willst du immer noch, dass ich ins Camp fahre?«, fragte er besorgt.
Fernanda nickte. »Ja, mein Schatz, das will ich.« Sie wünschte, Sam könnte mit ihm fahren. Sie wollte nicht, dass er zusammen mit ihr der schrecklichen Dinge harrte, die womöglich auf sie zukamen. Sie fühlte sich schon jetzt wie auf dem Präsentierteller.
Ted hatte ihr geraten, das Haus so wenig wie möglich zu verlassen, er wollte verhindern, dass sie in ihrem Auto überfallen wurde. Natürlich konnte sie unmöglich wochenlang daheim bleiben, schließlich hatte sie hin und wieder auch Dinge zu erledigen. Ted und seine Kollegen hatten gemeinsam überlegt, ob die Polizisten in diesem Fall bei ihr mitfahren oder ihr in einem eigenen Wagen folgen sollten. Ted bestand auf Ersterem, Rick und der Captain waren dagegen. Wieder ging es darum, inwiefern Fernanda und die Kinder als Köder dienen sollten.
Fernanda telefonierte an diesem Abend mit der Familie, die Ashley nach Tahoe mitnehmen würde. Sie verpflichtete sie zu strengster Verschwiegenheit und erklärte ihnen dann die Situation. Die Eltern von Ashleys Freundin versprachen, gut auf Ashley aufzupassen. Und dass stets jemand vom Büro des Sheriffs vor dem Haus postiert sein würde, fanden sie äußerst beruhigend. Weder Ted noch Rick gingen davon aus, dass die Entführer in Tahoe zuschlugen, aber sie wollten dennoch vorsichtig sein. Fernanda beruhigte der Gedanke, dass Ashley dort sicher aufgehoben sein würde.
Es war schon spät, und Fernanda lag auf ihrem Bett, da klingelte es an der Tür. Es waren die angekündigten vier Beamten.

Peter Morgan war zu diesem Zeitpunkt schon zurück ins Hotel gefahren und bekam nichts davon mit. Er wusste mittlerweile, dass Fernanda das Haus um diese Zeit nicht mehr verlassen würde. Meistens machte er sich gegen zehn Uhr auf den Rückweg, es sei denn, Fernanda war mit den Kindern ins Kino oder essen gegangen. Er war deprimiert, weil die Observierung bald beendet sein würde. Es gefiel ihm zunehmend, in ihrer Nähe zu sein und sich vorzustellen, was sie und die Kinder gerade taten. Manchmal konnte er sogar einen Blick auf einen der vier erhaschen, etwa wenn derjenige am Fenster erschien und herausschaute.

Fernanda überlegte, Jack anzurufen und ihm zu erzählen, was passiert war, aber sie fühlte sich einfach zu matt. Und was sollte sie ihm auch sagen? Dass ein Krimineller einen Ordner mit Informationen über ihre Familie angelegt hatte und sie vielleicht schon seit Wochen beobachtet wurden? Bisher gab es keine konkreten Beweise für eine geplante Entführung, nur eine Reihe von Verdachtsmomenten. Jack könnte ohnehin nichts tun. Sie beschloss, noch ein paar Tage abzuwarten, bis sie ihn einweihte. Jack hatte schon alle Hände voll zu tun, sie bei ihren finanziellen Problemen zu unterstützen, sie konnte nicht verlangen, dass er ihr auch noch seelischen Beistand leistete. Außerdem würden sie und Sam sich am nächsten Wochenende ohnehin mit ihm treffen. Einen Tag nach Ashleys Abreise wollte er sie beide nach Napa mitnehmen. Dort hätte sie genügend Zeit, ihm alles in Ruhe zu erzählen.

Die vier Beamten waren ausgesprochen höflich und zurückhaltend. Nachdem sie das Haus inspiziert hatten,

entschieden sie sich dafür, in der Küche Posten zu beziehen. Fernanda bot an, ihnen Sandwiches zu machen, aber die Männer lehnten das nette Angebot dankend ab und sagten, das sei nicht nötig.
Wie angekündet waren zwei der Männer vom FBI und zwei von der Polizei. Während Fernanda Kaffee kochte, setzten sie sich an den Tisch und scherzten miteinander. Sie wussten, dass die Alarmanlage eingeschaltet war, und Fernanda zeigte ihnen, wie man sie bedient. Zwei der Männer zogen ihre Jacketts aus, und Fernanda bemerkte, dass sie Pistolen im Schulterhalfter und am Gürtel trugen. Dass ihre Beschützer so schwer bewaffnet waren, vermittelte ihr zwar ein Gefühl von Sicherheit, aber es jagte ihr auch Angst ein, weil sie dadurch erkannte, wie gefährdet sie letztendlich war. Die Männer konnten noch so nett sein, ihre Anwesenheit hatte etwas Bedrohliches. Als sie sich gerade nach oben zurückziehen wollte, klingelte es abermals an der Haustür. Sofort kamen zwei der Polizisten aus der Küche gelaufen, um nachzusehen. Es war Ted.
»Ist irgendetwas passiert?«, fragte Fernanda ängstlich.
»Nein, alles in Ordnung. Ich war gerade auf dem Nachhauseweg und wollte kurz vorbeischauen.«
Die Männer waren in die Küche zurückgegangen. Ihre Schicht dauerte bis zwölf Uhr mittags, dann würden sie abgelöst. Die Kinder säßen also am nächsten Morgen beim Frühstück neben Männern mit gut sichtbaren Schulterhalftern. Fernanda musste unwillkürlich an einen Gangsterfilm denken, den sie kürzlich gesehen hatte – nur dass dies hier das wirkliche Leben war.
»Benehmen sich die Jungs anständig?«, erkundigte sich Ted und warf Fernanda einen prüfenden Blick zu. Sie

machte einen solch erschöpften Eindruck, dass er sie gern in den Arm genommen und an sich gedrückt hätte.
»Sie sind sehr nett«, entgegnete sie leise, und Ted fragte sich, ob sie geweint hatte. Es hatte ihm imponiert, wie gefasst sie in Gegenwart der Kinder gewesen war. Aber jetzt konnte sie ihre Angst nicht länger verleugnen.
»Sie haben auch strikte Anweisung, nett zu sein.« Er lächelte sie an. »Ich will gar nicht lange stören. Sie müssen schachmatt sein. Ich wollte mich nur kurz sehen lassen. Wenn es Probleme mit den Jungs gibt, rufen Sie mich an.« Er sprach von ihnen, als wären es seine Kinder, was ihm tatsächlich oft so vorkam, und zwar nicht nur, weil viele seiner Mitarbeiter noch recht jung waren. Er fühlte sich einfach verantwortlich für seine Untergebenen. Ted hatte darum gebeten, dass Frauen zu den Schutzteams gehörten, weil er annahm, dass sie eine beruhigende Wirkung auf Fernanda und die Kinder haben würden. Aber diese erste Schicht bestand zu seinem Leidwesen ausschließlich aus Männern, die sich nun leise in der Küche unterhielten. Ted und Fernanda standen noch in der Halle.
»Werden Sie es durchstehen?«
»Ich denke schon.« Das Warten war das Schlimmste für Fernanda.
»Ich hoffe, es wird schnell vorbei sein. Diese Kerle machen bestimmt irgendeinen dummen Fehler, und dann schnappen wir sie uns. So läuft es fast immer. Sie überfallen zum Beispiel einen Schnapsladen, kurz bevor die eigentliche Sache steigen soll. Sie dürfen nicht vergessen, dass diese Burschen alle im Gefängnis gesessen haben, was bedeutet, dass sie sich schon bei früheren Straftaten nicht besonders clever angestellt haben. Einige von denen

wollen sogar geschnappt werden. Es ist hart für sie, draußen zu sein und sich eine ehrliche Existenz aufzubauen. Manchmal bevorzugen sie es, wieder ins Gefängnis zu gehen. Da haben sie drei Mahlzeiten am Tag und ein Dach über dem Kopf. Wir werden auf jeden Fall nicht zulassen, dass Ihnen oder den Kindern etwas zustößt, Fernanda.«
Es war das erste Mal, dass er sie beim Vornamen nannte, und sie lächelte ihn an. Es war tröstlich, ihm zuzuhören, und sie fühlte sich gleich besser. Ted strahlte so viel Stärke und Zuversicht aus. »Es ist eine entsetzliche Vorstellung, dass es Menschen gibt, die uns schaden wollen. Ich bin Ihnen sehr dankbar für alles, was Sie für uns tun«, sagte Fernanda.
»Ich verstehe Sie vollkommen. Und Sie müssen mir nicht danken. Ich tue nur meine Arbeit.«
In ihren Augen machte er seine Sache ausgezeichnet. Sie war beeindruckt von ihm und seinen Leuten. »Ich komme mir vor wie in einem Film«, sagte sie nun mit einem zaghaften Lächeln und setzte sich auf die Treppe. Ted ließ sich neben ihr nieder, und die beiden flüsterten in der Dunkelheit miteinander wie zwei Teenager. »Ich bin froh, dass Will morgen wegfährt. Ich wünschte, ich könnte alle drei von hier wegbringen. Für Sam ist es schlimm, ohne Ash und Will hier zu bleiben.«
Für sie auch, das wusste Ted. »Darüber habe ich auch schon nachgedacht. Gibt es einen sicheren Ort, an dem Sie und Sam sich für ein paar Tage verstecken könnten?« Dort wäre es wahrscheinlich einfacher, sie zu beschützen, als in der Stadt. Andererseits gäbe es hier jederzeit die Möglichkeit, schnell Verstärkung anzufordern. Innerhalb von Minuten wären FBI-Agenten und Polizisten aller

umliegenden Reviere vor Ort. Das war ein wichtiger Gesichtspunkt, aber Ted hatte stets gern einen Alternativplan in petto.
Fernanda schüttelte den Kopf. »Unsere anderen Häuser und Wohnungen habe ich alle verkauft.«
Das erinnerte Ted an die unfassbare Geschichte, die sie ihm am Nachmittag erzählt hatte. Noch immer konnte er nicht nachvollziehen, wie jemand es schaffen konnte, dass sich fünfhundert Millionen Dollar in Luft auflösten. Aber Allan Barnes war es offensichtlich gelungen. »Haben Sie Freunde oder Familienangehörige, bei denen Sie vorübergehend unterkommen könnten?«
Wieder schüttelte sie den Kopf. »Ich möchte nicht noch jemanden in Gefahr bringen«, sagte sie. Aber sie hätte auch gar nicht gewusst, wen sie fragen sollte. Geblieben waren ihr nur oberflächliche Bekannte und Jack Waterman. Ein Haus, in dem sie sich verstecken könnten, besaß er leider nicht. Er hatte ein kleines Apartment in der Stadt, und wenn er übers Wochenende in Napa blieb, wohnte er im Hotel.
»Es würde Ihnen gut tun, hier herauszukommen«, sagte Ted nachdenklich.
»Sam und ich wollten dieses Wochenende mit einem Bekannten eigentlich einen Ausflug nach Napa machen, aber so wie die Dinge liegen, wird es nicht einfach, das zu organisieren.« Sich mit mehreren Polizisten in ein Auto zu quetschen, fände Jack sicher nicht witzig.
»Lassen Sie uns abwarten, was bis dahin passiert«, erwiderte Ted, und sie nickte.
Ted marschierte in die Küche, um noch kurz mit seinen Männern zu reden. Um eins verabschiedete er sich, und

Fernanda ging langsam nach oben in ihr Schlafzimmer. Dieser Tag war ihr endlos erschienen, und sie sehnte sich nach ihrem Bett. Sie nahm noch ein heißes Bad und wollte sich gerade zu Sam legen, da sah sie auf dem Flur einen Schatten. Erschrocken fuhr sie zusammen und stand in ihrem Nachthemd zitternd neben dem Bett. Im Türrahmen tauchte ein Mann auf, und Fernanda starrte ihn wie gebannt an. Es war einer der Polizisten.

»Ich mache nur meine Runde«, sagte er beruhigend. »Ist alles in Ordnung?«

»Es geht mir gut, danke«, antwortete Fernanda höflich.

Er nickte und ging zurück nach unten. Fernanda stieg zitternd in ihr Bett. Als sie eng an Sam gepresst endlich einschlief, träumte sie von Männern, die mit gezogenen Pistolen durch das Haus liefen. In ihrem Traum spielte sich alles ab wie in dem Film *Der Pate*. Marlon Brando war da. Und Al Pacino. Und Ted. Und ihre Kinder. Und dann kam plötzlich Allan auf sie zu. Als sie am nächsten Morgen erwachte, erinnerte sie sich ganz deutlich daran. Es war eines der wenigen Male seit seinem Tod, dass sie von ihm geträumt hatte.

14. Kapitel

Als Will und Sam am nächsten Morgen zum Frühstück herunterkamen, bereitete Fernanda gerade Rührei mit Schinken für die vier Männer zu. Sie stellte die Teller vor ihnen auf den Küchentisch, und Sam und Will setzten sich dazu. Fernanda registrierte, wie Sam fasziniert auf die Waffen starrte.

»Sind die geladen?«, fragte er einen der Männer.

Der Police Officer lächelte und nickte. Fernanda machte auch den Kindern Frühstück. Zuzuschauen, wie sie gemeinsam mit vier schwer bewaffneten Männern frühstückten, hatte etwas Unwirkliches.

Sam wollte Pfannkuchen und Will Eier mit Schinken wie die Männer. Es war früh am Morgen, und Ashley schlief noch. Wills Bus ging um zehn. Fernanda hatte mit den Männern beratschlagt, ob sie ihn hinbringen solle. Die Polizisten hielten es für besser, wenn niemand merkte, dass Will wegfuhr. Einer der Männer würde ihn zum Bus begleiten.

Um halb zehn verabschiedete sich Fernanda in der Garage von Will. Er legte sich auf den Rücksitz des Wagens, und als der Beamte kurz darauf aus der Garage fuhr, sah es aus, als wäre er allein unterwegs. Erst einige Blocks vom Haus entfernt setzte sich Will hin, und während der restlichen Fahrt unterhielt er sich mit dem Polizisten. Am Treffpunkt angekommen, half der Mann, Wills Gepäck und die Sportausrüstung im Bus zu verstauen, wartete, bis der Bus losfuhr, und winkte, als hätte er seinen eigenen Sohn verabschiedet. Eine Stunde später war er schon wieder zurück im Haus.

Peter beobachtete, wie der Mann Fernandas Auto in der Garage parkte. Er hatte ihn wegfahren sehen und sich irritiert gefragt, wann er ins Haus gelangt war. Die Vorstellung, dass ein Mann dort übernachtet hatte, ließ ihn keineswegs kalt. Peter hoffte, es handle sich nur um einen guten Freund der Familie, der sehr früh am Morgen gekommen war, um Fernanda bei irgendetwas behilflich zu sein. Mittags um zwölf ging der Mann. Er wirkte gut gelaunt, und Sam winkte ihm hinterher wie einem alten Bekannten. Dass die anderen drei Männer das Haus durch den Hintereingang verließen, blieb Peter verborgen.

Die neue Schicht bestand aus zwei FBI-Beamten und zwei Polizistinnen. Es machte den Anschein, als kämen zwei Paare zu Besuch. Als Peter spätabends davonbrauste, waren die vier immer noch da, und Peter sah keinen Grund, noch länger zu bleiben. Er hatte längst alle Informationen, die er brauchte. Eigentlich beobachtete er Fernanda schon seit geraumer Zeit nur noch aus persönlichem Interesse. Er kannte ihren Tagesablauf genau, wusste, wohin sie zum Einkaufen fuhr, was sie sonst noch erledigte, wer sie begleitete, wie lange sie unterwegs war. Er genoss es zunehmend, in ihrer Nähe zu sein, deshalb fuhr er mit der Observierung fort. Außerdem war es mit Addison so vereinbart. Aber es erschien ihm witzlos, noch länger hier herumzusitzen, während sie mit ihrem Besuch plauderte und das Haus ohnehin nicht verlassen würde. Die beiden Paare hatten nett und sympathisch gewirkt. Sie waren zusammen in einem Auto gekommen, hatten gelacht und geschwatzt, als sie ausgestiegen waren. Ted hatte sie sorgfältig ausgewählt und ihnen genau erläutert, was sie anziehen sollten. Dem äußeren Erscheinungsbild nach hätten sie wirklich Freunde von Fernanda sein können.

Zwar hatte sie bisher nie Gäste gehabt, aber als sie die vier begrüßte, freute sie sich offensichtlich. Peter argwöhnte auch nicht eine Sekunde lang, dass es FBI- und Polizeibeamte sein könnten. Für ihn wies nichts darauf hin, dass sich gegenüber der letzten Wochen irgendetwas verändert hatte. Fernanda und die Kinder waren wie so oft den ganzen Tag über nicht draußen gewesen.

Am nächsten Tag bewachte er sie zum letzten Mal. Am Abend würden Carlton Waters, Malcolm Stark und Jim Free zu ihm ins Hotel kommen und über Nacht bleiben. Vormittags hatte Peter noch einige Sachen für die drei besorgen müssen, weshalb er seinen Posten vor Fernandas Haus erst ziemlich spät bezog.

Ashley war bereits nach Tahoe abgereist, und auch der Schichtwechsel hatte längst stattgefunden. Es war purer Zufall, dass Peter nichts davon mitbekam, und als er gegen zehn wegfuhr, war er fest davon überzeugt, Fernanda und die Kinder seien allein. Wieder hatte er sie nicht das Haus verlassen sehen. Aber es waren Ferien, und Peter ging davon aus, dass Fernanda beschäftigt sei und die Kinder ihren freien Tag genossen. Abends hatte sie die Vorhänge zugezogen, und Peter hatte sich plötzlich einsam gefühlt, weil er sie nicht mehr sehen konnte. Während er zum Hotel zurückkehrte, spürte er, wie sehr sie ihm fehlen würde. Er konnte sich ein Leben ohne sie gar nicht mehr vorstellen und hoffte noch immer, dass er ihr eines Tages wieder über den Weg laufen würde.

Schließlich zwang er sich, nicht länger zu grübeln. Als er endlich im Hotel eintraf, warteten Waters, Free und Stark schon ungeduldig und fragten, wo er so lange gesteckt habe. Sie hatten Hunger und wollten essen gehen. Peter hatte ihnen gegenüber nie erwähnt, wie sehr ihm Fernanda und die Kinder ans Herz gewachsen waren, und er sagte ihnen auch jetzt nicht, wie schwer es ihm gefallen war, Abschied zu nehmen – selbst wenn dieser Abschied lediglich darin bestand, zum letzten Mal von seinem Beobachtungsposten auf der gegenüberliegenden Straßenseite wegzufahren.

Die vier besuchten ein Taco-Restaurant in Mission, in dem es Peter ganz gut gefiel. Dies war das einzige Mal, dass sie zusammen gesehen werden durften. Sie waren alle am Tag zuvor bei ihrem Bewährungshelfer gewesen. Da sie sich im Abstand von zwei Wochen dort melden mussten, würde ihr Verschwinden erst auffallen, wenn sie hoffentlich schon außer Landes waren. Addison hatte Peter versichert, dass Fernanda schnell zahlen würde, wahrscheinlich innerhalb weniger Tage. Genau das verkündete Peter auch seinen Komplizen. Für sie zählte ohnehin nur das Geld. An das Wohl von Fernanda und den Kindern verschwendeten sie keinen einzigen Gedanken. Es war ein Job, und wen sie entführten, spielte für sie absolut keine Rolle. Peter hatte von Addison detaillierte Anweisungen bekommen, wohin Fernanda das Geld überweisen sollte. Es ging auf das Konto einer auf den Bahamas ansässigen Firma. Von da aus wurde das Geld weitertransferiert, auf zwei Schweizer Konten für Addison und

Peter und auf drei Konten in Costa Rica für Waters, Stark und Free. Die Kinder blieben so lange in ihrer Gewalt, bis sich das Geld auf dem Konto befand. Waters sollte die Lösegeldforderung stellen und Fernanda von Anfang an klar machen, dass sie die Kinder töten würden, falls sie die Polizei einschaltete. Allerdings war Peter fest entschlossen, das zu verhindern. Am nächsten Morgen würden sich die drei Männer so viele von Fernandas Kindern schnappen, wie sie kriegen konnten, und mit ihnen zu dem Haus in Tahoe fahren, das Peter gemietet hatte. Für sich hatte Peter unter einem anderen Namen ein Zimmer in einem Motel in der Lombard Street reserviert. Sein bisheriges Zimmer behielt er jedoch vorerst, um nicht unnötig Aufmerksamkeit zu erregen. Die drei hatten Schlafsäcke dabei und kampierten nun in Peters Zimmer auf dem Boden.

Am folgenden Morgen verließen sie das Hotel durch den Dienstboteneingang, sodass der Portier sie gar nicht zu Gesicht bekam. Der Lieferwagen stand voll getankt im Parkhaus bereit, Peter hatte die Golftaschen mit den Waffen bereits eingeladen. Außerdem gab es reichlich Stricke, Klebeband und jede Menge Munition. Sie hatten keine exakte Zeit festgelegt, wann sie zuschlagen wollten. Geplant war, in Fernandas Haus einzudringen, solange alle noch schliefen.

Peter begab sich geradewegs zu seinem neuen Hotelzimmer, und etwa zur selben Zeit erreichten seine drei Komplizen das Parkhaus, um den Wagen zu holen. Sie hatten unterwegs Proviant eingekauft: Rum, Tequila, jede Menge Bier, ein paar Konservendosen und Fertiggerichte. Keiner von ihnen hatte Lust zu kochen. Sie waren es nicht gewohnt, schließlich hatten sie im Gefängnis keine einzige Mahlzeit für sich selbst zubereiten müssen. Ihre Vorräte würden für ein paar Tage reichen, und sie gingen davon aus, dass die ganze Aktion bis dahin abgeschlossen war. Über das Essen für die Kinder hatten sie sich nicht gerade den Kopf zerbrochen. Sie hatten Brot, Erdnussbutter und Marmelade gekauft, das musste reichen.

Die FBI-Agenten und Polizisten waren mittlerweile seit über zwei Tagen in Fernandas Haus. Früh am Morgen rief sie Jack Waterman an. Sie sagte ihm, dass Sam und sie erkältet seien und nicht mitfahren könnten. Jack bedauerte das sehr und bot an, auf seinem Weg nach Napa rasch bei ihnen vorbeizuschauen. Aber Fernanda erklärte, sie und Sam seien zu schlapp für einen Besuch, und sie wolle auch nicht, dass sich Jack anstecke.

Nachdem sie die vier Männer mit Frühstück versorgt hatte, machten sie und Sam es sich im Bett gemütlich und schauten gemeinsam einen Videofilm an. Sam kuschelte sich eng an sie und hatte den Kopf auf ihre Schulter gelegt, da vernahm sie von unten ein unbekanntes Geräusch. Es hatte geklungen, als sei in der Küche ein Stuhl umgefallen. Fernanda machte sich deshalb keine Gedanken, schließlich befanden sich vier bewaffnete Männer im Haus. Sam war an ihrer Schulter eingeschlummert. Sie schliefen im Moment nachts nicht sehr gut und dösten tagsüber gern ein bisschen.

Von unten drangen gedämpfte Stimmen herauf, und Fernanda fragte sich, was los sei, wollte aber nicht aufstehen, weil sie Sam dann geweckt hätte. Als dann auch noch Schritte auf der Treppe zu hören waren, dachte sie, die Polizisten kämen herauf, um nach dem Rechten zu sehen.

Doch sie lag vollkommen falsch. Plötzlich stürmten drei Männer mit Skimasken in ihr Schlafzimmer, blieben am Fußende des Bettes stehen und richteten Schusswaffen mit Schalldämpfern auf sie. Sam wurde sofort wach, starrte die Männer fassungslos an und presste sich an seine Mutter.

»Alles in Ordnung, Sam … alles in Ordnung«, flüsterte sie mit bebender Stimme. Sie fragte sich, wo die Polizisten blieben, aber von unten war kein Ton zu hören. Sie setzte sich im Bett auf und umklammerte ihren Sohn, als könne ihn das vor den Eindringlingen schützen. Ohne ein einziges Wort zu sagen, packte einer der Männer Sam und riss ihn aus dem Bett. Fernanda schrie auf. »Bitte nicht mein Kind!«, flehte sie. Fernanda weinte und schluchzte, währenddessen hielt einer der Männer sie mit der Maschinenpistole in Schach, und ein anderer fesselte Sam an Händen und Füßen und klebte ihm den Mund zu. Sie sah die Angst in Sams weit aufgerissenen Augen. »O mein Gott!«, schrie sie, als die Männer Sam wie ein Stück Wäsche in eine große Segeltuchtasche stopften. Sam wimmerte, und Fernanda schrie immer weiter. Da griff der Mann neben dem Bett in ihr Haar und zerrte es so heftig nach hinten, dass sie glaubte, er würde es ihr ausreißen.

»Noch ein Ton, und wir töten ihn. Das willst du doch nicht, oder?«

Fernanda registrierte, dass der Mann groß und kräftig war. Er trug eine Art Anorak, eine Jeans und Arbeitsschuhe. Unter der Skimaske blitzte ein blondes Haarbüschel hervor. Einer der anderen Männer, er war ebenfalls stabil gebaut, aber untersetzt, warf sich die Tasche mit Sam über die Schulter. Fernanda wagte kaum noch zu at-

men, vor lauter Angst, die Kerle würden Sam etwas antun.
»Nehmen Sie mich auch mit!«, bettelte sie mit zitternder Stimme.
Aber die Männer gaben keine Antwort. Sie hatten klare Instruktionen, an die sie sich hielten. Die Frau musste hier bleiben, damit sie das Lösegeld zahlen konnte.
»Bitte … tun Sie ihm nichts … bitte«, wimmerte sie leise, während die Männer bereits aus dem Zimmer und die Treppe hinuntereilten. Fernanda folgte ihnen. Überall auf der Treppe waren blutige Fußabdrücke.
»Ein einziges Wort zur Polizei oder zu jemand anderem, und der Junge ist tot«, zischte einer der Männer.
Fernanda nickte.
»Wo gehts in die Garage?«, wollte ein anderer wissen.
Fernanda sah erst jetzt, dass sein Hosenbein blutbespritzt war. Ängstlich wies sie auf die Tür zur Garage. Während einer der Männer sein Maschinengewehr auf sie gerichtet hielt, schulterte ein anderer unsanft die Tasche mit Sam. Kein einziger Laut drang daraus hervor.
»Wo sind die anderen?«, fragte sie der größte und kräftigste der drei Männer.
»Weggefahren«, antwortete Fernanda und fragte sich erneut, wieso die Polizisten nichts unternahmen.
Der Mann nickte, und die drei liefen in Richtung Garage. Sie hatten ihren Lieferwagen unbeobachtet rückwärts an das Tor heranrollen lassen, waren um das Haus herumgeschlichen, hatten eine Scheibe eingeschlagen und ein Fenster geöffnet. Um das Geräusch zu dämpfen, hatten sie ein Handtuch benutzt. Die Drähte der Alarmanlage hatten sie sicherheitshalber vorher durchtrennt, darin wa-

ren sie geübt. Auch jetzt konnte niemand von der Straße aus sehen, wie die Männer erst das Garagentor und dann die hintere Tür des Lieferwagens öffneten. Fernanda wünschte, sie hätte eine Waffe. Sie musste alles hilflos mit ansehen und traute sich nicht einmal, nach ihren Beschützern zu rufen, aus Angst, die Entführer würden Sam töten. Der Mann, der Sam schleppte, kletterte in den Laderaum und stieß die Tasche dabei gegen die hintere Stoßstange. Die beiden anderen warfen ihre Waffen auf die Ladefläche und liefen am Wagen vorbei nach vorn. Die Hintertür wurde zugeknallt, und nur Sekunden später raste der Wagen davon. Fernanda stand schluchzend vor dem Haus. Niemand in der Straße hatte von der Entführung etwas mitbekommen. Fernanda hatte in ihrer Angst und Verzweiflung nicht einmal daran gedacht, sich das Nummernschild zu merken.

Sie hastete weinend zurück ins Haus, um die Polizisten zu suchen. Auf dem Teppich in der Halle erkannte sie Blutspuren. Fernanda stürzte in die Küche und blieb wie angewurzelt stehen. Der Anblick war Grauen erregend. Einem der Polizisten war der Schädel eingeschlagen, einem anderen mit der Maschinenpistole der halbe Hinterkopf weggeschossen worden. Eine blutige Masse war bis an die Wand gespritzt. Nie zuvor hatte Fernanda etwas so Schreckliches gesehen. Sie konnte nicht einmal schreien. Die beiden FBI-Agenten waren von Kugeln durchsiebt worden, einer lag vornübergekippt auf dem Küchentisch, der andere rücklings auf dem Fußboden. Alle hielten ihre Waffen in Händen, aber keiner von ihnen hatte auch nur einen Schuss abgeben können. Offenbar waren sie nur einen kurzen Moment lang unaufmerksam gewesen, hatten wahrscheinlich Kaffee getrunken und geschwatzt. Und jetzt waren sie alle tot. Fernanda rannte aus dem Zimmer und stürmte zum Telefon. Ihr erster Gedanke war, Ted anzurufen. Sie fand seine Karte und wählte seine Handynummer.

Ted ging schon beim ersten Klingeln ran. Er war zu Hause, erledigte Papierkram und reinigte seine Dienstwaffe, was er schon die ganze Woche hatte tun wollen. Fernanda war nicht in der Lage, auch nur ein einziges Wort hervorzubringen. Ted hörte nichts als lautes Schluchzen.

»Wer ist da?«, fragte er eindringlich. Er fürchtete, die Antwort bereits zu kennen. »Fernanda, bist du das? Rede mit mir!«

Es klang wie ein Befehl. Fernanda rang nach Luft.

»Was ist los?«

»Sie … haaabbbben … iiihhhhn«, stieß sie schließlich am ganzen Körper zitternd hervor.

»Fernanda, beruhige dich. Wo sind die anderen?«

Fernanda wusste, dass er die Polizisten meinte, aber sie bekam keinen Ton mehr heraus. Sie weinte hemmungslos. Schließlich wimmerte sie: »Tot … alle tot.«

Ted wagte nicht zu fragen, ob auch Sam tot sei.

»Sie haben gesagt, sie töten ihn, wenn ich mit jemandem spreche …«

»Ich bin in ein paar Minuten da.« Ted legte auf und benachrichtigte die Einsatzzentrale. Er nannte dem Beamten Fernandas Adresse und trug ihm auf, keinesfalls etwas über Funk durchzugeben, damit nichts an die Presse dringe. Sämtliche Nachrichten müssten verschlüsselt übermittelt werden. Als Nächstes rief er Rick an, unterrichtete ihn knapp davon, dass etwas vorgefallen war, und bat ihn, so schnell wie möglich den Pressesprecher des FBI zu Fernandas Haus zu schaffen. Sie mussten höllisch aufpassen, welche Informationen sie an die Öffentlichkeit gaben, um Sam nicht in Gefahr zu bringen. Noch während Rick mit Ted telefonierte, war er mit dem Handy am Ohr schon auf dem Weg nach draußen.

Nachdem Ted in Windeseile seine Pistole zusammengebaut und in das Halfter gesteckt hatte, stürzte er ebenfalls aus dem Haus. Er machte sich nicht einmal die Mühe, die Lampen auszuschalten. Mit Blaulicht raste er zu Fernanda. Schon von weitem hörte er Sirenen. Auf der ganzen Straße standen Polizeiwagen, und drei Krankenwagen waren bereits vor Ort. Am Ende der Straße blockierte ein Polizeiwagen die Durchfahrt und ließ niemanden herein. Ted traf nur wenige Minuten nach seinen Kollegen ein. Während er aus dem Wagen stieg, kamen zwei weitere Krankenwagen. Direkt dahinter erkannte er Rick.

»Was zum Teufel ist passiert?« Während Ted die Stufen zur Haustür hinaufstürmte, lief Rick neben ihm her. Überall im Haus wimmelte es von Polizisten, von Fernanda oder den Männern, die zu ihrem und Sams Schutz dort gewesen waren, jedoch keine Spur.

»Sie haben Sam … mehr weiß ich auch nicht. Fernanda sagte was von ›alle tot‹ …« Ted sah das Blut auf den Treppenstufen und dem Teppich in der Halle.

Unwillkürlich wandten sich die beiden der Küche zu. Ted und Rick hatten in ihrer langen Karriere viel Schreckliches zu Gesicht bekommen, aber jetzt stockte ihnen der Atem.

»O mein Gott!«, flüsterte Rick, während Ted schweigend

auf die toten Männer starrte. Die vier Polizisten waren auf brutalste Weise geradezu hingerichtet worden. Wut stieg in Ted auf. Er machte kehrt und eilte in die Halle zurück, um Fernanda zu suchen. Mittlerweile befanden sich beinahe zwanzig Polizisten im Haus. Sie durchkämmten jeden Winkel nach den Tätern. Der FBI-Pressesprecher gab klare Anweisung, nichts an die Medien weiterzugeben. Ted bahnte sich seinen Weg durch das Chaos und wollte gerade nach oben gehen, da entdeckte er Fernanda. Sie kauerte zusammengesunken auf dem Wohnzimmerboden und wimmerte. Als sich Ted neben sie kniete und sie in die Arme nahm, begann sie hemmungslos zu weinen. Er hielt sie einfach nur fest, wiegte sie wie ein Kind und streichelte ihr übers Haar. Als sie sich an ihn lehnte und zu ihm aufblickte, erkannte er in ihren Augen das blanke Entsetzen.

»Sie haben meinen Kleinen mitgenommen ... Sie haben meinen Sam ...«, wisperte sie immerzu. Sie hatte nicht damit gerechnet, dass es tatsächlich zu einer Entführung kommen würde. Ted genauso wenig. Aber jetzt war es doch passiert und hatte vier Menschen das Leben gekostet. Dass die Entführer dermaßen skrupellos vorgehen würden, war nicht vorherzusehen gewesen.

»Wir holen ihn zurück, darauf gebe ich dir mein Wort.« Ted wusste nicht, ob er dieses Versprechen wirklich einlösen konnte, aber in diesem Moment hätte er ihr alles zugesichert, um sie zu beruhigen. Zwei Sanitäter kamen herein und blickten ihn fragend an. Soweit Ted erkennen konnte, hatte Fernanda keine körperlichen Verletzungen, aber sie stand eindeutig unter Schock. Einer der Sanitäter kniete sich neben sie und sprach sie an.

Die Männer führten Fernanda zum Sofa und brachten sie dazu, sich hinzulegen. Vorher zogen sie ihr die Schuhe aus, denn die Sohlen waren voller Blut. Überall auf dem Teppichboden hatte Fernanda Abdrücke hinterlassen.
Mehrere Polizeifotografen machten Aufnahmen und Videos vom Tatort. Was die Beamten hier zu sehen bekamen, war so abscheulich, dass einigen von ihnen Tränen in die Augen traten. Die Spurensicherung des FBI untersuchte jeden Zentimeter nach Stofffasern, Glassplittern und Fingerabdrücken. Im Labor würde alles auf DNA-Spuren überprüft werden.
Es war bereits später Nachmittag, als die meisten der Polizisten abzogen. Fernanda lag mittlerweile in ihrem Zimmer. Der Eingang zur Küche war mit gelbem Band abgesperrt, niemand durfte den Ort des Verbrechens betreten, damit alles unverändert blieb. Der Captain war persönlich hergekommen, um den Tatort in Augenschein zu nehmen. Vier Polizisten blieben zu Fernandas Schutz vor Ort. Den Nachbarn hatte man gesagt, es habe einen Unfall gegeben, und die Leichen wurden sorgfältig verhüllt durch die Hintertür hinaustransportiert. Gegenüber der Presse war eine uneingeschränkte Nachrichtensperre verhängt worden. Solange die Entführer den Jungen in ihrer Gewalt hatten, würde auch nicht ein Wort an die Öffentlichkeit dringen, damit er nicht zusätzlich in Gefahr gebracht wurde.
»Zuerst dachte ich, du wärst verrückt geworden«, gab der Captain Ted gegenüber zu, »und jetzt stellt sich heraus, dass wir es mit Wahnsinnigen zu tun haben.« Er fragte Ted, ob Fernanda irgendetwas gehört oder gesehen habe, das ihnen weiterhelfen könne.

Aber Fernanda wusste nicht mehr über die Entführer als vor dem Überfall. Die Männer waren umsichtig vorgegangen, echte Profis eben, und Fernanda war viel zu aufgeregt gewesen, um auf Details zu achten. Innerhalb von Minuten nach Fernandas Anruf bei Ted waren Polizeibeamte in das Hotel in Tenderloin gestürmt, aber der Mann an der Rezeption sagte, Peter Morgan habe schon am frühen Morgen das Haus verlassen und sei noch nicht zurückgekommen.

Die Polizisten stellten sein Zimmer auf den Kopf, aber von Peter Morgan gab es nicht die geringste Spur. Ted hatte das vorausgesehen. Morgan würde nicht hierher zurückkehren, auch wenn sich der größte Teil seiner Sachen noch in dem Zimmer zu befinden schien. Die Fahndung nach Peter und Carlton Waters lief auf Hochtouren. Auch hierüber war nichts bekannt gegeben worden. Die Polizisten hatten strikte Anweisung, sich äußerst unauffällig zu verhalten, falls sie einen der Verdächtigen aufspürten. Die Entführer durften keinesfalls gewarnt werden, denn dann wäre womöglich das Leben des Jungen ernsthaft gefährdet.

Sobald Carlton Waters mit seinen Komplizen die Bay Bridge überquert hatte und durch Berkeley fuhr, rief er Peter an. Er benutzte die neue Nummer, die Peter ihm gegeben hatte. Sie gehörte zu dessen neu erworbenem Handy, das nicht geortet werden konnte.

»Es gab ein kleines Problem«, begann Waters. Er sprach betont ruhig, aber man konnte ihm anhören, dass er verärgert war.

»Was für ein Problem?« Eine Schrecksekunde lang fürchtete Peter, sie hätten Fernanda oder den Jungen getötet.

»Du hast leider vergessen, die vier Cops in ihrer Küche zu erwähnen«, antwortete Waters wütend. Er und seine Männer hatten nicht damit gerechnet, erst vier Polizisten umbringen zu müssen, bevor sie sich den Jungen schnappen konnten. Peter hatte sie nicht einmal vorgewarnt.
»*Was?* Das ist doch lächerlich! Ich habe niemanden hineingehen sehen. Sie hatte am Tag vorher ein paar Freunde zu Besuch, das wars«, entgegnete Peter voller Überzeugung. Allerdings musste er im Stillen zugeben, dass er um zehn Uhr weggefahren war. Es konnte gut sein, dass danach noch jemand eingetroffen war. Er fragte sich jetzt, ob er Fernanda vielleicht deshalb während der letzten Tage so selten zu Gesicht bekommen hatte. Aber wer hätte ihr einen Tipp geben sollen? Ihm fiel ein, dass Addison wegen dieser Steuergeschichte verhaftet worden war. Aber Addison war viel zu clever, um sich zu verplappern. Peter hatte absolut keine Erklärung dafür, warum diese Polizisten im Haus gewesen waren.
»Wer auch immer diese Typen waren, die werden keinem mehr in die Quere kommen.« Waters spuckte eine Ladung Kautabak aus dem Wagenfenster. Stark saß am Steuer, und Jim Free hockte auf dem Rücksitz. Die Tasche mit dem Jungen befand sich zusammen mit ihren Waffen und den Einkäufen hinten auf der Ladefläche. Zu Frees Füßen lagen ein M16 sowie ein ganzes Arsenal Pistolen, fast alles halbautomatische Rugers und Berettas Kaliber .45. Carlton hatte sich seine Lieblingswaffe besorgt: eine Uzi, eine kleine vollautomatische Maschinenpistole, mit der er schon vertraut gewesen war, bevor er ins Gefängnis kam.

»Ihr habt sie umgebracht?«, fragte Peter fassungslos. Das machte die Sache um einiges komplizierter, und Addison würde nicht gerade begeistert sein.
Waters beantwortete Peters Frage gar nicht erst, sondern sagte: »Du tätest gut daran, den Cops klar zu machen, dass sie besser die Klappe halten. Nur ein Wort davon in den Zeitungen, und der Junge ist tot. Wir wollen doch, dass alles schön ruhig und unauffällig über die Bühne geht. Sobald es im Fernsehen läuft, ist jedes Arschloch in Kalifornien hinter uns her. Das können wir nicht gebrauchen.«
»Dann hättet ihr nicht vier Polizisten abknallen sollen! Weißt du eigentlich, was du da von mir verlangst? Wie zum Teufel soll ich das hinkriegen?«
»Vor allem musst du es bald hinkriegen. Wir sind vor einer halben Stunde da weg. Wenn die Bullen quatschen, ist es innerhalb von fünf Minuten in allen Nachrichten.« Damit legte er auf.
Peter verließ sich zwar darauf, dass Anrufe von seinem Handy nicht zurückverfolgt werden konnten, dennoch war er nicht scharf darauf, diese Funktion zu testen, indem er die Polizei anrief. Aber Waters hatte Recht. Wenn die Medien von einer Entführung berichteten, bei der vier Cops ums Leben gekommen waren, gäbe es überall Straßensperren, und jeder Polizist im Land würde auf sie angesetzt. Sie würden sofort die Grenze dichtmachen und jedes Auto kontrollieren. Obwohl es ihn einige Überwindung kostete, wählte Peter die Nummer der Polizeizentrale und ließ sich mit einem Sergeant verbinden. Er wusste, dass es keine Rolle spielte, mit wem er sprach. Die Nachricht würde innerhalb von Sekunden an die richtige

Adresse weitergegeben werden. Peter richtete aus, was Carl ihm aufgetragen hatte.

»Ein Wort über die Entführung oder die vier toten Cops an die Presse, und der Junge ist tot.« Er hängte ein.

Es dauerte nicht einmal zwei Minuten, bis die Botschaft bei Ted und seinem Chef angekommen war. Peters Forderung war nicht leicht zu erfüllen, aber sie würden alles dafür tun, schließlich stand das Leben eines Kindes auf dem Spiel.

Der Captain telefonierte mit dem Polizeipräsidenten und den Verantwortlichen beim FBI. Sie vereinbarten, der Presse gegenüber eine Erklärung abzugeben, in der es hieß, vier Beamte seien in Ausübung ihres Berufes ums Leben gekommen. Bei einer Verfolgungsjagd habe sich ein Unfall ereignet. Weitere Details würden erst später bekannt gemacht, man wolle den Familien der Verunglückten Zeit lassen, alle Angehörigen zu benachrichtigen. So klang es wenigstens glaubwürdig, dass sowohl FBI-Agenten als auch Polizisten gestorben waren. Dennoch würde es schwer zu verhindern sein, dass etwas durchsickerte, bis der Junge in Sicherheit war.

Zwei Stunden später hörte Carlton Waters, der noch immer auf der Straße in Richtung Tahoe unterwegs war, die Presseerklärung im Radio. Sofort rief er Peter an und sagte ihm, er habe seine Sache gut gemacht. Allerdings war er nach wie vor sauer, weil Peter bei der Überwachung schlampig gearbeitet hatte. Nur deshalb war das Problem überhaupt aufgetaucht. Und vier tote Cops waren definitiv ein Problem.

Peter saß in seinem Hotelzimmer in der Lombard Street und grübelte. Es war nicht alles nach Plan gelaufen, und er

musste dringend Addison informieren. Er wusste, wie er ihn in Südfrankreich erreichen konnte, und rief ihn mit dem Handy an.
Addison war am Tag zuvor in Cannes eingetroffen und begann gerade, seine Ferien zu genießen. Der exakte Zeitplan der Entführung war ihm bestens bekannt. Was er jetzt hören wollte, waren Erfolgsmeldungen. Er hatte Peter angewiesen, ein paar Tage zu warten, bevor er die Lösegeldforderung stellte. Fernanda sollte ruhig in ihrer Angst schmoren, umso bereitwilliger würde sie das Lösegeld zahlen.
Peter drückte sich zunächst davor, Addison von den vier toten Cops zu erzählen. Er müsste dann auch erklären, wieso er nicht gewusst hatte, dass sie im Haus waren. Also begann er erst einmal ausführlich damit, dass sie Sam geschnappt hätten und die anderen Kinder nicht da gewesen seien.
»Was willst du mir eigentlich sagen?«, fragte Addison, nachdem Peter schon eine Weile lang um den heißen Brei herumgeredet hatte.
»Es gab ein Problem«, erwiderte Peter und machte eine kurze Pause.
»Wurde der Junge oder seine Mutter verletzt?« Addisons Stimme klang eiskalt. Falls sie den Jungen getötet hatten, gab es kein Lösegeld, sondern Schwierigkeiten, und zwar große.
»Nein«, antwortete Peter und bemühte sich, ruhig zu wirken, »das nicht. Aber nachdem ich am Abend vor der Aktion ins Hotel gefahren bin, müssen vier Cops ins Haus gelangt sein. Die waren vorher kein einziges Mal da, ich schwöre! Sie war immer allein mit den Kindern, es

gibt nicht mal ein Hausmädchen. Ich hab nicht die geringste Ahnung, was die Cops da zu suchen hatten.«

»Was ist passiert?« Addison dehnte jedes Wort.

»Waters und seine Männer haben sie anscheinend getötet.«

»Großer Gott! Weiß die Presse schon Bescheid?«

»Nein. Ich hab bei der Polizei angerufen und gesagt, wenn nur ein Wort davon bekannt wird, ist der Junge tot. Daraufhin gab es eine Meldung im Radio: Vier Beamte seien bei einer Verfolgungsjagd mit dem Auto verunglückt. Sonst nichts. Kein Wort von der Entführung.«

»Es war gut, dass du bei der Polizei angerufen hast. Man wird sowieso überall nach dem Jungen suchen. Aber Cops, die im ganzen Staat Jagd auf Polizistenmörder machen, hätten uns gerade noch gefehlt.« Addison war alles andere als begeistert, aber er wusste genauso gut wie Peter, dass die Polizei vorerst nichts verlauten lassen würde, um das Leben des Jungen nicht zu gefährden. »Klingt so, als hättest du die Sache im Griff, ganz im Gegensatz zu deinen Jungs. Aber wahrscheinlich hatten sie keine andere Wahl. Sie konnten die vier Cops schlecht mitnehmen.«

Addison saß auf dem Balkon seiner Suite im Carlton in Cannes und betrachtete den Sonnenuntergang. Er überlegte, was nun zu tun sei. »Es wäre besser, du machst dich auch auf den Weg.« Damit änderte er den ursprünglichen Plan.

»Nach Tahoe? Das wäre Wahnsinn! Das Letzte, was ich will, ist, mit den Jungs gesehen zu werden.« Noch schlimmer wäre es, mit ihnen zusammen geschnappt zu werden, falls sie irgendeine Dummheit machten, zum Beispiel einen kleinen Laden wegen eines lumpigen Sandwiches zu überfallen, dachte Peter, sagte aber nichts. Er wollte Addison nicht noch mehr aufbringen, er war ohnehin schon sauer wegen der toten Cops.

»Betrachte es als Schutz unserer Investition. Das ist der Einsatz doch wohl wert, oder?«

»Warum zum Teufel willst du, dass ich hinfahre?« Es war Peter anzuhören, dass er Angst hatte.

»Je länger ich darüber nachdenke, desto weniger möchte ich diese Burschen mit dem Jungen allein lassen. Falls sie ihm ein Haar krümmen oder ihn aus Versehen sogar umbringen, sitzen wir richtig in der Scheiße. Ich bin nicht sicher, ob die Jungs als Babysitter wirklich geeignet sind. Ich baue darauf, dass du unser wertvolles Kapital im Auge behältst.« Diese Typen erledigten ihre Aufgabe wesentlich brutaler, als er erwartet hatte. Womöglich wären sie tatsächlich blöd genug, den Jungen zu töten. Und da sie nur *ein* Kind als Verhandlungsmasse hatten, wollte Addison kein Risiko eingehen. »Du schwingst deinen Hintern gleich ins Auto«, sagte er bestimmt.

Peter sträubte sich innerlich noch immer dagegen, aber er konnte Addison verstehen. Außerdem spukte ihm ein Argument für die Reise nach Tahoe im Kopf herum: Wenn er dort wäre, hätte er Gelegenheit, für das Wohl des Jungen zu sorgen. »Wann?«, fragte er schließlich.

»Noch heute Abend. Obwohl – warum startest du nicht sofort? Behalte deine Freunde und den Jungen gut im Auge. Wann werdet ihr Mrs Barnes anrufen?« Es war lediglich eine Kontrollfrage. Addison hatte den Ablaufplan vor seiner Abreise selbst ausgearbeitet – der Tod von vier Polizisten war darin allerdings nicht vorgesehen gewesen.

»In ein oder zwei Tagen«, antwortete Peter. So hatten sie es vereinbart.
»Ich verlasse mich auf dich.« Addison legte auf.
Peter saß noch eine ganze Weile lang regungslos in seinem Hotelzimmer. Die Sache lief immer weniger nach Plan. Er hatte nie vorgehabt, nach Tahoe zu fahren, solange die anderen dort waren. Aber nun blieb ihm keine andere Wahl. Er wollte, dass die Sache möglichst schnell über die Bühne ging und er seine zehn Millionen bekam. In Wahrheit war er nicht einmal scharf auf das Geld. Er tat all das allein für seine Töchter. Wenn er jetzt nach Tahoe aufbrach und mit Waters und den anderen zusammenblieb, lief er viel eher Gefahr, gefasst zu werden. Aber er hatte von Anfang an geahnt, dass er nie wieder aus der Sache herauskommen würde. Während er sein Rasierzeug zusammenpackte, versuchte er, nicht an Fernanda zu denken und daran, was sie vermutlich gerade durchmachte. Das Einzige, was ihn beruhigte, war die Tatsache, dass sie ihren Sohn zurückkriegen würde. Hundert Millionen Dollar standen auf dem Spiel, seine Komplizen würden also nichts riskieren. Peter steckte die beiden sauberen T-Shirts und die Unterwäsche ein, die er in einer Papiertüte mitgebracht hatte. Zehn Minuten später verließ er das Hotel. Er hielt ein Taxi an und ließ sich zum Pier bringen. Am Fisherman's Wharf bestieg er ein anderes Taxi und fuhr nach Oakland zu einem Gebrauchtwagenhändler. Das Auto, das er während der letzten Wochen benutzt hatte, stand in einer Seitenstraße in der Nähe des Hafens. Er hatte am Abend zuvor die Nummernschilder abgeschraubt, in einen Müllcontainer geworfen und war die

sechs Blocks zu seinem neuen Hotelzimmer zu Fuß gegangen.
Nun kaufte er sich einen alten Honda und bezahlte bar. Nur eine Stunde nach seinem Telefonat mit Phillip Addison war er auf dem Weg nach Tahoe. Er legte keine Pause ein und hielt sich konsequent an die Geschwindigkeitsbegrenzungen.
Lange bevor er in Vallejo eintraf, befanden sich im Polizeicomputer des Bundesstaates Kalifornien Fahndungsfotos von Peter Morgan und Carlton Waters. Addison wurde bereits vom FBI in Frankreich überwacht. Jetzt musste nur ein Anruf der Entführer bei Fernanda eingehen, den FBI und Polizei hoffentlich zurückverfolgen konnten. Und mit etwas Glück würden sie Sam dann rechtzeitig finden.

15. Kapitel

Bis zum Abend hatte die Spurensicherung die Arbeit in Fernandas Haus abgeschlossen. Die Familien der toten Polizisten waren informiert und die Leichen der Männer zur Bestattung freigegeben worden. Nur die Ehefrauen und engsten Angehörigen hatten erfahren, was wirklich passiert war. Sie wussten, dass von ihrem Stillschweigen das Leben eines Kindes abhing, und würden sich daran halten. Den Frauen war klar gewesen, wie gefährlich der Job ihres Mannes war, dennoch wurden sie jetzt psychologisch betreut, um den ersten Schock zu überwinden.

Spezialisten der Polizei und des FBI, so genannte Profiler, waren bereits dabei, psychologische Profile von Peter Morgan und Carlton Waters zu erstellen. Ihre Zimmer wurden Zentimeter für Zentimeter durchsucht, sämtliche Leute aus ihrer Umgebung verhört. Der Verwalter des Übergangshauses in Modesto hatte ausgesagt, dass Malcom Stark und Jim Free ebenfalls verschwunden seien. Diese Information zog weitere Ermittlungen nach sich. Fahndungsfotos und Personenbeschreibungen der beiden wurden via Internet an alle Polizeidienststellen in Kalifornien geschickt. Die Profiler sprachen mit den Bewährungshelfern von Waters, Stark und Free. Peters Bewährungshelfer erklärte zu ihrem Leidwesen, er habe seinen Schützling eigentlich kaum gekannt. Sie befragten auch einen Mann, der behauptete, Peters Arbeitgeber gewesen zu sein. Es stellte sich aber schnell heraus, dass dieser Mann Peter Morgan nicht einmal zu Gesicht bekommen hatte. Die Profiler des FBI brauchten nicht lange, um herauszufinden, dass es sich bei der Firma, wo Peter Morgan angeblich beschäftigt war, um eine Tochterfirma von Phillip Addisons Konzern handelte. Rick und Ted waren sich einig, dass Peter Morgan lediglich zum Schein dort auf der Gehaltsliste stand.

Ted betraute eine Reinigungsfirma, die sie häufig nach Selbstmorden beauftragten, damit, die Spuren der schrecklichen Ereignisse in Fernandas Haus zu beseitigen. Fernandas Küche wurde noch in derselben Nacht abmontiert und weggeschafft. Sogar die Granitplatte musste entfernt und die Böden mussten abgeschliffen werden.

Fernanda wurde rund um die Uhr von vier Polizisten bewacht, dennoch war Ted den ganzen Tag über kaum von ihrer Seite gewichen. Er wollte ihr so gern helfen und würde tun, was in seiner Macht stand, um ihren Sohn zurückzubringen. Der Captain war einverstanden, dass Ted bei Fernanda blieb. Sobald die Entführer anriefen, musste sich schließlich jemand um den weiteren Ablauf kümmern.

Ted hatte sich in ihrem Wohnzimmer häuslich eingerichtet und erledigte alle anstehenden Telefonate mit seinem Handy. Zwei im Verhandeln mit Entführern geschulte Experten waren ebenfalls vor Ort. Es gab keinen Zweifel, dass sich die Entführer melden würden. Die Frage war nur, wann.

Fernanda hatte sich oben in ihrem Zimmer ein wenig hingelegt. Als sie herunterkam, war es schon fast neun Uhr abends. Sie sah sehr mitgenommen aus und hatte den ganzen Tag über nichts gegessen. Ted hatte ihr ein paar Mal etwas angeboten, aber sie hatte abgelehnt, und er hatte sie schließlich allein gelassen. Sie musste Zeit für sich haben. Falls sie ihn brauchte, war er jederzeit für sie da. Wenige Minuten zuvor hatte er Shirley angerufen und ihr erzählt, was passiert war. Er sagte, dass er über Nacht bei seinen Männern bleiben würde. Shirley reagierte sehr verständnisvoll. Sie war daran gewöhnt, ihren Mann länger nicht zu Gesicht zu bekommen. Trotzdem fragte sie sich manchmal, warum sie überhaupt noch miteinander verheiratet waren.

Als Fernanda nun das Wohnzimmer betrat, war sie äußerst blass. Sie verharrte einen Moment lang im Türrahmen und sah Ted fragend an. »Haben sie sich gemeldet?«

Ted schüttelte den Kopf. Er hätte sie sofort verständigt, das wusste Fernanda im Grunde. Trotzdem hatte sie die Frage nicht zurückhalten können. Sie setzte sich aufs Sofa.

»Es ist noch zu früh. Sie warten absichtlich, um dich mürbe zu machen.«

Der eine Verhandlungsexperte hatte ihr das Gleiche gesagt. Er befand sich oben in Ashleys Zimmer, mit einem Spezialtelefon, das an ihre Hauptleitung angeschlossen war.

»Was tun diese Leute in der Küche?«, erkundigte sie sich ohne sonderlich großes Interesse. Sie hatte noch immer das Bild der vier toten Männer vor Augen und wollte diesen Raum niemals wieder betreten.

Ted wusste, dass sie diesen Anblick ihr Leben lang nicht

vergessen würde, und er war froh, dass Fernanda das Haus sowieso in Kürze verkaufen wollte. »Sie räumen auf.« Sie konnte hören, wie der Granit mit einer Maschine bearbeitet wurde. Es klang, als würden die Männer das ganze Haus abreißen, und Fernanda wünschte, sie täten es. »Es könnte ja sein, dass die neuen Eigentümer gern eine Küche hätten«, versuchte er sie aufzumuntern, und für einen Moment stahl sich tatsächlich ein Lächeln auf ihre Lippen.

»Sie haben ihn in diese Tasche gesteckt ...«, sagte sie. Wieder und wieder sah sie die Szene vor sich. »Sein Mund war zugeklebt.«

»Ich weiß ... Es geht ihm gut«, versicherte Ted zum x-ten Mal und hoffte inständig, dass es der Wahrheit entsprach. »Sie werden sich in den nächsten Tagen melden. Vielleicht lassen sie dich mit ihm sprechen.«

Der Verhandlungsexperte hatte Fernanda geraten, darauf zu bestehen, um sicherzugehen, dass Sam noch lebte. Während Fernanda ausdruckslos vor sich hinstarrte, schaute Ted sie schweigend an, aber sie bemerkte es nicht. Sie war innerlich wie abgestorben.

Einige Nachbarn hatten nachgefragt, was passiert sei, sie hätten Fernanda schreien hören. Aber als sich die Beamten in den anliegenden Häusern umhörten, stellte sich heraus, dass niemand etwas gesehen hatte.

»Wie furchtbar muss das für die Familien dieser armen Männer sein! Sie werden mich hassen.« Fernanda plagten Gewissensbisse. Diese Männer waren bei dem Versuch, sie und ihre Kinder zu schützen, gestorben, deshalb kam es ihr so vor, als sei sie genauso schuld an ihrem Tod wie die Entführer. Unglücklich blickte sie Ted an.

»Nein, bestimmt nicht. Das ist unser Job. Wir wissen, welches Risiko wir eingehen. Und unsere Familien wissen es auch.«

»Wie lebt man mit dieser Angst?«

»Man tut es einfach. Aber viele Ehen gehen an dieser Belastung zugrunde.«

Sie nickte. Nach einer Weile erkundigte sie sich: »Was soll ich tun, wenn sie Geld verlangen?« Sie hatte schon den ganzen Tag lang darüber nachgedacht. Sie hatte keines und bezweifelte, dass Jack in der Lage war, welches aufzutreiben. Jetzt konnte ihr nur noch ein mittelgroßes Wunder helfen.

»Wir können den Anruf zurückverfolgen.« Falls wir Glück haben, beendete Ted seinen Satz im Stillen. Ihm war klar, dass ihnen nicht viel Zeit blieb, um den Jungen zu befreien.

»Und wenn das nicht klappt?« Ihre Stimme war kaum mehr als ein Hauch.

»Wir werden es schaffen«, sagte er bewusst zuversichtlich, um sie zu beruhigen. Aber natürlich war das längst nicht so einfach. Sie konnten nur hoffen, dass es gelang. Ted betrachtete Fernanda unauffällig. Obwohl sie vollkommen erschöpft aussah, hatte sie nichts von ihrer Ausstrahlung eingebüßt. Sie war einfach eine schöne Frau.

»Wenn ich dir ein Sandwich hole, würdest du dann versuchen, etwas zu essen? Du musst bei Kräften sein, wenn sie anrufen.«

Fernanda schüttelte den Kopf. »Ich habe keinen Hunger.« Sie dachte unentwegt an Sam und würde jetzt keinen einzigen Bissen herunterkriegen. Wo mochte ihr Sohn jetzt sein? Was hatten sie mit ihm angestellt? Ob er große

Angst hatte? War er verletzt, womöglich sogar tot? Ein schrecklicher Gedanke nach dem anderen schoss ihr durch den Kopf.
Eine halbe Stunde später brachte Ted ihr eine Tasse Tee. Fernanda saß auf dem Wohnzimmerfußboden und hatte die Arme um die Knie geschlungen. Hin und wieder nippte sie nun an dem Tee. Ted wusste, dass Fernanda in dieser Nacht kein Auge zutun würde. Das Warten würde ihr vorkommen wie eine Ewigkeit. Ihnen allen genauso, aber für Fernanda war es natürlich am quälendsten. Noch hatte sie Will und Ashley nicht benachrichtigt. Die Polizei hatte ihr nahe gelegt zu warten, bis sich die Entführer gemeldet hätten. Es war nicht sinnvoll, auch noch die Kinder in Angst und Schrecken zu versetzen. Die örtlichen Polizeidienstellen waren verständigt und jederzeit einsatzbereit. Ted glaubte allerdings nicht, dass Will und Ashley jetzt noch Gefahr drohte. Die Entführer würden wohl kaum versuchen, sie auch noch zu schnappen.
Später rollte sich Fernanda schweigend auf dem Teppich im Wohnzimmer zusammen. Ted saß in ihrer Nähe, schrieb Berichte und warf ihr ab und zu einen prüfenden Blick zu. Er ging hinaus, um nach seinen Männern zu sehen, und als er zurückkam, war Fernanda eingeschlafen. Er überlegte, sie auf ihr Zimmer zu bringen, wollte sie aber auf keinen Fall aufwecken. Sie brauchte dringend Schlaf. Vorsichtig deckte er sie zu. Er selbst legte sich gegen Mitternacht auf das Sofa und döste für ein paar Stunden. Als er die Augen aufschlug, war es noch immer dunkel. Fernanda weinte. Er setzte sich auf, ging zu ihr hinüber und nahm sie wortlos in die Arme. So hielt er sie während der nächsten Stunden fest. Als ihr Schluchzen

endlich verebbte, dämmerte es bereits. Fernanda löste sich von Ted und dankte ihm für seine Fürsorge. Dann schlich sie nach oben in ihr Zimmer. Zu ihrer Erleichterung stellte sie fest, dass die Blutflecken auf dem Teppich in der Halle mittlerweile entfernt worden waren.

Ted sah Fernanda erst gegen Mittag wieder. Die Entführer hatten sich noch nicht gemeldet, und Fernanda wirkte von Stunde zu Stunde mitgenommener.

Am Nachmittag rief Jack Waterman an. Als das Telefon klingelte, sprangen alle auf. Die Verhandlungsexperten hatten Fernanda eingeschärft, unbedingt selbst an den Apparat zu gehen. Zwar würden die Entführer voraussetzen, dass Polizei im Haus sei, aber man musste sie nicht unnötig provozieren. Das Telefon war auf laut gestellt, sodass die Beamten das Gespräch mithören konnten. Fernanda meldete sich und hätte fast aufgeschluchzt, als sie Jacks Stimme erkannte. Sie hatte so sehr gehofft, es seien die Entführer.

»Was macht deine Erkältung?«, erkundigte sich Jack. Er klang gut gelaunt und entspannt, offenbar hatte er ein nettes Wochenende hinter sich.

»Sie ist leider noch nicht weg.«

»Du klingst auch fürchterlich. Wie gehts Sam?«

Sie zögerte lange und kämpfte verzweifelt gegen die aufsteigenden Tränen an, aber schließlich konnte sie sie nicht länger zurückhalten.

»Fernanda? Ist etwas passiert?«

Sie weinte jetzt hemmungslos und wusste nicht, was sie ihm sagen sollte.

»Soll ich vorbeikommen?«, fragte Jack bestürzt. Fernanda wollte schon ablehnen, aber dann sah sie Ted ni-

cken. Sobald die Entführer Geld verlangten, würden sie ohnehin auf seine Hilfe angewiesen sein.
Zehn Minuten später stand Jack vor der Tür. Als er hereinkam, war er äußerst überrascht, ein halbes Dutzend bewaffneter Polizisten und FBI-Agenten anzutreffen. Ted sprach gerade in der leer geräumten Küche mit einigen seiner Leute, und im Wohnzimmer hatte der andere der beiden Verhandlungsspezialisten mittlerweile seine Ausrüstung aufgebaut. Mitten in all dem Durcheinander kauerte Fernanda auf dem Sofa und sah aus wie ein Häufchen Elend. Als sie Jack erblickte, fing sie wieder an zu weinen. Ted beorderte sämtliche Einsatzkräfte in die Küche und schloss die Tür, damit Fernanda ungestört mit Jack reden konnte.
»Was ist hier los?«, fragte Jack entsetzt. Er ließ sich neben Fernanda auf das Sofa sinken.
Fernanda brauchte ein paar Minuten, um sich so weit zu beruhigen, dass sie einen zusammenhängenden Satz herausbrachte. »Sam wurde entführt.«
»Um Gottes willen! Weiß man schon, wer dahintersteckt?«
»Nein.« Sie erzählte ihm die ganze Geschichte von Anfang bis Ende und erwähnte auch die vier Polizisten, die in ihrer Küche umgebracht worden waren.
»Warum hast du mich nicht angerufen? Warum hast du nicht schon gestern etwas gesagt?« Er hatte tatsächlich geglaubt, Fernanda und Sam lägen mit einer Erkältung im Bett.
»Ich durfte niemanden einweihen, Jack. Was soll ich machen, wenn die Entführer Lösegeld verlangen? Ich habe doch nichts.«

Er wusste das besser als jeder andere. »Ich habe keine Ahnung«, gestand Jack und fühlte sich hilflos. »Wir können nur hoffen, dass die Polizei die Entführer schnappt, bevor du das Lösegeld übergeben sollst.« Er sah keine Möglichkeit, Geld aufzutreiben, schon gar nicht eine größere Summe. »Hat die Polizei schon irgendwelche Anhaltspunkte, wo sich die Entführer aufhalten?«
Fernanda verneinte niedergeschlagen.
Jack blieb zwei Stunden lang, tröstete Fernanda, so gut er konnte, und nahm ihr das Versprechen ab, ihn sofort anzurufen – gleichgültig zu welcher Tages- oder Nachtzeit –, wenn sie ihn brauchte oder sich etwas Neues ergab. Zum Abschied sagte er, sie solle ihm sicherheitshalber eine Vollmacht unterschreiben, damit er Entscheidungen treffen und sich um die Lösegeldzahlung kümmern könne, falls ihr etwas zustoße. Seine Worte erschreckten sie, aber Jack war eben stets äußerst sachlich und hatte ferner nur ihr Bestes im Sinn, und sie dankte ihm für seine Umsicht. Er versprach, ihr die Papiere am nächsten Tag zukommen zu lassen.
Fernanda steuerte auf die Küchentür zu und warf einen Blick in das Zimmer. Es war kaum wiederzuerkennen. Von dem Granit war nichts übrig geblieben. Ihr ehemaliger Küchentisch, dessen Holz sich mit Blut voll gesogen hatte, war durch einen sehr schlichten, aber zweckmäßigen ersetzt worden, und selbst die Stühle hatte man ausgetauscht.
Obwohl sie sich geschworen hatte, den Raum nie wieder zu betreten, ging sie nun zaghaft hinein. Die Beamten, die gerade Kaffee tranken, verstummten und erhoben sich von ihren Stühlen. Ted stand mit dem Rücken an die

Wand gelehnt und lächelte Fernanda aufmunternd zu. Sie erwiderte sein Lächeln und dachte daran, wie tröstlich seine Nähe während der vergangen Nacht gewesen war. Er wirkte auf sie ungeheuer stark, und in seinen Armen hatte sie sich sicher und geborgen gefühlt.
Einer der Männer reichte ihr eine Tasse Kaffee und bot ihr einen Donut an. Sie nahm ihn, aß ihn zur Hälfte und warf den Rest weg. Es war das Erste, was sie seit dem vergangenen Tag zu sich nahm. Sie hatte die ganze Zeit über von Kaffee und Tee gelebt. Noch immer gab es keine Nachricht von den Entführern. Die Polizisten mieden das Thema und plauderten über Belangloses. Nach einer Weile ging Fernanda wieder nach oben und legte sich auf ihr Bett. Sie sah einen der Verhandlungsexperten an ihrer offenen Tür vorbei in Richtung Ashleys Zimmer eilen. Ihre Kleidung hatte Fernanda seit dem Vortag nicht gewechselt. Es kam ihr vor, als würde sie in einem bewaffneten Lager kampieren. Aber da die Zeit so langsam verstrich, hatte sie sich schon beinahe daran gewöhnt. Der viele Kaffee sorgte dafür, dass sie auch jetzt keinen Schlaf fand. Wartend lag sie in der Dunkelheit und betete, dass Sam noch am Leben war.

16. Kapitel

Als Fernanda am nächsten Morgen erwachte, ging gerade die Sonne über der Stadt auf. Plötzlich regte sich in ihr der Wunsch, in die Kirche zu gehen. Doch das war unmöglich. Sie musste unbedingt im Haus bleiben, für den Fall, dass sich die Entführer meldeten. Als sie wenig später mit Ted in der Küche saß, erzählte sie ihm davon. Er dachte einen Moment lang nach und fragte, ob sie gern mit einem Priester sprechen würde. Im ersten Moment kam ihr das seltsam vor. Früher war sie gern mit den Kindern zum Gottesdienst gegangen, aber seit Allans Tod weigerten sie sich mitzukommen, und sie selbst war auch immer seltener dort gewesen. Jetzt verspürte sie jedoch das Bedürfnis, einem Geistlichen ihr Herz auszuschütten und mit ihm gemeinsam zu beten.

»Findest du mein Anliegen sehr sonderbar?«, fragte sie Ted und wirkte ein wenig verlegen.

Er schüttelte den Kopf. Seit zwei Tagen war er an ihrer Seite. Er hatte sich Kleidung mitgebracht und das Haus nicht mehr verlassen, genau wie seine Kollegen, die alle in Wills Zimmer kampierten, um in Fernandas Nähe zu sein und jederzeit schnell handeln zu können. Während einer schlief, passten die anderen drei auf, und so wechselten sie sich stetig ab.

»Überhaupt nicht. Hauptsache, es hilft dir, das hier durchzustehen. Soll ich versuchen, jemanden zu finden, der vorbeikommen könnte? Oder möchtest du, dass ich jemand Bestimmten anrufe?«

»Danke, aber es ist nicht so wichtig«, erklärte sie. Nach diesen wenigen Tagen, die sie miteinander verbracht hatten, kam es ihr so vor, als würden sie sich schon ewig kennen, und das verwirrte sie. Gleichzeitig war es ein unbeschreiblich schönes Gefühl. Sie konnte ihm einfach alles anvertrauen.

»Ich muss noch ein paar Anrufe erledigen«, sagte Ted leise und verließ den Raum.

Zwei Stunden später klingelte es an der Haustür. Ted öffnete, und ein junger Mann betrat schweigend das Haus. Die beiden kannten sich und unterhielten sich ein paar Minuten lang miteinander. Dann gingen sie gemeinsam nach oben zu Fernandas Schlafzimmer, und Ted klopfte an die offene Tür. Fernanda lag auf ihrem Bett und setzte sich nun auf. Verwundert schaute sie Ted an und fragte sich, wer wohl der andere Mann war. Er trug Sandalen, Jeans und Sweatshirt.

»Hallo«, sagte Ted und blieb im Türrahmen stehen. Er fühlte sich ein bisschen unbehaglich, weil er glaubte, Fernanda gestört zu haben. »Das hier ist ein Freund von mir, er heißt Dick Wallis, und er ist Priester.«

Fernanda stand auf, um den Geistlichen zu begrüßen. Er wirkte nicht älter als Mitte dreißig und sah eher aus wie ein Footballspieler. Fernanda registrierte sogleich, dass sein Blick warmherzig und voller Güte war. Sie bat ihn hereinzukommen, und Ted ging leise wieder nach unten.

Fernanda führte den Priester in ein kleines Wohnzimmer, das an ihr Schlafzimmer grenzte, und forderte ihn auf, sich zu setzen. Unsicher, wie sie anfangen sollte, fragte sie ihn, ob er wüsste, was passiert sei. Er nickte. Dann sagte er, dass er ihr zunächst ein wenig von sich erzählen wolle. Nach dem College sei er zwei Jahre lang Profifootballspieler gewesen, bis er sich entschieden habe, Priester zu werden. Fernanda hörte ihm gespannt zu. Er sei neununddreißig Jahre alt und seit nunmehr fünfzehn Jahren Priester. Vor längerem habe er eine Zeit lang als Seelsorger für die Polizei gearbeitet. Damals sei einer von Teds engsten Freunden getötet worden, und aus diesem Grund habe jener sich Hilfe suchend an ihn gewandt. Ted habe plötzlich keinen Sinn mehr im Leben gesehen und alles infrage gestellt.

»Wir alle tun das manchmal. Für dich muss jetzt ein solcher Moment sein. Glaubst du an Gott?«, erkundigte er sich unvermittelt und überrumpelte Fernanda damit ein bisschen.

»Ich denke schon. Ich habe es jedenfalls mein Leben lang getan.« Dann sah sie ihn nachdenklich an. »Während der letzten Monate war ich mir allerdings nicht mehr sicher. Mein Mann ist vor einem halben Jahr gestorben. Ich vermute, er hat sich das Leben genommen.«

»Er muss große Angst gehabt haben, wenn er keinen anderen Ausweg mehr sah.«

Fernanda nickte überrascht. So hatte sie es noch nie betrachtet. »Das hatte er wohl. Und jetzt habe ich Angst«, gestand sie ganz offen und begann zu weinen. »Ich habe solche Angst, dass sie meinen Sohn töten.«

»Vertraust du auf Gott?«, fragte er behutsam.

Fernanda schaute ihn für lange Zeit schweigend an. »Ich weiß es nicht«, entgegnete sie schließlich. »Wie kann er zulassen, dass solche Dinge geschehen? Was, wenn mein Sohn bereits tot ist?« Ein Schluchzen entrang sich ihrer Kehle.

»Vielleicht kannst du versuchen, ihm zu vertrauen und auch den Menschen an deiner Seite, die dir helfen und deinen Sohn zurückbringen wollen. Wo auch immer dein Sohn jetzt ist, Gott wacht über ihn.« Und dann sagte er etwas, das sie völlig verblüffte. »Wir alle werden manchmal harten Prüfungen unterzogen. Wir fürchten, daran zu zerbrechen, aber am Ende machen sie uns stärker. Sie wirken wie grausamste Schicksalsschläge, doch in Wahrheit sind es Vertrauensbeweise Gottes. Ich weiß, das muss für dich verrückt klingen, aber genau so ist es. Es ist Gottes Art, dir zu zeigen, dass er dich liebt und an dich glaubt. Kannst du mir folgen?«

Fernanda blickte den jungen Priester traurig lächelnd an und schüttelte den Kopf. »Nein.« Sie wollte seine Worte einfach nicht zu sich durchdringen lassen. »Auf solche Vertrauensbeweise kann ich verzichten. Ich wünschte, mein Mann wäre noch am Leben. Ich habe ihn gebraucht, und das tue ich immer noch.«

»Gegen Prüfungen wie diese sträuben wir uns natürlich alle, Fernanda. Aber denke an Christus am Kreuz. Denke daran, welch harte Prüfung es für ihn gewesen sein muss. Ich meine nicht nur diesen qualvollen Tod, sondern auch den seelischen Schmerz, von Menschen verraten worden zu sein, die er liebte. Aber danach kam die Auferstehung. Jesus hat uns vor Augen geführt, dass nichts seine Liebe zu uns Menschen zerstören kann. Er liebt uns mit all unseren Fehlern. Und er liebt auch dich.«

Sie schwiegen für eine ganze Weile. Und obwohl es Fernanda unsinnig vorkam, dass die Entführung ein Vertrauensbeweis Gottes sein sollte, fühlte sie sich besser. Sie konnte nicht einmal sagen, warum, aber irgendwie beruhigte sie die Anwesenheit dieses jungen Priesters. Schließlich erhob er sich, und Fernanda dankte ihm. Bevor er ging, berührte er sacht ihre Stirn und segnete sie. Diese Geste war für sie sehr tröstlich.

»Ich werde für dich und Sam beten. Irgendwann möchte ich ihn gern einmal kennen lernen.« Pater Wallis lächelte sie an.

»Ich hoffe, das werden Sie.«

Er nickte und verließ den Raum.

Fernanda blieb noch eine Zeit lang in ihrem Zimmer sitzen, dann ging sie hinunter zu Ted. Er war im Wohnzimmer und telefonierte mit seinem Handy. Als er sie hereinkommen sah, beendete er das Gespräch. Er hatte sich mit Rick ausgetauscht, aber es gab nichts Neues.

»Wie wars?«

»Ich bin nicht sicher. Entweder ist er genial – oder verrückt«, antwortete sie schmunzelnd.

»Vielleicht beides. Mir hat er damals sehr geholfen. Ein Freund von mir kam ums Leben, und ich konnte in seinem Tod absolut keinen Sinn sehen. Er hatte drei Kinder, und seine Frau erwartete gerade das vierte. Er wurde von einem Obdachlosen grundlos niedergestochen und dann einfach liegen gelassen. Er starb nicht etwa, weil er sich mutig für eine gute Sache einsetzte. Der Obdachlose war nicht zurechnungsfähig und erst am Tag zuvor aus einer psychiatrischen Klinik entlassen worden. Sein Tod war so überflüssig – aber das kommt einem wohl immer so vor, wenn jemand nahe Stehendes stirbt.«

»Ihr Freund sagte, das hier sei ein Vertrauensbeweis Gottes.«
»Das klingt wirklich verrückt. Vielleicht hätte ich jemand anderen anrufen sollen«, sagte Ted zerknirscht.
»Nein. Ich mag ihn. Und ich würde ihn gern wiedersehen. Vielleicht, wenn das hier alles vorbei ist. Ich glaube, das Gespräch mit ihm hat mich tatsächlich getröstet.«
»Er scheint in seinem Glauben an Gott nie ins Wanken zu geraten. Ich wünschte, das könnte ich auch von mir sagen«, bemerkte Ted leise und lächelte. Fernanda wirkte nicht mehr ganz so gequält. Der Besuch des Priesters hatte ihr offenbar gut getan, wie sonderbar seine Worte auch immer gewesen sein mochten.
»Seit Allans Tod bin ich nicht mehr in der Kirche gewesen. Ich glaube, ich war wütend auf Gott.«
»Das ist dein gutes Recht«, erwiderte Ted.
»Vielleicht auch nicht. Pater Wallis sagte, dies sei eine Chance, Gottes Gnade zu erfahren.«
»Das sind schwierige Situationen wohl immer. Trotzdem bin ich froh, wenn ich nicht zu oft Krisen durchstehen muss«, gab Ted ehrlich zu. Auch er hatte Prüfungen auferlegt bekommen, obgleich nicht so harte wie Fernanda.
»Ja«, erwiderte sie leise, »das geht mir auch so.«
Sie gesellten sich zu den anderen, die sich in der Küche niedergelassen hatten. Die Männer saßen am Tisch und spielten Karten. Gerade waren Sandwiches geliefert worden. Ohne weiter darüber nachzudenken, nahm Fernanda eines und aß es ganz auf. Danach trank sie zwei Gläser Milch. Noch immer hatte sie im Ohr, was Pater

Wallis gesagt hatte. Obwohl es sich so abwegig anhörte, war an seinen Worten etwas Wahres dran. Und zum ersten Mal, seit Sam entführt worden war, war sie sich absolut sicher, dass er noch lebte.

Peter Morgan traf mit seinem Honda nur zwei Stunden nach den anderen am Lake Tahoe ein. Sam steckte noch immer in der Segeltuchtasche.

»Das war nicht besonders schlau«, sagte Peter zu Malcolm Stark, der die Tasche einfach in einem der hinteren Schlafzimmer aufs Bett geworfen hatte. »Ihr habt dem Jungen doch bestimmt den Mund zugeklebt. Was, wenn er keine Luft kriegt?« Stark schaute ihn verblüfft an, und Peter war froh, dass er hergekommen war. Addison hatte Recht: Man konnte diese Typen nicht mit dem Jungen allein lassen.

Waters hatte ihn sofort gefragt, warum er in Tahoe aufkreuze, und Peter erklärte, nach dieser Geschichte mit den vier toten Cops wolle der Boss es so.

»War er sauer?« Waters wirkte beunruhigt.

Peter zögerte. »Eher überrascht«, antwortete er dann. »Vier Polizisten zu töten, kompliziert die ganze Angelegenheit. Jetzt werden sie uns erst recht auf den Fersen sein.«

Das war auch Carltons Meinung. »Mir ist schleierhaft, wie du die vier Cops übersehen konntest«, sagte er zu Peter. Er war noch immer ärgerlich.

»Mir auch.« Peter fragte sich, ob irgendetwas, das Addison während seines Verhörs beim FBI geäußert hatte, die Polizei auf die geplante Entführung gebracht hatte. Wie sollten sie sonst darauf gekommen sein? »Und, wie gehts dem Jungen?« Er versuchte, nicht allzu besorgt zu klingen, aber Stark hatte sich noch immer nicht bequemt, Sam aus der Tasche herauszuholen.

»Vielleicht sollte mal jemand nach ihm sehen«, entgegnete Carlton lahm. Jim Free brachte gerade die Lebensmittel in die Küche. Es war ein anstrengender Tag gewesen, und sie hatten Hunger.

»Ich gehe schon selbst«, erklärte sich Peter scheinbar notgedrungen bereit und schlenderte in Richtung des Schlafzimmers. Sobald er dort war, knotete er schnell den Strick auf, mit dem die Tasche zugebunden war, und öffnete sie vorsichtig. Ihm graute bei dem Gedanken, dass Sam erstickt sein könnte. Er lugte in die Tasche und hielt den Atem an. Zwei große braune Augen blickten ihn an. Peter legte den Zeigefinger an die Lippen. Er war sich nicht mehr sicher, auf wessen Seite er eigentlich stand. Behutsam schob er die Seiten der Tasche so weit wie möglich auseinander und löste vorsichtig das Klebeband von Sams Mund. Die Fesseln an Händen und Füßen nahm er ihm jedoch nicht ab. »Bist du okay?«, flüsterte er. Sam nickte. Sein Gesicht war schmutzig, und er sah verängstigt aus – aber er lebte.

»Wer bist du?«, wisperte Sam.

»Das spielt keine Rolle«, antwortet Peter leise. Behutsam half er Sam, sich aufzusetzen.

»Bist du ein Polizist?« Peter schüttelte den Kopf. »Oh«, entfuhr es Sam, dann schwieg er.

»Hab keine Angst, dir passiert nichts.« Mit diesen Worten verließ Peter das Zimmer und ging in die Küche zurück. Die anderen aßen gerade. Auf dem Herd stand ein Topf mit Bohnen und Schweinefleisch.

»Wir sollten dem Jungen etwas zu essen geben«, wandte sich Peter an Waters.
Der nickte. Sie hatten gar nicht daran gedacht, nicht einmal daran, dem Kleinen etwas zu trinken zu bringen. Ihnen gingen wichtigere Dinge durch den Kopf.
»Mein Gott«, stöhnte Malcolm Stark, während Jim Free einfach nur lachte, »das hier ist keine Kindertagesstätte. Lass ihn doch einfach in dem Sack!«
»Wenn er tot ist, kriegen wir keinen Cent«, erklärte Peter trocken.
Waters grinste. »Damit hat er nicht ganz Unrecht. Seine Mutter wird mit ihm sprechen wollen, wenn wir sie anrufen. Zum Teufel, es ist ja wohl kein Problem, ihm ab und zu was zu essen zu geben! Schließlich kriegen wir durch den Burschen hundert Millionen Dollar. Bring ihm ein Brot oder so.« Er sah Peter auffordernd an.
Peter zuckte mit den Schultern, legte Schinken zwischen zwei Scheiben Brot und ging wieder nach hinten. Er setzte sich neben Sam auf das Bett und hielt ihm das Brot dicht an den Mund. Aber Sam schüttelte energisch den Kopf.
»Komm schon, Sam, du musst etwas essen«, sagte Peter in einem Ton, als würde er Sam gut kennen. Nachdem er ihn einen Monat lang beobachtet hatte, kam es ihm auch so vor.
»Woher weißt du, wie ich heiße?«, fragte Sam verdutzt.
Peter hatte unzählige Male gehört, wie Fernanda ihren Sohn rief. »Ich weiß es eben«, entgegnete er ausweichend.
Peter konnte nicht aufhören, an Fernanda zu denken. Sie musste Höllenqualen leiden. Dafür, dass der Kleine von zu Hause verschleppt, gefesselt und vier Stunden lang in

eine Tasche gesperrt worden war, ging es ihm erstaunlich gut. Der Junge hatte Mumm, und Peter bewunderte ihn dafür. Er bot ihm noch einmal das Sandwich an, und dieses Mal biss Sam ein kleines Stück ab. Schließlich aß er es zur Hälfte auf, und als Peter das Zimmer verließ und sich an der Tür noch einmal umdrehte, sagte Sam: »Danke.«
Peter fiel noch etwas anderes ein. Er fragte Sam, ob er vielleicht ins Bad müsse. Sam sah ihn schweigend an und wirkte verlegen. Peter ahnte, was passiert war: Sam hatte sich schon längst in die Hose gepinkelt. Kein Wunder angesichts der Ängste, die er ausgestanden hatte. Peter holte ihn aus der Tasche heraus, trug ihn ins Bad und löste seine Handfesseln. Er wartete draußen, bis der Junge fertig war. Dann brachte er ihn zurück ins Schlafzimmer und schlang den Strick wieder um Sams Handgelenke. Er legte ihn aufs Bett und deckte ihn zu. Mehr konnte er nicht für ihn tun. Er ging zur Tür, und als er sich noch einmal umwandte, merkte er, dass Sam ihm nachschaute. Er lächelte ihm aufmunternd zu und verließ den Raum.
Bevor sich Peter an diesem Abend schlafen legte, ging er noch einmal zu Sam und brachte ihn ins Badezimmer. Er weckte den Jungen extra auf, damit er während der Nacht nicht noch einen kleinen »Unfall« hatte. Danach gab er ihm ein Glas Milch und einen Keks, was Sam beides hastig verschlang.
Als Peter am nächsten Morgen zu Sam ins Zimmer kam, wurde er lächelnd begrüßt.
»Wie heißt du?«, fragte Sam zaghaft.
Peter zögerte, aber er hatte nichts zu verlieren. Der Junge hatte ihn schließlich gesehen und würde ihn anhand eines Fotos jederzeit wiedererkennen. »Peter.«

Sam nickte.
Kurze Zeit später brachte Peter ihm Frühstück: Spiegelei mit Schinken. Sich um Sam zu kümmern, war wie von selbst zu Peters Aufgabe geworden. Die anderen waren froh, nichts damit zu tun zu haben. Der Junge interessierte sie nicht, sie wollten nur ihr Geld. Peter hatte ihnen gesagt, er würde ihre Investition pflegen. Daraufhin waren sie in schallendes Gelächter ausgebrochen.
Am Mittag schaute er nach dem Jungen und flößte ihm etwas Suppe ein, und auch am Abend ging er wieder zu ihm. Er setzte sich neben Sam auf das Bett und fuhr ihm mit der Hand übers Haar. Er hielt sich lieber hier auf als bei seinen Komplizen. Die drei waren widerliche Gesellen. Sie hatten damit geprahlt, was für ein tolles Gefühl es gewesen sei, die Cops abzuknallen, und Peter wurde übel, wenn er ihnen nur zuhörte.
»Wirst du mich töten?«, fragte Sam mit zaghafter Stimme. Er sah verängstigt und traurig aus, aber Peter hatte ihn nicht ein einziges Mal weinen sehen. Das alles musste ein Albtraum für den Kleinen sein, und dennoch war er die ganze Zeit über bemerkenswert tapfer. »Nein! Wir werden dich schon in ein paar Tagen zurück zu deiner Mom bringen.« Obwohl sich Peter bemühte, möglichst überzeugend zu klingen, schien Sam ihm nicht zu glauben.
Sam hatte Angst vor den anderen Männern. Er konnte sie manchmal nebenan hören, aber glücklicherweise kamen sie nie in sein Zimmer. »Ihr wollt meine Mom anrufen, damit sie Geld für mich bezahlt, stimmts?«
Peter nickte.
»Sie hat keins«, sagte Sam leise und blickte Peter prüfend an. Eigentlich mochte er ihn, und gleichzeitig wieder

nicht – schließlich war er einer von den Männern, die ihn entführt hatten. Aber er war stets nett zu ihm gewesen.
»Kein was?«, fragte Peter geistesabwesend. Er dachte über andere Dinge nach, wie zum Beispiel ihre Flucht. Sie hatten alles bis ins Letzte geplant, trotzdem war er nervös. Die drei wollten noch immer nach Mexiko und von da aus mit falschen Pässen nach Südamerika. Peter hatte vor, zuerst nach New York zu fahren und zu versuchen, seine Töchter wenigstens einmal zu sehen. Dann würde er sich nach Brasilien absetzen. Aus seiner Zeit als Drogendealer hatte er dort noch ein paar Freunde.
»Meine Mom hat kein Geld«, flüsterte Sam, als würde er Peter ein Geheimnis anvertrauen, das er eigentlich niemandem verraten durfte.
»Natürlich hat sie Geld.« Peter lächelte.
»Nein, hat sie nicht. Deshalb hat sich mein Dad ja umgebracht. Er hat alles verloren.«
Peter schaute Sam lange gedankenvoll an. Er fragte sich, ob der Junge wusste, wovon er redete. Er hatte diesen ernsthaften und ehrlichen Ausdruck im Gesicht, wie er nur Kindern eigen ist.
»Ich dachte, dein Dad sei bei einem Bootsunfall ums Leben gekommen?«
»Er hat meiner Mom einen Brief geschrieben. Sie hat zu Daddys Anwalt gesagt, dass er sich umgebracht hat.«
»Woher weißt du das?«
Sam wirkte plötzlich verlegen. »Ich habe an der Tür gelauscht«, gab er schließlich zu.
»Haben sie über Geld gesprochen?«, fragte Peter sichtlich beunruhigt.
»Dauernd. Mom sagt immer, die Konten sind leer gefegt.

Aber wir haben noch Schulden.« Peter runzelte die Stirn. »Sie wird unser Haus verkaufen, sie hat es uns nur noch nicht gesagt.«
Peter sah ihn mit ernster Miene an. »Du darfst das niemandem erzählen, versprichst du mir das?«
Sam nickte traurig. »Die werden mich töten, wenn Mom nicht zahlen kann, oder?« Sam blickte ihn mit Tränen in den Augen an.
Aber Peter schüttelte den Kopf. »Das lasse ich nicht zu«, flüsterte er, »großes Ehrenwort.« Zum Zeichen hob er zwei Finger, dann ging er wieder nach vorn zu den anderen.
»Mein Gott, ständig hängst du bei diesem Balg rum«, stöhnte Stark.
Waters sah ihn strafend an. »Sei doch froh, dass du es nicht machen musst. Ich hätte jedenfalls keine Lust dazu.«
»Ich mag Kinder«, grölte Jim Free, der den ganzen Tag über ein Bier nach dem anderen getrunken hatte. »Ich hab mal eins gegessen.« Er brüllte vor Lachen.
Peter fand das überhaupt nicht witzig. Diese Burschen ekelten ihn an.
Am nächsten Morgen ging Peter zu Waters in die Küche. Die anderen beiden schliefen noch. »Was machen wir eigentlich, wenn sie nicht zahlt?«, fragte er geradeheraus.
»Sie wird zahlen. Sie will doch ihr verdammtes Kind zurück. Sie zahlt, was immer wir verlangen.« In der Nacht zuvor hatte er mit Stark und Free darüber diskutiert, ob sie einen höheren Anteil fordern sollten. Schließlich waren sie sich einig geworden: Sie wollten ein größeres Stück vom Kuchen.

»Und wenn nicht?«
»Ja, was wohl?« Waters' Stimme klang eiskalt. »Dann ist der Junge für uns wertlos. Er wird erledigt, und wir machen, dass wir hier wegkommen.«
Das war genau das, was Peter befürchtet hatte. Er hatte nie ernsthaft in Erwägung gezogen, dass Fernanda pleite sein könnte. Doch jetzt war er anderer Meinung. Sein Gefühl sagte ihm, dass der Junge nicht gelogen hatte. Seine Äußerung erklärte auch, warum Fernanda nicht einmal eine Haushaltshilfe hatte. Peter grübelte besorgt den ganzen Tag lang darüber nach, was das eigentlich für ihn und die anderen bedeutete. Und, schlimmer noch, welche Konsequenzen es für Sam hätte.

Zwei Tage später beschlossen sie, Fernanda anzurufen. Peter bestand darauf, dass er das entgegen dem ursprünglichen Plan erledigte, und die drei anderen erklärten sich schließlich einverstanden. Er griff nach seinem Handy und wählte ihre Nummer. Schon beim ersten Klingeln war sie am Apparat. Ihre Stimme klang heiser. Peter sprach ruhig und leise. Er sagte, er habe Neuigkeiten von ihrem Sohn. Insgeheim litt er mit ihr.
Einer der Verhandlungsexperten verfolgte das Gespräch über einen zweiten Apparat und zeichnete es auf, gleichzeitig wurde fieberhaft daran gearbeitet, den Anruf zu orten.
»Ein Freund von mir würde gern mit Ihnen reden«, sagte Peter und ging in das Schlafzimmer, in dem sich Sam befand.
Fernanda hielt den Atem an und gestikulierte wild in Richtung Ted. Er konnte ebenfalls mithören.

»Hi, Mom.«
Als Fernanda Sams Stimme vernahm, schossen ihr die Tränen in die Augen. »Geht es dir gut?« Sie zitterte so sehr, dass sie kaum sprechen konnte.
»Ja, mir gehts gut.«
Bevor der Junge mehr sagen konnte, nahm Peter ihm das Telefon wieder weg. Waters beobachtete die Szene, und Peter fürchtete, der Junge könne erzählen, wie nett er immer zu ihm war.
Fernanda war aufgefallen, wie gewählt sich der Mann am anderen Ende der Leitung ausdrückte. Bei dem Überfall hatten die Männer auf sie recht ungehobelt gewirkt. Dieser hier war anders.
»Die Rückfahrkarte für Ihren Sohn kostet Sie hundert Millionen Dollar«, sagte Peter, während die anderen lauschten und zustimmend nickten. Es gefiel ihnen, wie souverän Peter das Gespräch führte. Er machte das sehr professionell. »Sorgen Sie dafür, dass das Geld bereitsteht. Wir melden uns in Kürze und sagen Ihnen, was Sie zu tun haben.« Bevor Fernanda etwas erwidern konnte, legte er auf. Er wandte sich zu den anderen um, die sich äußerst zufrieden zeigten. »Wie viel Zeit geben wir ihr?«, erkundigte sich Peter. Er und Addison waren übereingekommen, dass die ganze Sache in einer, höchstens zwei Wochen erledigt sein sollte. Damals hatten sie übereingestimmt, dass Fernanda nicht mehr Zeit benötige, um das Geld flüssig zu machen, aber nach dem, was Sam ihm erzählt hatte, war sich Peter dessen nicht mehr sicher. Wenn sie wirklich kein Geld besaß, könnte sie eine solche Summe niemals auftreiben. Selbst wenn Barnes noch die eine oder andere kleine Investition in der Schwebe hätte,

bekäme sie nicht mehr als ein oder zwei Millionen zusammen. Doch Peter bezweifelte momentan, dass sie selbst diese Summe aufbrachte.

Die anderen drei betranken sich in dieser Nacht. Peter hingegen saß lange bei Sam und unterhielt sich mit ihm. Er war wirklich ein netter Junge. Und Peter tat es in der Seele weh, dass der Kleine nach dem kurzen Gespräch mit seiner Mutter so niedergeschlagen war. Er versuchte, ihn zu trösten, so gut es ging.

Zu diesem Zeitpunkt kauerte Fernanda im Wohnzimmer. Sie stand unter Schock. »Was soll ich denn jetzt machen?« Verzweifelt blickte sie Ted an. Nicht im Traum hatte sie damit gerechnet, dass die Erpresser so viel verlangen würden. Hundert Millionen Dollar – das war einfach Wahnsinn! Offensichtlich hatten diese Männer den Verstand verloren.

»Wir werden ihn finden«, versuchte Ted, sie zu beruhigen. Das war jetzt ihre einzige Chance. Allerdings hatten seine Kollegen es nicht geschafft, den Anruf zurückzuverfolgen. Das Telefonat war sehr kurz gewesen, aber mit ihrer Ausrüstung hätte es trotzdem gelingen können – wenn die Entführer nicht ein Handy benutzt hätten, das nicht geortet werden konnte. Offensichtlich wussten die Gangster sehr genau, was sie taten. Wenigstens hatten sie Fernanda mit Sam sprechen lassen.

Während Ted mit seinem Captain telefonierte, rief Fernanda Jack Waterman an und sagte ihm, wie viel Lösegeld die Entführer forderten. Jack schwieg fassungslos. Er hätte ihr vielleicht eine halbe Million Dollar beschaffen können, aber alles darüber hinaus war unmöglich. Jetzt konnten sie nur noch hoffen, dass die Polizei den Jungen

rechtzeitig fand. Fernanda erzählte ihm, Polizei und FBI täten, was sie könnten, aber die Kidnapper seien wie vom Erdboden verschluckt.
Zwei Tage später rief Will Fernanda an, und er hörte sofort an ihrer Stimme, dass etwas passiert war. Sie leugnete es zwar, aber er kannte sie besser. Schließlich gab sie es auf, ihrem Sohn etwas vorzumachen. Sie begann zu weinen und erzählte ihm, dass Sam entführt worden sei. Will wollte auf der Stelle nach Hause kommen.
»Du bist im Camp besser aufgehoben, und ausrichten kannst du ohnehin nichts. Glaub mir, die Polizei tut, was sie kann.« Sie wollte auf keinen Fall, dass er die Hektik im Haus mitbekam.
»Mom, ich will jetzt bei dir sein.« Will schluchzte ins Telefon, und Fernanda ließ sich schließlich erweichen.
Kurz darauf rief sie Jack an und bat ihn, Will im Camp abzuholen. Schon am nächsten Nachmittag stand Will vor der Tür. Als er auf Fernanda zulief und sie sich in die Arme fielen, weinte er hemmungslos. Lange blieben die beiden so stehen und hielten einander fest.
Am Abend saßen sie in der Küche und redeten. Jack war noch eine Weile lang geblieben, hatte sich dann aber zurückgezogen, weil er nicht stören wollte. Bevor er das Haus verließ, unterhielt er sich für ein paar Minuten mit Ted und den anderen Männern. Sie konnten ihm nichts Neues berichten und sagten ihm, dass Fahnder den ganzen Bundesstaat durchkämmten. Bisher gebe es aber nicht den kleinsten Hinweis auf den Aufenthaltsort der Entführer. Niemand hatte die Männer oder Sam gesehen, es war auch kein Kleidungsstück von ihm gefunden worden oder irgendetwas, das er bei sich gehabt hatte. Die

Männer konnten überall sein, womöglich hatten sie mittlerweile sogar das Land verlassen, waren irgendwo unbemerkt über die Grenze gegangen und hielten sich jetzt in Mexiko oder noch weiter im Süden auf. Ted wusste, dass sie für lange Zeit untertauchen könnten – und was das für Sam bedeutete, mochte er sich gar nicht ausmalen.

Will schlief in dieser Nacht in seinem Zimmer, und die Männer zogen um in Ashleys Zimmer. Fernanda fand keinen Schlaf. Morgens um vier Uhr ging sie hinunter, um nachzuschauen, ob Ted wach war. Er lag auf dem Sofa, hatte die Augen auf und dachte nach. Die übrigen Männer saßen in der Küche und unterhielten sich. Ihre Waffen lagen stets griffbereit, es herrschte eine Atmosphäre wie bei einer Belagerung. Rund um die Uhr hielten die Beamten Wache, jederzeit bereit zu handeln.

Fernanda setzte sich in einen Sessel und blickte Ted verzweifelt an. Allmählich verlor sie jegliche Hoffnung. Sie konnte der Lösegeldforderung nicht nachkommen, und bisher gab es nicht einmal eine Spur, wo Sam sein könnte. Polizei und FBI wollten sich weiterhin nicht an die Öffentlichkeit wenden, denn die Entführer durften auf keinen Fall provoziert werden. Dann wäre Sams Leben zusätzlich gefährdet, und dieses Risiko wollte niemand eingehen, am wenigstens Fernanda.

Ted war am Abend für ein paar Stunden nach Hause gefahren und hatte mit Shirley zusammen gegessen. Sie hatten über den Fall gesprochen, und Shirley sagte, wie Leid ihr Fernanda tue. Sie konnte Ted ansehen, dass es ihm nicht anders ging. Als sie ihn fragte, ob die Polizei den Jungen wohl rechtzeitig finden würde, gestand er ihr, dass er es nicht wisse.

»Wann werden sie sich wieder melden?«, fragte Fernanda nun. Es war dunkel im Wohnzimmer, nur aus der Halle fiel ein schwacher Lichtschein herein.
»Sie werden schon bald anrufen, um dir zu sagen, wie die Geldübergabe stattfinden soll«, besänftigte er sie.
Dabei war Fernanda bewusst, dass es eigentlich keinen Unterschied machte, ob die Entführer von sich hören ließen oder nicht. Sie hatten besprochen, dass sie versuchen sollte, die Entführer möglichst lange hinzuhalten, aber früher oder später mussten sie merken, dass Fernanda nicht zahlen würde. Ted war sich darüber im Klaren, dass er den Jungen vorher finden musste. Am Nachmittag hatte er selbst das Bedürfnis verspürt, Pater Wallis anzurufen und seelischen Beistand zu erbitten. Im Moment konnten sie wirklich nichts weiter tun als beten. Sie brauchten ganz dringend einen Fingerzeig, wo sich die Entführer verschanzt hatten.
Diese riefen schon am nächsten Morgen wieder an. Abermals durfte Fernanda kurz mit Sam sprechen, und dieses Mal klang er nervös.
Während Peter das Telefon hielt, stand Carl Waters neben ihm und ließ ihn nicht aus den Augen. Sam hatte kaum »Hi, Mom«, sagen können, da zog Peter das Telefon auch schon wieder weg.
Die Stimme am Telefon sagte Fernanda, wenn sie mit ihrem Sohn plaudern wolle, müsse sie zahlen. Sie habe genau fünf Tage Zeit, um das Geld aufzutreiben. Beim nächsten Anruf würde sie erfahren, wie die Übergabe stattfinden solle. Dann wurde aufgelegt. Nach diesem Anruf war Fernanda außer sich vor Angst. Was sollte sie bloß tun? Wieder konnte der Anruf nicht zurückverfolgt werden.

Während dieser Vorgänge saß Phillip Addison in Südfrankreich, genoss seinen Urlaub und hatte das perfekte Alibi. Das FBI überprüfte alle Telefonate, die er vom Hotel aus tätigte, aber Addison hatte nicht ein einziges Mal eine Handynummer in den USA angerufen. Und Peter würde sich nicht bei ihm melden, er hatte strikte Instruktionen, das auf keinen Fall zu tun und alle Entscheidungen selbst zu treffen.

Polizei und FBI kamen einfach nicht weiter, und Fernanda fürchtete, langsam verrückt zu werden.

17. Kapitel

Bei ihrem nächsten Anruf erinnerten die Entführer Fernanda daran, dass ihr nur noch zwei Tage blieben, um das Geld zu beschaffen. Die Männer wurden ungeduldig und ließen sie auch nicht mit Sam sprechen. Allmählich wurde die Zeit knapp, und noch immer hatte die Polizei keine Spur. Fernanda sollte das Geld auf das Konto einer auf den Bahamas ansässigen Firma überweisen. Die war instruiert, die Summe über diverse Scheinfirmen an die endgültigen Konten in der Schweiz beziehungsweise in Costa Rica weiterzuleiten. Aber es war kein Geld da, das Fernanda überweisen könnte. Nach wie vor baute sie darauf, dass FBI und Polizei Sam rechtzeitig ausfindig machten, aber ihre Hoffnung schwand stündlich, ihre Angst hingegen wuchs.

»Ich brauche mehr Zeit, um eine so große Summe aufzubringen«, erklärte sie Peter am Telefon und bemühte sich, nicht allzu elend zu klingen. Aber das war kaum möglich, schließlich ging es um Sams Leben.

»Es bleibt bei dem vereinbarten Termin. Meine Partner sind nicht bereit zu warten«, antwortete er, bestrebt, seine eigene Verzweiflung zu verbergen. Fernanda musste unbedingt etwas unternehmen. Waters und die anderen sprachen jetzt täglich davon, den Jungen umzubringen. Sie hatten keinerlei Skrupel, das wusste Peter. Falls Fernanda der Forderung nicht nachkam, schien der Mord an

dem Jungen für sie eine angemessene Vergeltung zu sein. Der Kleine war ihnen weniger wert als eine Flasche Tequila.
Sie machten sich keine Gedanken darüber, dass Sam sie gesehen hatte und identifizieren könnte. Sie wollten für immer in Südamerika abtauchen. In Mexiko warteten neue Pässe auf sie, und alles, was sie tun mussten, war, sich diese zu holen, zu verschwinden und für den Rest ihrer Tage wie Könige zu leben. Aber zuallererst musste Fernanda zahlen. Und Peter wurde stündlich klarer, dass Sam die Wahrheit gesagt hatte. Fernanda konnte gar nichts überweisen. Peter hatte nicht die geringste Idee, was sie jetzt tun würde – genauso wenig wie Fernanda selbst.
Jack hatte ihr gesagt, dass sie lediglich die Möglichkeit habe, eine Hypothek auf das Haus aufzunehmen, aber das brächte lediglich siebenhunderttausend Dollar und reichte bei weitem nicht. Zudem wäre die Bank nicht bereit, ihr das Geld sofort auszuhändigen. Sie könnte in frühestens dreißig Tagen darüber verfügen, aber Waters und seine Komplizen würden nicht so lange warten.
Sie hatte nichts in Händen, genauso wenig wie die Polizei und das FBI, die schworen, jeden Stein im Land umzudrehen, um Sam rechtzeitig aufzuspüren, aber bisher keinen Schritt weitergekommen waren.
»Die spielt doch Spielchen mit uns«, fauchte Waters wütend, als das Telefonat beendet war.
Fernanda saß währenddessen in ihrem Haus und weinte bitterlich.
»Hundert Millionen Dollar aufzutreiben, ist nicht ganz so einfach«, beschwichtigte Peter. »Der Nachlass ihres Mannes muss erst geordnet werden, und die Testaments-

vollstrecker sind vielleicht nicht in der Lage, das Geld so schnell bereitzustellen, wie wir es gern hätten.«
Peter versuchte, Zeit für Fernanda herauszuschinden. Er wagte nicht, den anderen mitzuteilen, dass wahrscheinlich gar kein Geld existierte. Womöglich würden sie völlig ausrasten und Sam auf der Stelle töten. Es war ein äußerst schmaler Grat, auf dem er sich bewegte, ebenso wie Fernanda.
»Wir werden auf keinen Fall warten«, sagte Waters drohend. »Wenn sie bis übermorgen nicht geblecht hat, ist der Junge tot, und wir verschwinden. Wir können nicht hier herumsitzen, bis die Polizei uns aufgestöbert hat.« Er war nach diesem Telefonat äußerst schlecht gelaunt und machte seinem Ärger dröhnend Luft. Als er dann auch noch feststellte, dass kein Tropfen Tequila mehr im Haus war, bekam er einen Tobsuchtsanfall. Er fluchte, dass er diesen Dosenfraß nicht mehr sehen könne, und die anderen stimmten ihm lautstark zu.
In San Francisco saß Fernanda Tag und Nacht weinend in ihrem Zimmer, voller Angst, die Männer hätten Sam womöglich schon umgebracht. Will ging ziellos im Haus umher und verbrachte viel Zeit bei den Polizisten, um sich abzulenken. Die Anspannung war kaum noch zu ertragen. Aber jedes Mal, wenn Ashley anrief, tat Fernanda so, als sei alles in bester Ordnung. Ashley wusste nicht, dass Sam entführt worden war, und das sollte auch so bleiben. Fernanda wollte sie nicht auch noch in Angst und Schrecken versetzen.
»Sie werden mich töten, nicht wahr?« Sam sah Peter verstört an. Er hatte mitgekriegt, wie wütend die Männer nach dem Anruf bei seiner Mutter gewesen waren.

»Ich habe dir doch versprochen, dass ich das nicht zulasse«, flüsterte Peter. Er war nach dem Telefonat zu Sam gegangen, um nach ihm zu sehen und ihn zu beruhigen. Aber der Kleine wusste, dass Peter dieses Versprechen nicht halten könnte. Wenn er versuchte, Sam zu retten, würden sie auch ihn töten.
Als Peter ins Wohnzimmer zurückkam, hatte sich die Stimmung der drei weiter verschlechtert, weil ihnen jetzt auch noch das Bier ausgegangen war. Peter bot an, in den Ort zu fahren und welches zu holen. Er würde noch am wenigsten von ihnen auffallen. Wahrscheinlich hielt man ihn für einen der unzähligen Familienväter, die mit ihren Kindern Urlaub am Lake Tahoe machten. So wurde er umgehend beauftragt, eine Ladung Bier und chinesisches Essen zu besorgen.
Peter passierte das erste kleine Städtchen und durchquerte drei weitere Orte. Während der ganzen Zeit grübelte er, was er machen sollte. Die Vorstellung, immer weiter zu fahren und nicht zum Haus zurückzukehren, war sehr verlockend, aber ihm stand klar vor Augen, dass Sam dann auf alle Fälle verloren wäre. Der Junge hatte die Situation ohne Frage erfasst. Jetzt hing alles an Peter: Er musste verhindern, dass sie Sam töteten. Eines war sicher: Er würde niemals nach Pelican Bay zurückgehen. Und plötzlich wusste er, was er zu tun hatte.
In der Nähe eines Campingplatzes stoppte er den Wagen am Straßenrand und griff nach seinem Handy. Er wählte und wartete. Wie immer meldete sich Fernanda schon nach dem ersten Klingeln. Mit ruhiger Stimme sagte er ihr, dass Sam wohlauf sei und dass er mit einem der Polizisten spreche wolle.

Fernanda zögerte, sah Ted an und versicherte dann, bei ihr seien keine Polizisten.
»Es hört doch bestimmt jemand mit«, erwiderte Peter. Er klang erschöpft. Für ihn war es vorbei, das wusste er, und es war ihm egal. Jetzt ging es nur noch darum, Sam zu retten. »Bitte, Mrs Barnes, lassen Sie mich mit einem der Beamten sprechen.«
Fernanda schaute Ted erneut mit einem ängstlichen Ausdruck in den Augen an und reichte ihm dann den Hörer. Sie wusste nicht, was das jetzt zu bedeuten hatte.
»Hier spricht Inspector Detective Lee«, meldete sich Ted mit fester Stimme.
»Sie haben weniger als achtundvierzig Stunden, um den Jungen hier herauszuholen. Vier Männer sind bei ihm, einschließlich mir«, berichtete Peter.
»Morgan, sind Sie das?« Es konnte nur er sein, davon war Ted überzeugt.
Peter reagierte nicht darauf. Es gab wichtigere Dinge zu klären. Er nannte Ted die Adresse des Hauses in Tahoe und beschrieb ihm, wie die Räume angeordnet waren. »Im Augenblick halten sie den Jungen im Hinterzimmer fest. Ich werde tun, was ich kann, um Ihnen zu helfen. Mag sein, dass sie mich auch töten.«
Ted stellte ihm eine Frage, auf die er unbedingt eine Antwort haben musste. Der Anruf wurde wie immer aufgezeichnet. »Steckt Phillip Addison hinter der ganzen Sache?«
Peter zögerte, dann gab er zu: »Ja, er ist der Kopf des Ganzen.« Jetzt war Peter endgültig geliefert. Egal, wie diese Sache hier ausging, Addison würde ihn finden und umbringen lassen. Oder aber er hätte dazu gar keine Ge-

legenheit mehr, weil Waters und seine Kumpane ihm zuvorkämen.

»Ich werde nicht vergessen, was Sie gerade getan haben«, sagte Ted, und das meinte er auch so.

Während der ganzen Zeit blickte Fernanda ihn wie gebannt an. Sie spürte, dass gerade etwas Entscheidendes geschah, aber noch wusste sie nicht, ob es gut oder schlecht war.

»Das ist nicht der Grund, warum ich es tue«, entgegnete Peter bitter. »Ich tue es für Sam … und für sie. Sagen Sie ihr bitte, wie sehr ich das Ganze bedaure.« Damit legte er auf, warf das Handy auf den Beifahrersitz und kaufte so viel Bier und Tequila, dass die drei Kerle überhaupt nicht mehr nüchtern werden würden. Und als er mit vier Tüten mit chinesischem Essen das Haus betrat, lächelte er. Peter fühlte sich befreit – wenigstens einmal in seinem Leben hatte er die richtige Entscheidung getroffen.

»Wo zum Henker warst du so lange?«, brauste Stark auf. Aber als er das Essen, das Bier und die drei Flaschen vom besten Tequila sah, besserte sich seine Stimmung sofort.

»Die haben eine gottverdammte ganze Stunde gebraucht, um das Essen fertig zu machen«, wetterte Peter scheinbar genervt und ging zum Hinterzimmer, um nach Sam zu sehen. Der Junge schlief tief und fest. Peter betrachtete ihn lange, dann kehrte er wieder in die Küche zurück. Er konnte nur hoffen, dass sich die Polizei nicht zu viel Zeit lassen würde.

18. Kapitel

»Was ist passiert?«, fragte Fernanda ängstlich.

Ted sah sie an und hätte vor Freude am liebsten geweint. »Sie sind in Tahoe. Morgan hat uns das Versteck verraten.«

»O mein Gott!«, flüsterte Fernanda. »Warum hat er das getan?«

»Er sagte, er würde es für Sam tun – und für dich. Ich soll dir sagen, dass er das Ganze sehr bedauert.«

Fernanda nickte und fragte sich, was Peter Morgan wohl dazu bewogen hatte. Aber was auch immer es gewesen war, sie empfand ihm gegenüber tiefe Dankbarkeit. Er hatte ihrem Sohn das Leben gerettet – oder es zumindest versucht.

Jetzt lief alles mit rasender Geschwindigkeit. Ted führte ein Telefonat nach dem anderen. Er sprach mit dem Captain, mit Rick und mit den Leitern von drei Sondereinsatzkommandos der Polizei. Er informierte den Sheriff von Tahoe, der dem FBI und den Sondereinsatzkommandos die Unterstützung der örtlichen Polizei zusicherte. Die Aktion musste mit der gleichen Präzision ablaufen wie eine Herztransplantation.

Als Fernanda am nächsten Morgen aufstand, hing Ted bereits wieder am Telefon. Will hatte gerade sein Frühstück beendet, da verkündete Ted, dass sie jetzt starten würden. Ein achtköpfiges Einsatzteam vom FBI sowie acht Mann für die Einsatzleitung waren bereits unterwegs nach Tahoe. Dazu kamen noch acht Leute vom Sondereinsatzkommando sowie Rick und er selbst. Etwa zwanzig Leute der örtlichen Polizei würden der Einsatzmannschaft ebenfalls zur Seite stehen. Rick setzte seine besten Scharfschützen ein, und Ted hatte die erfahrensten Männer des Sondereinsatzkommandos ausgewählt, zu dem auch ein Verhandlungsspezialist für Geiselnahmen gehörte. Zum Schutz von Fernanda und Will sollten weiterhin vier Leute im Haus bleiben.

»Bitte nimm mich mit!« Fernanda sah ihn verzweifelt an. »Ich möchte zu ihm.«

Ted zögerte. Das schien ihm keine gute Idee zu sein. Den Jungen zu befreien, war eine heikle Angelegenheit, bei der sehr viel schief gehen konnte, selbst wenn Morgan sie unterstützte. Bei dem Versuch, die Kidnapper zu überwältigen, könnte Sam sogar von der Polizei getötet werden. Und wenn es tatsächlich zum Äußersten kam, wollte er sich nicht auch noch um Fernanda kümmern müssen.

»Bitte!«, flehte Fernanda unter Tränen.

Und obwohl Ted es eigentlich besser wusste, konnte er es ihr einfach nicht abschlagen.

Sie lief nach oben, holte sich ein Paar Turnschuhe und ein Sweatshirt. Sie rief Will zu, sie müsse mit Ted weg und er solle währenddessen auf keinen Fall das Haus verlassen. Bevor er widersprechen konnte, war sie auch schon durch die Haustür hinausgeschlüpft. Nur Sekunden später raste sie mit Ted im Auto davon. Er hatte mit Rick gesprochen, der sich mit vier Special Agents und der Einsatzleitung ebenfalls auf dem Weg nach Tahoe befand. Sie würden also genug Männer vor Ort haben, um ihre eigene Poli-

zeitruppe zu gründen. Ted hatte dem Captain zugesichert, ihn auf dem Laufenden zu halten.
Sie fuhren eine ganze Weile lang schweigend und hatten die Bay Bridge bereits weit hinter sich gelassen, bis Ted schließlich etwas sagte. Er hatte noch immer Zweifel, ob es richtig gewesen war, Fernanda mitzunehmen, aber jetzt war es natürlich zu spät, seine Meinung zu ändern. Je weiter sie nach Norden kamen, desto besser gelang es ihnen, sich zu entspannen. Sie sprachen über das, was Pater Wallis gesagt hatte. Fernanda versuchte, das zu beherzigen, was er ihr geraten hatte: fest daran zu glauben, dass Gott seine Hand schützend über Sam hielt.
Ted gab ihr zu verstehen, Morgans Anruf habe die entscheidende Wende gebracht.
»Was denkst du, warum er das getan hat?«, fragte Fernanda noch einmal und sah Ted erwartungsvoll an. Dass Morgan es angeblich für sie getan hatte, ergab in ihren Augen keinen Sinn.
»Menschen tun manchmal die verrücktesten Dinge«, erwiderte Ted leise. »Und zwar immer dann, wenn man es am wenigsten erwartet.« Er hatte das schon oft erlebt. »Vielleicht war ihm das Geld am Ende doch nicht so wichtig. Die anderen werden ihn töten, wenn sie es herauskriegen.« Und falls Morgan doch heil da herauskäme, müsste man ihn ins Zeugenschutzprogramm aufnehmen. Wenn er ins Gefängnis gesteckt würde, wäre er ein toter Mann.
»Du warst ewig nicht zu Hause«, sagte Fernanda, während sie Sacramento passierten.
Ted blickte sie von der Seite an und lächelte. »Du klingst wie meine Frau.«

»Es muss schwer für sie sein«, sagte Fernanda nachdenklich. Ted schwieg. »Entschuldige, ich wollte nicht indiskret sein. Ich denke einfach, dass ein solcher Job eine große Belastung für eine Ehe sein muss.«

Er nickte. »Ist er auch – oder war er zumindest lange Zeit. Mittlerweile haben wir uns daran gewöhnt. Als wir heirateten, waren wir fast noch Kinder. Ich kenne Shirley seit meinem vierzehnten Lebensjahr.«

»Das ist eine lange Zeit«, sagte Fernanda lächelnd. »Ich war zweiundzwanzig, als ich Allan heiratete. Wir waren siebzehn Jahre lang verheiratet.«

Ted nickte. Über ihren Alltag und ihre Partner zu sprechen, half ihnen, die Zeit zu überbrücken. Mittlerweile fühlten sie sich beinahe wie alte Freunde. Sie hatten viel Zeit miteinander verbracht und während der letzten Woche einiges gemeinsam durchgestanden.

»Es muss sehr hart für dich gewesen sein, als dein Mann starb«, sagte Ted mitfühlend.

»Das war es. Es war auch schwer für die Kinder, vor allem für Will. Ich glaube, er denkt, sein Vater hätte uns im Stich gelassen.«

»Ein Junge in seinem Alter braucht einen Vater, an dem er sich orientieren kann.« Während Ted das aussprach, dachte er an seine eigenen Söhne. Als sie in Wills Alter gewesen waren, hatte er nicht gerade viel Zeit für sie gehabt. Das gehörte zu den Dingen in seinem Leben, die er am meisten bereute. »Ich war so gut wie nie zu Hause, als meine Kinder noch klein waren. Das ist der Preis, den man für diesen Job zahlt – unter anderem.«

»Sie hatten ihre Mutter«, wandte Fernanda ein. Sie

konnte ihm ansehen, wie sehr ihm sein schlechtes Gewissen zu schaffen machte.
»Das ist nicht genug«, sagte Ted entschieden. Dann schaute er Fernanda schuldbewusst an. »Tut mir Leid, so war das nicht gemeint.«
»Doch, du hast es genau so gemeint. Und vielleicht hast du Recht. Ich gebe mein Bestes, aber oft habe ich das Gefühl, es reicht einfach nicht. Allan ließ mir leider keine Wahl. Er traf seine Entscheidung, ohne mich nach meiner Meinung zu fragen.«
Es war wohltuend, mit Fernanda zu reden. Ted fühlte sich dabei besser, als ihm lieb war. »Shirley und ich hätten uns vor einigen Jahren fast getrennt. Wir haben uns eine Zeit lang mit dem Gedanken getragen, fanden dann aber, dass es keine gute Idee sei.« Ted hätte nicht gedacht, dass es ihm jemals so leicht fallen würde, jemandem das alles anzuvertrauen.
»Das war es wahrscheinlich auch nicht. Es ist bestimmt besser für alle gewesen, dass ihr zusammengeblieben seid.«
»Vielleicht. Wir sind jetzt gute Freunde.«
»Das will ich hoffen – nach achtundzwanzig Jahren!« Er hatte ihr vor ein paar Tagen erzählt, dass er siebenundvierzig Jahre alt sei und mit neunzehn geheiratet habe. Fernanda war beeindruckt gewesen. Aber jetzt eröffnete er ihr etwas, womit sie nicht gerechnet hatte.
»Wir haben uns schon vor langer Zeit auseinander gelebt. Zuerst habe ich es gar nicht gemerkt, aber vor ein paar Jahren wachte ich eines Tages auf und wusste plötzlich, dass wir Freunde waren, nicht mehr und nicht weniger. Ich denke, das ist auch in Ordnung.«

»Reicht das denn für eine Ehe?«, fragte sie ungläubig.
»Nicht immer«, gab er ehrlich zu. »Manchmal ist es schön, zu Hause von einem Freund erwartet zu werden, aber oft fehlt einem etwas. Wir reden nicht viel miteinander. Sie führt ihr Leben und ich meins.«
»Warum bleibt ihr dann zusammen?«
Genau das fragte Rick ihn schon seit Jahren. »Bequemlichkeit, mangelnde Energie, Angst davor, allein zu sein. Angst vor Veränderung. Zu alt.«
»Du bist doch nicht zu alt! Vielleicht liebst du sie mehr, als du denkst«, sagte Fernanda aufmunternd.
Nachdem Ted eine Weile lang über Fernandas Worte nachgedacht hatte, schüttelte er den Kopf. »Das glaube ich nicht. Ich denke, wir sind zusammengeblieben, weil jeder es von uns erwartete. Ihre Eltern, meine Eltern und unsere Kinder. Ich weiß nicht einmal, ob es unseren Kindern heute noch etwas bedeutet. Sie sind ja längst erwachsen und aus dem Haus. Shirley ist jetzt meine Familie. Manchmal kommt es mir so vor, als würde ich mit meiner Schwester zusammenleben. Es ist eben einfach bequem.«
Fernanda nickte. Sie konnte das verstehen. Nach siebzehn Jahren Ehe konnte sie sich ja nicht einmal vorstellen, sich mit einem anderen Mann zu verabreden, geschweige denn, mit ihm zu schlafen. Eine Tages würde das vielleicht möglich sein, aber sicher nicht so bald.
»Was ist mit dir?«
Ihr Gespräch gelangte in gefährliches Fahrwasser, aber Fernanda vertraute Ted. In all den Tagen, die sie jetzt gemeinsam verbracht hatten, war Ted ihr gegenüber stets respektvoll und zurückhaltend gewesen. »Ich weiß es nicht.

Es kommt mir so vor, als wäre ich für immer mit Allan verheiratet, ob er bei mir ist oder nicht.«
»Er wird nie wieder bei dir sein«, sagte Ted behutsam.
»Ja, ich weiß. Das ist genau das, was meine Tochter auch immer sagt. Sie fordert mich ständig auf, doch wieder auszugehen. Dabei ist das wirklich das Letzte, was ich momentan im Kopf habe. Ich bin viel zu sehr damit beschäftigt, wie wir Allans Schulden zurückzahlen können. Das wird noch eine ganze Weile dauern. Es sei denn, ich kann das Haus zu einem astronomischen Preis verkaufen.«
»Es ist bedauerlich, dass Allan nicht wenigstens einen Teil des Geldes zurückhalten konnte«, sagte Ted. Fernanda nickte bloß, sie wirkte gegenüber diesen Dingen bemerkenswert abgeklärt.
»Mich hat all das Geld nie wirklich glücklich gemacht.« Sie lächelte. »Es klingt verrückt, aber ich fand immer, es sei zu viel.« Sie erzählte ihm von den beiden impressionistischen Gemälden, die sie erworben hatte. Ted war sichtlich beeindruckt.
»Es muss fantastisch sein, so etwas zu besitzen.«
»War es auch – für ein paar Jahre. Ein Museum in Belgien hat sie mir abgekauft. Vielleicht fahre ich eines Tages hin, um sie mir anzusehen.«
Sie schien nicht unglücklich darüber zu sein, dass sie sich von den Bildern hatte trennen müssen. In seinen Augen bewies sie damit Größe. Das Einzige, was sie leidenschaftlich liebte, waren ihre Kinder. Mehr als alles andere beeindruckte ihn, was für eine vorbildliche Mutter sie war. Bestimmt war sie Allan auch eine gute Ehefrau gewesen, wahrscheinlich eine bessere, als er verdient hatte, so-

weit Ted es beurteilen konnte. Aber das behielt er für sich, er fand, dass ihm eine solche Äußerung nicht zustand.

Sie fuhren eine Weile lang schweigend weiter, und als sie an einem japanischen Restaurant vorbeikamen, fragte Ted Fernanda, ob er anhalten und etwas zum Mitnehmen holen solle. Aber Fernanda wollte nichts, obwohl sie seit Tagen kaum etwas gegessen hatte.

»Wohin werdet ihr ziehen, wenn das Haus verkauft ist?« Er fragte sich, ob sie nach dieser Geschichte nicht vielleicht das Bedürfnis hatte, die Stadt zu verlassen. Verstehen könnte er es.

»Vielleicht nach Marin. Das ist nicht ganz so weit. Die Kinder wollen ja ihre Freunde nicht verlieren.«

Er gestand es sich ungern ein, aber er war erleichtert, das zu hören. »Es freut mich, dass ihr in der Nähe bleibt«, sagte er und warf ihr einen kurzen Blick zu.

Fernanda sah ihn überrascht an. »Du musst irgendwann mal zum Abendessen kommen.« Sie war ihm so dankbar für alles, was er für sie getan hatte.

Aber Ted war klar: Das Entscheidende stand noch aus. Und falls die Befreiungsaktion misslang und Sam womöglich sogar getötet wurde, war es mehr als unwahrscheinlich, dass Fernanda ihn wiedersehen wollte. Er würde sie immer an diesen Albtraum erinnern. Vielleicht war das sogar jetzt schon so. Die Vorstellung, nie mehr in ihrer Nähe zu sein, bedrückte ihn. Er genoss es, sich mit ihr zu unterhalten, und er schätzte die ungezwungene Art, mit der sie alles anging. Immer war sie freundlich zu seinen Männern gewesen und hatte sich rührend um sie gekümmert – selbst unter dem enormen Druck dieser

Entführung. Wie viel Geld ihr Mann auch immer verdient haben mochte, es war ihr nicht zu Kopf gestiegen.
Sie passierten Auburn und blieben den Rest der Fahrt über stumm. Fernanda dachte ununterbrochen an Sam.
»Es wird schon gut gehen«, sagte Ted mit sanfter Stimme, während sie den Donnerpass überquerten.
Fernanda blickte ihn ängstlich an. »Wie kannst du dir so sicher sein?«
»Kann ich nicht. Aber ich werde tun, was in meiner Macht steht«, versprach er ihr.
Davon war sie fest überzeugt.

In dem Haus in Tahoe war die Stimmung gereizt. Die Männer hatten den ganzen Tag über miteinander gestritten. Stark verlangte, dass sie Fernanda am Nachmittag noch einmal anriefen und ihr drohten. Waters wollte bis zum Abend warten. Und Peter schlug vorsichtig vor, ihr noch einen Tag Zeit zu geben und sich erst am nächsten Morgen wieder bei ihr zu melden. Jim Free schien das alles nicht zu interessieren, er wollte nur sein Geld und dann verschwinden. Es war sehr heiß an diesem Tag, und die Männer tranken ein Bier nach dem anderen. Nur Peter nicht, er wollte einen klaren Kopf behalten. Regelmäßig schlich er sich heimlich davon, um nach Sam zu sehen. Er musste vorsichtig sein, in der Enge des Hauses vermochte er nichts auszurichten, ohne dass die anderen es merkten. Er fragte sich, wann die Polizei wohl zuschlug. Dann würde jedenfalls alles ganz schnell gehen und das reinste Chaos ausbrechen. Das Einzige, was er in dem Moment tun konnte, war, Sam zu schützen. Er hoffte inständig, dass ihm das gelang.

Am späten Nachmittag waren die anderen völlig betrunken. Sogar Waters. Und um sechs Uhr waren sie im Wohnzimmer eingeschlafen. Peter beobachtete sie für eine Weile, dann ging er nach hinten zu Sam. Er legte sich schweigend neben den Jungen aufs Bett und nahm ihn in den Arm. So schlief Peter ein und träumte von seinen Töchtern.

19. Kapitel

Als Ted und Fernanda in Tahoe eintrafen, hatte die örtliche Polizei bereits ein kleines Motel zur Einsatzzentrale umfunktioniert. Es war eine ziemlich heruntergekommene Bruchbude, die selbst während der Sommermonate die meiste Zeit über leer stand. Die wenigen Feriengäste, die zu diesem Zeitpunkt dort wohnten, hatten sich gegen eine kleine Entschädigung bereit erklärt auszuziehen. Zwei der Polizisten versorgten die Truppe mit Essen aus einem nahe gelegenen Fastfoodrestaurant. Alles war vorbereitet. Die Einsatzkräfte des FBI, allesamt Spezialisten für Geiselbefreiungen und Entführungen, hatten sich bereits eingefunden, und das Sondereinsatzkommando der Polizei von San Francisco war ebenfalls vor Ort. Zudem wimmelte es von Polizisten aus der Region. Als Ted aus dem Auto stieg und sich umschaute, erwarteten ihn mehr als fünfzig Leute. Es galt sorgfältig zu überlegen, wer von ihnen bei der Stürmung des Hauses dabei sein würde und wie das Ganze vonstatten gehen sollte. Ein Captain der örtlichen Polizei kümmerte sich um die Ausrüstung, die Straßensperren und darum, wer von seinen Jungs welche Aufgaben übernahm. Rick leitete den Einsatz und hatte sich mit seinen Männern in einem Raum direkt neben dem Motelbüro einquartiert. Mit modernster Technik ausgerüstete Übertragungswagen trafen ein. Ted sah Rick aus einem der Wagen steigen und ging zu ihm. Fernanda blieb immer dicht an seiner Seite. Der Tumult um sie herum war beängstigend, gleichzeitig registrierte sie, dass alles gut durchstrukturiert war, und das beruhigte sie.

»Wie läufts?«, fragte Ted seinen Freund.

Beide Männer sahen müde aus. Sie hatten seit Tagen nie länger als zwei Stunden an einem Stück geschlafen, und Rick war seit dem Vorabend ununterbrochen auf den Beinen. Sam hatte für alle, die mit dem Fall betraut waren, erste Priorität, und das machte Fernanda Mut.

»Wir sind fast am Ziel«, sagte Rick und warf Fernanda einen flüchtigen Blick zu. Sie lächelte erschöpft.

Ted hatte einen der Polizisten gebeten, sich um ein Zimmer für Fernanda zu kümmern, und nun brachte er sie dorthin. Ein Psychologe des Sondereinsatzkommandos sowie eine Polizistin warteten bereits auf sie, und Ted ließ Fernanda in deren Obhut zurück. Dann eilte er zu Rick in die provisorische Kommandozentrale. Auf einem Tisch türmten sich Berge von Sandwiches und durchsichtige Plastikschälchen mit Salaten. Das Essen war auffällig gesund, die Leute vom FBI und vom Sondereinsatzkommando achteten stets sorgfältig auf ihre Ernährung, sie mieden fette Speisen, Zucker und Koffein, weil dies nur kurzfristig Energie lieferte und danach umso müder machte. Der Captain der örtlichen Polizei saß mit den Beamten zusammen. Der Leiter des Sondereinsatzkommandos hatte gerade den Raum verlassen, um nach seinen Männern zu sehen. Ted war beeindruckt, wie viele hoch qualifizierte Leute für diesen Einsatz zusammengezogen worden waren. An der Wand hingen ein Grundriss des Hauses, in dem sich die Entführer verschanzt hatten, und eine Karte der Umgebung. Das Haus befand sich weniger als zwei Meilen entfernt die Straße hinunter. Sicherheitshalber wurde nichts über Sprechfunk abgewickelt – es war ja möglich, dass die Entführer über Abhörgeräte verfügten. Außerdem konnte so die Presse keine Informationen aufschnappen und die Befreiungsaktion womöglich platzen lassen.

Als Rick gemeinsam mit Ted den Grundriss des Hauses studierte, wirkte er besorgt. Sie hatten sich den Plan vom örtlichen Vermessungsamt beschafft und vergrößert.

»Laut Morgan hält sich der Junge im hinteren Teil des Hauses auf«, sagte Rick und zeigte auf ein Zimmer an der Rückfront. »Wir können ihn da rausholen, aber die Felswand hinter dem Gebäude ist ein Problem. Meine Männer könnten sich dort zwar abseilen, aber es wird schwer sein, schnell wieder wegzukommen. Und wenn sie das Kind dabeihaben, sind sie wie auf dem Präsentierteller.« Er zeigte auf die Vorderfront des Hauses. »Hier haben wir einen Zufahrtsweg, der so lang ist wie ein Fußballfeld. Unmöglich, ungesehen bis zum Haus zu kommen. Wir könnten mit einem Hubschrauber landen und uns den Weg ins Haus freisprengen, aber dann laufen wir Gefahr, den Jungen zu töten.«

Die Leiter des Sondereinsatzkommandos und des FBI-Teams hatten dieses Problem während der letzten beiden Stunden hin- und hergewälzt, ohne zu einer Lösung zu gelangen. Aber Ted war davon überzeugt, dass sie einen Weg finden würden. Er hatte keinerlei Gelegenheit, Kontakt mit Peter Morgan aufzunehmen, um ihn in den Plan einzubeziehen. Sie mussten es ohne ihn schaffen. Ted war froh, dass Fernanda bei diesem Gespräch nicht dabei war

und sich nicht anhören musste, was alles schief gehen konnte. Sie spielten alle Möglichkeiten durch, aber was ihnen auch einfiel, immer gab es ein enormes Risiko, dass dem Jungen etwas zustieß.
Wenn sie nichts unternahmen, bestand dieses Risiko allerdings erst recht. Selbst wenn Lösegeld gezahlt würde – der Junge war alt genug, um die Kidnapper zu identifizieren. Dass sie ihn laufen ließen, war in jedem Fall fraglich.
Nachdem sie eine weitere Stunde lang debattiert hatten, sagte Rick zu Ted: »Du siehst selbst, unsere Chancen, den Jungen da lebendig rauszuholen, sind gleich null.« Rick wollte seinem Freund gegenüber ehrlich sein.
»Dann schaff mehr Leute ran«, entgegnete Ted verbissen und warf Rick einen wütenden Blick zu. Sie waren nicht so weit gekommen, um das Leben des Jungen am Ende doch noch zu gefährden.
»Wir haben hier bereits eine kleine Armee versammelt«, fuhr Rick ihn an. »Vielleicht ist dir entgangen, was für ein Aufgebot da draußen wartet. Was wir brauchen, ist nicht eine größere Truppe, sondern ein Wunder«, zischte Rick mit zusammengebissenen Zähnen.
»Gut – dann sorg gefälligst dafür, dass es eins gibt. Hol deine besten Männer. Du kannst nicht mit den Schultern zucken und zulassen, dass sie den Jungen umbringen«, donnerte Ted zurück. Man konnte ihm ansehen, wie sehr er unter der Anspannung litt.
»Sieht es für dich vielleicht so aus, als würde ich das tun, du Blödmann?«, schrie Rick ihn an.
Glücklicherweise waren so viele Leute im Zimmer, die miteinander diskutierten, dass niemand mitbekam, wie sie sich anbrüllten. Schließlich machte der Leiter des

Sondereinsatzkommandos einen neuen Vorschlag, aber auch dieser Plan erwies sich als undurchführbar. Seine Männer wären dabei völlig ungeschützt und könnten vom Haus aus beschossen werden. Peter Morgan hatte wirklich den perfekten Ort ausgesucht. Es war nahezu unmöglich, den Jungen zu befreien. Erst jetzt wurde Ted etwas klar, was Rick schon längst erkannt hatte: Bei diesem Einsatz würden wahrscheinlich nicht wenige Männer ihr Leben lassen.

»Ich kann meine Jungs nicht einfach abschlachten lassen«, sagte der Leiter des Sondereinsatzkommandos zu Ted. »Sie müssen wenigstens eine realistische Chance haben, da heil wieder rauszukommen.«

»Ich weiß«, erwiderte Ted und wirkte nicht gerade glücklich.

Gegen neun Uhr an diesem Abend vertraten Rick und er sich draußen ein bisschen die Beine. Noch immer hatten sie keinen Plan, und allmählich lief ihnen die Zeit davon. Sie hatten bereits vor Stunden entschieden, dass die Aktion bei Tagesanbruch stattfinden musste. Wenn die Kidnapper erst einmal aufgestanden waren, wuchs das Risiko, und einen weiteren Tag hatten sie nicht zur Verfügung. In neun Stunden würde es anfangen zu dämmern.

»Verdammter Mist, ich hasse solche Situationen«, sagte Ted, lehnte sich an einen Baum und schaute Rick an. In einer Stunde würde ein Aufklärungsflugzeug starten, ausgerüstet mit Infrarot- und Wärmesichtgeräten, die allerdings nur die Umgebung rings um das Haus abtasten konnten und nicht das Innere des Gebäudes.

»Ich auch«, erklärte Rick leise. Langsam ging ihnen die Energie aus. Das würde noch eine lange Nacht werden.

»Was zum Teufel soll ich ihr nur sagen?«, fragte Ted mit einem gequälten Ausdruck im Gesicht. »Dass unsere besten Männer nicht in der Lage sind, ihr Kind zu retten?« Er konnte sich erst recht nicht vorstellen, ihr mitzuteilen, dass ihr Sohn tot sei. Und womöglich war er es schon. Es sah wirklich nicht gut aus, und das war noch untertrieben.
»Du hast dich in sie verliebt, stimmts?«, fragte Rick völlig unvermittelt.
Ted sah ihn an, als sei er übergeschnappt. »Hast du sie noch alle? Ich bin Polizist, verflucht noch mal! Sie ist ein Verbrechensopfer und ihr Sohn auch.« Allein der Gedanke daran machte ihn wütend, und dass Rick ihm so etwas unterstellte, machte ihn noch wütender.
Aber sein Freund ließ sich nicht täuschen – auch wenn sich Ted selbst etwas vormachte, wovon Rick überzeugt war. »Sie ist eine Frau, und du bist ein Mann. Sie ist wunderschön und allein stehend. Du hast eine ganze Woche mit ihr in ihrem Haus verbracht, obwohl du das nicht musstest. Du hast seit fünf Jahren nicht mehr mit deiner Frau geschlafen, soweit ich weiß. Und du bist ein Mensch aus Fleisch und Blut, zum Teufel! Aber eins rate ich dir: Lass nicht zu, dass es deine Entscheidungen als Polizist beeinflusst. Eine Menge Jungs setzen hier ihr Leben aufs Spiel. Schick sie nicht in einen sinnlosen Tod!«
Ted stand mit gesenktem Kopf da. Als er ihn eine Minute später hob und Rick anschaute, schimmerten Tränen in seinen Augen. Er stritt weder ab, was Rick gesagt hatte, noch stimmte er zu. Er wusste ja selbst nicht, was mit ihm los war.
»Es muss eine Möglichkeit geben, ihn da lebend rauszuholen«, war alles, was Ted entgegnete.

»Das hängt von vielen Faktoren ab. Ein bisschen von dem Jungen und von unserem Helfer da drinnen.« Vieles ließ sich kaum einschätzen. Manchmal kam es zu Situationen, die ausweglos erschienen, und doch gingen sie gut aus. Dann wieder konnte alles perfekt durchgeplant sein, und dennoch lief es schief – wie der Zufall es eben wollte.

»Was ist mit ihr?«, hakte Rick nach. »Was empfindet sie für dich?«

»Keine Ahnung.« Ted wirkte unglücklich. »Ich bin ein verheirateter Mann.«

»Du und Shirley, ihr hättet euch schon vor Jahren scheiden lassen sollen«, sagte Rick ganz offen. »Ihr habt beide etwas Besseres verdient.«

»Sie ist mein bester Freund.«

»Du liebst sie nicht. Ich bin nicht einmal sicher, ob du das je getan hast. Ihr seid zusammen aufgewachsen, und schon als ich dich kennen lernte, wart ihr wie Bruder und Schwester. Alle haben von euch erwartet, dass ihr heiratet – also habt ihr es getan.«

Ted wusste, dass daran viel Wahres war. Seine Eltern hatten ihr Glück kaum fassen können, als er sich damals mit Shirley verlobte. Für ihn war es stets selbstverständlich gewesen, Shirley treu zu sein. Und das, obwohl der stressige Job, die ungewöhnlichen Arbeitszeiten und die wenige gemeinsame Zeit mit seiner Frau es ihm nicht leicht gemacht hatten, allen Versuchungen zu widerstehen.

Rick hatte ihn für seinen eisernen Willen immer bewundert – er nannte es die ehernen Unterhosen. Er selbst konnte nicht gerade behaupten, dass er über solche verfügte, und im Endeffekt war seine Scheidung eine Befreiung gewesen. Jetzt hatte er eine Frau gefunden, die er wirklich liebte. Dasselbe wünschte er Ted. Und wenn Fernanda diejenige war, die Ted wollte – warum nicht? Rick konnte nur hoffen, dass sie ihr Kind nicht verlor, auch um Teds willen. Für sie wäre es eine furchtbare Tragödie, die sie niemals vergessen könnte – und Ted genauso wenig. Er würde sich zweifellos die Schuld an dem Desaster geben.

»Sie lebt in einer ganz anderen Welt als ich«, sagte Ted bedrückt. Er grübelte darüber nach, was er für Fernanda empfand, und fürchtete, an dem, was Rick gesagt hatte, könnte etwas dran sein. »Das Leben, das sie geführt hat, lässt sich mit meinem nicht im Geringsten vergleichen. Ihr Mann hat eine halbe Milliarde gemacht, Teufel noch mal, er muss ein ziemlich cleverer Bursche gewesen sein«, sagte Ted niedergeschlagen und schaute seinen Freund in der Dunkelheit an. Es wimmelte hier draußen nur so von Polizisten, aber niemand war nah genug, um hören zu können, worüber sie sprachen.

»Das bist du auch. Und wie clever war er am Ende wirklich? Er hat alles genauso schnell verloren, wie er es verdient hat. Er hat sich umgebracht und Frau und Kinder mittellos zurückgelassen.«

Das stimmte allerdings. Und inzwischen hatte Ted mehr Geld auf der Bank als Fernanda. Seine Zukunft war gesichert und die seiner Kinder ebenfalls. Um das zu erreichen, hatte er fast dreißig Jahre lang hart gearbeitet.

»Sie hat in Stanford studiert – ich hab nach der Highschool aufgehört. Ich bin nur Polizist.«

»Du bist ein toller Bursche. Sie sollte sich glücklich schätzen, wenn sie dich kriegt.«

In Ricks Augen waren Menschen wie Ted rar gesät. Er

war aufrichtig, zuverlässig und liebevoll. Rick hatte schon oft gesagt, dass er auf Ted größere Stücke halte als auf sich selbst. Ted hatte das nie so gesehen und Rick immer entschieden verteidigt – was er nicht selten auch gegenüber anderen tun musste. Als Rick noch bei der Polizei gewesen war, hatte er sich immer wieder mit Kollegen und Vorgesetzten angelegt. So war er eben, beim FBI verhielt er sich nicht anders. Er nahm kein Blatt vor den Mund und sagte immer frei heraus, was er dachte. Auch jetzt war Rick davon überzeugt, dass dieses Gespräch nötig war, selbst wenn Ted bei seinen Worten sauer wurde.
»Ich will, dass du glücklich bist«, ließ Rick nicht locker. »Du hast es verdient.«
»Ich kann Shirley nicht einfach verlassen«, sagte Ted betrübt. Er fühlte sich unglaublich von Fernanda angezogen, und allein das verursachte ihm ein schlechtes Gewissen.
»Jetzt mach dir darüber noch keine Gedanken, sondern warte erst einmal ab, was passiert, wenn diese Sache hier vorbei ist. Vielleicht verlässt Shirley eines Tages ja auch dich. Sie ist konsequenter als du. Ich habe immer schon vermutet, dass sie nur dem Richtigen begegnen müsste, und sie wäre auf und davon. Eigentlich überrascht es mich, dass sie es nicht schon längst getan hat.«
Ted nickte, dasselbe war ihm auch schon durch den Kopf gegangen. In gewisser Weise hing Shirley viel weniger an dieser Ehe als er. Sie war einfach nur zu bequem, um sich zu trennen, das wusste sie selbst. Sie liebte Ted, aber sie hatte in letzter Zeit manchmal gesagt, dass sie sich gut vorstellen könne, allein zu leben. So selten, wie sie sich sahen, tat sie es eigentlich schon. Ted genauso, und er fühlte

sich zunehmend unwohl. Sie hatten weder die gleichen Interessen noch gemeinsame Freunde. Das Einzige, was sie seit achtundzwanzig Jahren miteinander verband, waren ihre Kinder.

»Du musst ja nicht heute Nacht entscheiden, was du tust. Hast du Fernanda etwas über deine Gefühle gesagt?« Die Sache beschäftigte Rick, seit er Ted und Fernanda zum ersten Mal zusammen gesehen hatte. Ihm war sofort aufgefallen, dass es zwischen den beiden kräftig gefunkt hatte. In seinen Augen war Fernanda die perfekte Frau für Ted.

Das spürte Ted auch, aber er hätte sich nie getraut, Fernanda gegenüber ein Wort darüber verlauten zu lassen. Angesichts der Umstände, unter denen sie sich begegnet waren, erschien ihm das völlig ausgeschlossen. Und er hatte nicht die geringste Ahnung, ob sie überhaupt etwas für ihn empfand. Zweifelsohne war sie dankbar dafür, dass er sie und ihre Kinder beschützte – in seiner Funktion als Cop. Und da Sam trotzdem entführt worden war, hatte er diesen Job nicht einmal besonders gut gemacht – zumindest sah er das so. »Nein, natürlich habe ich ihr noch nichts gesagt«, antwortete Ted. »Das hier ist wohl kaum der richtige Zeitpunkt.« Darin waren sie sich ausnahmsweise einmal einig. Allerdings war Ted nicht sicher, ob er überhaupt jemals den Mut haben würde, sich Fernanda zu offenbaren. Es kam ihm aus irgendeinem Grund nicht richtig vor, so, als würde er ihre Dankbarkeit ausnutzen.

»Ich glaube, sie steht auf dich«, mutmaßte Rick, und Ted grinste. Sie hörten sich an wie zwei Jungs, die in der Pause auf dem Schulhof über ein Mädchen aus ihrer Klasse sprachen. Aber es war für sie beide befreiend, wenigstens ein paar Minuten lang einmal nicht über die Lage zu beraten, in der es für Sam um Leben und Tod ging.

»Ich empfinde jedenfalls eine Menge für sie«, gestand Ted. Seine Stimme wurde plötzlich weich, und er dachte daran, wie Fernanda ausgesehen hatte, als sie nachts nach einem stundenlangen Gespräch neben ihm auf dem Sofa eingeschlafen war. Ted war förmlich dahingeschmolzen.

»Dann unternimm etwas!«, flüsterte Rick. »Das Leben ist kurz.« Die Wahrheit dieser Aussage hatten sie beide während ihrer Jahre als Cops nur zu oft erfahren müssen.

»Das ist wohl wahr«, stimmte Ted ihm seufzend zu und stieß sich von dem Baum ab, an dem er während ihrer gesamten Unterredung gelehnt hatte. Die Pause hatte ihm gut getan. Und wie immer war es ihm sehr wichtig, Ricks Meinung zu hören.

Rick folgte Ted zurück ins Haus und dachte über das nach, was sein Freund ihm gerade anvertraut hatte. Aber sobald sie drinnen waren, wurden sie von den Diskussionen über die beste Vorgehensweise völlig vereinnahmt. Als sich die Männer schließlich auf einen Plan einigten, war es bereits Mitternacht. Jener war alles andere als sicher, aber erschien ihnen als die beste Entscheidung. Der Leiter des Sondereinsatzkommandos gab bekannt, dass sie kurz vor Morgengrauen zuschlagen würden, und er riet allen, bis dahin wenigstens noch ein bisschen zu schlafen. Ted verließ das Büro um ein Uhr morgens, um nach Fernanda zu sehen. Er wollte wissen, wie es ihr ging. Die Tür zu ihrem Zimmer war geschlossen, aber Ted konnte durch den Türspalt erkennen, dass drinnen Licht brannte, und als Ted kurz darauf draußen an ihrem Fenster vorbeiging, registrierte er, dass sie mit offenen Augen auf dem Bett lag und vor sich hinstarrte. Er winkte ihr kurz zu. Fernanda sprang sofort auf und öffnete ihm die Verandatür. Ihre Telefonleitung war umgeschaltet auf einen der Übertragungswagen, und sie nahm an, dass sich die Entführer gemeldet hatten.

»Was ist passiert?«, erkundigte sie sich ängstlich. Die letzten Stunden waren ihr schier endlos vorgekommen.

Ted beeilte sich, sie zu beruhigen. »Es geht bald los.«

»Wann?« Sie sah ihn eindringlich an.

»Kurz vor Morgengrauen.«

»Gibt es Neuigkeiten von zu Hause?«, fragte sie besorgt. Noch immer passten die vier Polizisten auf Will auf.

»Nein«, antworte Ted, und sie nickte. »Im Moment ist alles ruhig.«

Von den Entführern waren keine weiteren Nachrichten eingegangen. Ted rechnete auch nicht damit, dass sich Peter Morgan noch einmal mit ihnen in Verbindung setzen würde. Er hatte getan, was er konnte. Und falls es ihnen am Ende gelingen sollte, Sam zu retten, so war das zum großen Teil Peters Verdienst. Ohne seinen Tipp wäre der Junge mit Sicherheit getötet worden. Jetzt war es an ihnen, den Ball aufzunehmen, den er ihnen zugespielt hatte, und damit loszulaufen, so schnell sie konnten. Und das würden sie tun – schon bald.

Sie hatten einen Überwachungswagen in der Nähe des Hauses stationiert, der aber keinerlei Aktivitäten registrierte. Und ein mit Infrarotsichtgerät ausgestatteter Spähtrupp auf einem Berg hatte gemeldet, dass es schon seit Stunden im ganzen Haus dunkel sei. Ted hoffte, dort würden alle noch schlafen, wenn die Aktion losginge. Das Überraschungsmoment wäre entscheidend.

»Ist alles in Ordnung?«, fragte er Fernanda mit sanfter Stimme und versuchte, nicht an das Gespräch zu denken, das er wenige Stunden zuvor mit Rick geführt hatte. Jetzt, da er seinem Freund seine Gefühle für Fernanda eingestanden hatte, waren sie ihm selbst erst wirklich klar geworden, und er musste aufpassen, dass er nichts Dummes tat oder sagte.

Sie nickte zögernd. »Ich möchte, dass es endlich vorbei ist«, sagte sie und sah ihn ängstlich an. »Aber gleichzeitig fürchte ich mich davor.« Jetzt konnte sie zumindest noch hoffen, dass Sam nach wie vor am Leben war.

»Es wird bald vorbei sein«, versicherte Ted, aber er wollte ihr nicht garantieren, dass alles gut ausging. Das wäre in diesem Moment nichts als eine leere Phrase gewesen, und Fernanda wusste das.

»Wirst du mit dabei sein?« Wieder suchte sie seinen Blick, und er nickte.

»Bis zur Einfahrt.« Der Rest war Sache des FBI und des Sondereinsatzkommandos. Ein Vorbereitungsteam hatte nahe der Straße im Gebüsch eine Art Stützpunkt errichtet, getarnt mit Zweigen und Laub. Die Sicht von dort war eingeschränkt, aber immerhin befand sich der Punkt direkt am Einsatzort. Wenn die Aktion losging, wollte Ted dort Stellung beziehen.

»Darf ich mitkommen?«

Obwohl sie ihn flehentlich anblickte, schüttelte Ted energisch den Kopf. Das konnte er keinesfalls erlauben, es war viel zu gefährlich. Fernanda könnte etwa von einem Querschläger getroffen werden. Womöglich flohen die

Kidnapper auch und nahmen auf ihrem Weg zur Straße den Stützpunkt unter Beschuss. Es war völlig unkalkulierbar, was passieren würde. »Versuch doch, ein bisschen zu schlafen«, schlug er vor, obwohl er wusste, dass ihr das wahrscheinlich nicht gelingen würde.

»Sagst du mir Bescheid, wenn ihr losfahrt?« Sie musste einfach wissen, wann der Zugriff erfolgte. Es war schließlich ihr Sohn, um dessen Leben die Männer kämpften.

Ted nickte und versprach es ihr.

Plötzlich wirkte Fernanda ängstlich. »Was machst du bis dahin?« Sie hatte sich daran gewöhnt, dass er bei ihr war, und am liebsten wäre es ihr gewesen, er hätte sein Lager in ihrem Zimmer aufgeschlagen.

»Mein Zimmer ist zwei Türen weiter.« Er wies in die entsprechende Richtung.

Fernanda schaute ihn eine Minute lang unsicher an, als würde sie sich nicht trauen, ihn hereinzubitten. Ted hatte das Gefühl, als könnte er ihre Gedanken lesen. »Möchtest du, dass ich einen Moment hineinkomme?« Sie nickte, und sie waren beide etwas verlegen. Zu ihrer Erleichterung waren die Vorhänge nicht zugezogen, und jeder konnte von draußen hereinsehen.

Ted folgte ihr ins Zimmer und setzte sich in den einzigen Sessel, Fernanda hockte sich auf das Bett. Sie wirkte äußerst angespannt. Es würde für sie beide eine lange Nacht werden, und für Fernanda war es unvorstellbar, auch nur eine Minute lang zu schlafen. Das Leben ihres Kindes stand auf dem Spiel, und wenn sie sonst schon nichts tun konnte, so wollte sie während der nächsten Stunden – die Sams letzte sein könnten – wenigstens in Gedanken bei ihm sein. Was sollte sie nur seinen Geschwistern sagen, wenn ihm wirklich etwas Schlimmes zustieß? Erst vor sechs Monaten hatten die Kinder ihren Vater verloren, es wäre ein furchtbarer Schlag für sie, wenn Sam nun ums Leben käme. Vor wenigen Stunden hatte Fernanda mit Will telefoniert. Er war deutlich bemüht gewesen, stark zu sein, aber gegen Ende des Gespräches hatten sie beide geweint. Ted war dennoch der Meinung, dass sich Fernanda auf bemerkenswerte Weise hielt. Er war nicht sicher, ob er sich so lange im Griff hätte, wenn es um eines seiner Kinder ginge.

»Ich nehme nicht an, dass eine Chance besteht, dich zum Schlafen zu bewegen?« Ted lächelte sie an. Er war genauso erschöpft wie sie, aber durch seinen Job an solche Situationen gewöhnt.

»Wohl kaum«, gab sie offen zu. »Ich wünschte, die Entführer hätten sich noch einmal gemeldet.«

»So geht es mir auch. Aber vielleicht ist es auch ein gutes Zeichen, dass sie es nicht getan haben. Ich vermute, sie haben vor, dich morgen anzurufen und zu fragen, ob du das Geld zusammenhast.« Die Summe von hundert Millionen Dollar überstieg nach wie vor seine Vorstellungskraft – und mehr noch der Gedanke, dass ihr Ehemann diesen Betrag vor wenigen Jahren tatsächlich mit Leichtigkeit hätte aufbringen können. Es kam ihm fast wie ein Wunder vor, dass es nicht schon früher zu einer Entführung gekommen war, und dann wäre womöglich Fernanda das Opfer gewesen. »Hast du etwas gegessen?« Seit Stunden wurden Kartons mit Sandwiches herumgereicht, Pizzas geliefert, und Berge von Donuts standen bereit. Außer den Männern des Sondereinsatzkommandos hatten alle Unmengen Kaffee und Cola getrunken. Während

sie über ihren Plänen brüteten, brauchten sie das Koffein. Jetzt war es den meisten unmöglich zu schlafen.
»Nein, ich kriege keinen Bissen herunter.« Fernanda benötigte auch kein Koffein. Sie wurde von ihrer Angst wach gehalten. »Ich möchte dich wirklich nicht aufhalten«, sagte sie vorsichtig und wirkte in diesem Moment wie ein kleines Mädchen.
»Das tust du nicht. Ich bin gern bei dir.« Erneut lächelte er sie an. »Du bist eine sehr angenehme Gesellschaft.«
»In letzter Zeit wohl kaum«, entgegnete sie und seufzte unwillkürlich. Es war Ewigkeiten her, dass sie ein zwangloses Gespräch geführt, zum Essen ausgegangen und einen schönen Abend verbracht und gelacht hatte. Die Nähe zu Ted erschien ihr wie ein Geschenk. Und selbst die war aus einer Katastrophe heraus entstanden. In ihrem Leben jagte eine Tragödie die nächste: erst Allans Tod und der Schuldenberg, jetzt die Entführung Sams.
»Du hast dieses Jahr eine Menge durchgemacht«, sagte Ted, und man hörte die Hochachtung in seinen Worten. »Ich an deiner Stelle hätte wahrscheinlich schon längst schlappgemacht.« Selbst wenn mit Sam alles gut ausgehen würde, was Ted inständig hoffte, stünden Fernanda noch große Veränderungen bevor. Und nach dem, was Rick diese Nacht zu ihm gesagt hatte, fragte sich Ted, ob das auch auf ihn zutraf. Ricks Worte hatten ihn zum Nachdenken gebracht, vor allem die Äußerung, dass sich Shirley eines Tages von ihm trennen könnte.
»Manchmal denke ich, mein Leben wird nie wieder normal sein.« Aber wann war es das schon gewesen? Allans kometenhafter Aufstieg konnte nicht gerade als gewöhnlich bezeichnet werden. Der hatte ihnen allen nicht gut

getan. »Ich wollte während der Sommerferien anfangen, mich nach einem Haus in Marin umzusehen.« Aber falls sie Sam verlieren sollte, wusste sie nicht, was sie tun würde. Vielleicht sehr weit weg ziehen, um alles zu vergessen.

»Das wird für dich und die Kinder nicht einfach sein«, erwiderte Ted, als er sich vorstellte, dass sie in ein viel kleineres Haus ziehen müssten. »Was glaubst du, wie sie damit umgehen werden?«

»Sie werden Angst haben. Wütend sein. Unglücklich. Aufgeregt. All das, was die meisten Kinder fühlen, wenn sie umziehen müssen. Es wird für uns alle schwer sein, aber vielleicht tut es uns auch gut.« Jedenfalls solange sie alle zusammen waren ...

Schließlich verfielen sie beide in Schweigen. Gegen drei Uhr war Fernanda eingeschlafen, und Ted schlich auf Zehenspitzen hinaus. Er ging hinüber in sein Zimmer, machte es sich auf dem Boden bequem und schlief auch noch ein bisschen. Die beiden Betten in dem Zimmer waren schon von Kollegen besetzt, und Ted war es mittlerweile egal, wo er sich hinlegte. Er könne sogar im Stehen schlafen, behauptete Rick. Und von Zeit zu Zeit war Ted tatsächlich nahe daran, es zu tun.

Um fünf Uhr früh kam der Leiter des Sondereinsatzkommandos, um ihn zu wecken. Ted war sofort hellwach. Die anderen beiden Männer waren schon auf und verließen gerade den Raum. Ted erhob sich eilig, wusch sich das Gesicht, putzte sich die Zähne und fuhr sich mit Hand durchs Haar. Der Leiter des Sondereinsatzkommandos hatte gefragt, ob er mit ihnen mitfahren wolle, aber Ted würde lieber seinen eigenen Wagen nehmen.

Als Ted an Fernandas Fenster vorbeihastete, sah er, dass sie wach war und im Zimmer auf und ab ging. Sobald sie ihn entdeckte, eilte sie zur Verandatür. Er bemerkte den flehenden Ausdruck in ihren Augen, sie doch mitzunehmen. Ted legte ihr die Hand auf die Schulter und drückte sie zärtlich. Er ahnte nur zu gut, was sie jetzt fühlte, und wollte sie ein wenig beruhigen. Er ließ sie jetzt nur ungern allein, aber es war nicht zu ändern.

»Viel Glück.« Sie konnte den Blick nicht von ihm wenden. Was hätte sie darum gegeben, mitfahren zu dürfen!

»Alles wird gut werden, Fernanda. Ich melde mich über Funk bei dir, sobald wir ihn haben.«

Unfähig zu sprechen nickte sie nur, und als er wenig später die Straße hinunter zu ihrem Sohn fuhr, schaute sie ihm noch lange nach.

In genau diesem Moment seilten sich drei von Ricks Männern langsam an der Felswand hinter dem Quartier der Entführer ab. Sie waren dunkel gekleidet, hatten ihre Gesichter geschwärzt und trugen die Waffen eng an den Körper gebunden. Ted hielt mit seinem Wagen eine Viertelmeile vor der Hauszufahrt und stellte ihn so zwischen den Bäumen ab, dass er vom Haus aus nicht gesehen werden konnte. Schweigend ging er zu Fuß durch die Dunkelheit, vorbei an den Beobachtungsposten bis zum Stützpunkt. Fünf schwer bewaffnete Einsatzkräfte hielten sich dort bereits auf. Ted zog eine schusssichere Weste an und setzte Kopfhörer auf, um ständigen Kontakt zum Übertragungswagen zu haben, in dem alle Informationen zusammenliefen. Er spähte in die Nacht hinaus, da hörte er plötzlich ein Geräusch hinter sich. Einer der Beobachtungsposten in kugelsicherer Weste und Tarnkleidung war hereingekommen. Ted wandte sich um und bemerkte, dass es sich um eine Frau handelte. Als er genauer hinschaute, stockte ihm der Atem – es war Fernanda. Sie hatte es geschafft, irgendeinen der Männer davon zu überzeugen, dass sie zur örtlichen Polizei gehöre, sodass derjenige ihr eine Schutzausrüstung ausgehändigt hatte. In Windeseile hatte sie die Sachen angezogen und war jetzt genau da, wo sie nicht sein sollte – in der Gefahrenzone. Ted war drauf und dran, ihr die Hölle heiß zu machen und sie zurückzuschicken. Aber dafür war es zu spät, die Aktion war bereits in vollem Gange. Außerdem verstand er nur zu gut, dass sie möglichst nah bei Sam sein wollte. Er ließ es also bei einem strengen, tadelnden Blick bewenden, griff schließlich nach ihrer Hand und zog sie neben sich zu Boden. Schweigend warteten sie nun darauf, dass die Männer ihr Sam zurückbringen würden.

20. Kapitel

Peter lag neben Sam und schlief. Um fünf Uhr morgens wachte er instinktiv auf. Er öffnete die Augen und bewegte sich ganz vorsichtig. Sam schlummerte weiter, mit dem Kopf an Peters Schulter. Der gleiche Instinkt bewegte Peter dazu, Sams Fesseln an Händen und Füßen zu lösen. Sie hatten sie ihm die ganze Zeit über nicht abgenommen, damit er nicht versuchen konnte, wegzulaufen. Und Sam hatte sich mittlerweile daran gewöhnt, schließlich trug er sie jetzt schon seit über einer Woche. Als Peter ihn losband, drehte sich Sam zu ihm um und flüsterte im Schlaf: »Mom!«

Peter lächelte. Er erhob sich, ging zum Fenster und schaute hinaus. Draußen war es noch dunkel, aber der Himmel war schon nicht mehr pechschwarz, sondern anthrazitfarben. Die Sonne würde bald hinter dem Berg aufsteigen. Ein neuer Tag begann – und damit endlose Stunden des Wartens. Heute würden sie Fernanda anrufen, und wenn sie das Geld noch immer nicht hätte, sollte der Junge sterben. Die anderen dachten, Fernanda würde Spielchen mit ihnen spielen und sie hinhalten. Den Jungen zu töten machte ihnen nicht das Geringste aus. Und wenn sie herausfanden, was er getan hatte, würden sie ohne zu zögern auch ihn töten. Aber Peter kümmerte das nicht mehr. Er hatte sich entschieden: sein Leben für das von Sam. Er rechnete nicht damit, dass es ihm gelingen

würde, zusammen mit dem Jungen zu fliehen. Allein hätte Sam größere Chancen zu entkommen.
Peter stand noch immer am offenen Fenster, da vernahm er ein Geräusch, das wie das Rascheln eines Vogels klang. Ein Kieselstein landete unweit des Fensters mit einem dumpfen Plopp auf dem Boden. Peter spähte in die Dunkelheit. Irgendetwas regte sich. Als er genauer hinschaute, bemerkte er drei Gestalten, die sich mit Seilen an der Felswand herabließen. Peter schlug das Herz bis zum Hals. Sie waren da! Er ging zurück zu Sam, legte ihm die Hand auf den Mund, damit der Junge nicht aufschrie, und weckte ihn vorsichtig. Als Sam die Augen aufschlug, hielt Peter den Zeigefinger an seine Lippen und wies mit der Hand in Richtung Fenster. Sam wusste nicht, was vor sich ging, aber er spürte, dass Peter ihm helfen wollte. Erst jetzt merkte er, dass Peter ihm die Fesseln abgenommen hatte und er sich zum ersten Mal seit Tagen frei bewegen konnte. Peter eilte wieder zum Fenster. Zuerst konnte er draußen nichts erkennen, aber dann sah er sie: schwarze Gestalten, die in etwa drei Meter Entfernung vom Haus kauerten. Eine Hand winkte ihm zu. Peter hastete zurück zum Bett, hob Sam hoch und trug ihn zum Fenster. Aus Angst, es würde knarren, hatte er es nicht ganz geöffnet. Vorsichtig schob er Sam durch den schmalen Spalt. Peter hielt ihn in seinen Armen, und ihre Blicke trafen sich für einen schier endlosen Augenblick. Dann ließ Peter los. Sam landete ein bisschen unsanft auf dem Boden, weil seine Arme und Beine noch ganz steif waren. Peter deutete auf die Büsche und sah, wie der Junge auf allen vieren dorthin kroch und in der Dunkelheit verschwand. Es war das Selbstloseste, was Peter je in seinem Leben getan

hatte. Wieder winkte ihm die schwarze Hand zu, und genau in diesem Moment hörte Peter irgendwo im Haus ein Geräusch. Er schüttelte den Kopf, schloss das Fenster und legte sich aufs Bett. Er wollte nichts tun, was Sam in Gefahr brachte.

Als Sam auf die Büsche zukroch, hatte er keine Ahnung, wohin er sich eigentlich bewegte. Er hielt sich einfach an die Richtung, in die Peter gezeigt hatte. Plötzlich wurde er so fest von zwei Händen gepackt und in den Busch gezogen, dass er einen Riesenschreck bekam. Er blickte in geschwärzte Gesichter und fragte leise: »Gehört ihr zu den Guten oder zu den Bösen?«

Der Mann, der ihn an sich presste, war unglaublich erleichtert, dass der Junge noch lebte. Bisher war alles wie am Schnürchen gelaufen, aber vor ihnen lag noch ein weiter Weg. »Wir gehören zu den Guten«, flüsterte er zurück.

Sam nickte und fragte sich, wo seine Mom steckte, da gaben sich die Männer um ihn herum gegenseitig Zeichen und drückten Sam flach auf den Boden. Noch war die Sonne nicht aufgegangen, aber es dauerte nicht mehr lange, dann würde es hell werden. Die Männer hielten es für unmöglich, Sam an Seilen die Felswand hinaufzuziehen. Falls sein Verschwinden währenddessen entdeckt und das Feuer eröffnet würde, wäre er dort völlig ungeschützt. Für seine Kidnapper stellte er jetzt eine Gefahr dar, weil er sie identifizieren konnte.

Die einzige Chance bestand darin, Sam entlang der Auffahrt bis zur Straße zu bringen, aber auch dort wären sie den Verbrechern relativ schutzlos ausgeliefert. Sie mussten versuchen, sich durch das Gestrüpp an der Seite zu kämpfen, das an einigen Stellen allerdings so dicht war, dass ein Durchkommen unmöglich war. Kriechend, robbend und laufend arbeiteten sie sich Meter für Meter vorwärts. Und während der ganzen Zeit hielt immer einer von ihnen Sam fest an sich gedrückt. Es fiel kein einziges Wort, man hörte nur das keuchende Atmen der Männer. Währenddessen stieg am Horizont langsam die Sonne auf.

Das Geräusch, das Peter vernommen hatte, kam von einem der Männer, der ins Bad gegangen war und sich auf dem Rückweg offenbar den Zeh gestoßen hatte. Peter hörte erst die Klospülung und dann ein Poltern und Fluchen. Wenige Minuten später schlurfte wieder jemand über den Flur, und Peter beschloss, besser aufzustehen und sich nach vorn zu begeben. Er wollte nicht, dass einer der Kerle das Zimmer betrat und entdeckte, dass Sam verschwunden war.

Barfuß marschierte er ins Wohnzimmer und lugte aus dem Fenster. Er konnte jedoch nichts erkennen und setzte sich.

»Du bist früh auf den Beinen«, sagte eine Stimme hinter ihm.

Peter zuckte zusammen und drehte sich um. Es war Carlton Waters. Er sah ziemlich übernächtigt aus. Kein Wunder nach dem vorabendlichen Gelage.

»Was macht der Junge?«

»Dem gehts bestens«, sagte Peter scheinbar gelangweilt. Er konnte den Anblick dieser Typen kaum noch ertragen. Mit nacktem Oberkörper und in einer Jeans, in der er auch geschlafen hatte, ging Waters in die Küche zum Kühlschrank, suchte nach etwas Essbarem und kehrte schließlich mit einem Bier zurück.

»Sobald die anderen wach sind, werde ich seine Mutter anrufen«, verkündete Waters, während er sich gegenüber von Peter auf der Couch breit machte. »Wäre gut für sie, wenn sie dann das Geld hätte – sonst ist die Sache gestorben«, sagte er in völlig nüchternem Tonfall. »Ich werde nicht bis in alle Ewigkeit hier hocken und darauf warten, dass die Bullen auftauchen. Das sollte sie endlich kapieren.«
»Vielleicht hat sie das Geld nicht«, wandte Peter achselzuckend ein.
»Dann hätte dein Boss das hier nicht angeleiert.« Waters stand auf und schaute aus dem Fenster. Der Himmel war mittlerweile zartrosafarben, und man konnte die Auffahrt bis zur ersten Biegung deutlich erkennen. Plötzlich erstarrte Waters. Irgendetwas war da draußen los. Er rannte hinaus auf die Veranda. »Verdammter Mist!«, schrie er, lief wieder hinein, um seine Waffe zu holen, und rief nach den anderen.
»Was ist los?«, fragte Peter, erhob sich und blickte Waters besorgt an.
»Ich bin nicht sicher.«
Die beiden anderen kamen schlaftrunken ins Wohnzimmer und griffen sofort nach ihren Maschinenpistolen. Peter stockte der Atem. Es gab keine Möglichkeit, die Männer zu warnen, die dort draußen durchs Dickicht krochen, und sie hatten sich noch nicht weit genug entfernt, um in Sicherheit zu sein.
Waters gab Stark und Free Zeichen, nach draußen zu gehen. Und dann sahen sie, was Waters' Aufmerksamkeit erregt hatte: ein ganz in Schwarz gekleideter Mann, der gebückt lief und etwas in seinen Armen trug. Ohne Vorwarnung begann Waters zu schießen, und auch Stark

jagte eine Salve aus seiner Maschinenpistole in Richtung der Flüchtenden.
Fernanda und Ted hörten die Schüsse. Sie hatten keinen Funkkontakt zum Rettungsteam und wussten nicht, was gerade passierte. Fernanda schloss die Augen und drückte Teds Hand so fest sie konnte. Selbst die Beobachtungsposten hatten keine Ahnung, was los war. Aber das Rattern der Maschinenpistolen sagte Ted, dass seine Leute Sam bei sich hatten und jetzt versuchten, ihn in Sicherheit zu bringen. Er fragte sich, ob Peter wohl bei ihnen war. Für den Jungen wäre das Risiko dadurch größer.
»O Gott … bitte …«, flüsterte Fernanda, als sie erneut Schüsse vernahm.
Entlang der Auffahrt wartete eine ganze Armee von Leuten darauf, das Haus zu stürmen, sobald Sam in Sicherheit war.
Plötzlich fiel kein einziger Schuss mehr, und es war beängstigend still.
Waters hatte sich zu Peter umgedreht und fixierte ihn. »Wo ist der Junge?« Offenbar hatte irgendetwas seinen Verdacht erregt.
»Im Hinterzimmer.«
»Tatsächlich?«
Peter nickte.
»Warum zum Teufel habe ich dann gerade einen Typen mit dem Jungen auf dem Arm die Auffahrt runterlaufen sehen?« Er packte Peter an der Gurgel, stieß ihn gegen die Hauswand und hielt ihm die Mündung der Maschinenpistole direkt unters Kinn. Free und Stark blickten die beiden regungslos an. Waters befahl Free, im Hinterzimmer nachzuschauen.

Nur Sekunden später kehrte Free zurück. »Er ist weg!«, schrie er außer sich.
»Ich habs geahnt. Du verdammter Hurensohn!« Waters fixierte Peter und drückte ihm langsam die Gurgel zu. Währenddessen richtete Stark seine Maschinenpistole auf Peter. »Du hast sie angerufen! Elender Schlappschwanz! Welcher Teufel hat dich geritten? Hast du dir ins Hemd gemacht? Hat der Kleine dir Leid getan? Besser, *ich* täte dir Leid. Du hast uns um fünfzehn Millionen Dollar gebracht und dich um zehn!« Waters war blind vor Wut und Angst. Was auch immer passierte, er würde nicht ins Gefängnis zurückgehen. Lebend würden sie ihn nicht kriegen.
»Wenn sie das Geld hätte, wäre es längst gezahlt worden. Vielleicht hat Addison sich geirrt«, stieß Peter heiser hervor. Es war das erste Mal, dass die anderen diesen Namen hörten.
»Was zum Henker weißt du?« Waters ließ ihn los, eilte die Verandastufen hinab und spähte die Auffahrt entlang. Stark war ihm gefolgt.
Die Männer samt Sam hatten jetzt die Hälfte der Strecke geschafft. Rick sah sie kurz zwischen den Büschen auftauchen. Er wandte sich um und gab Ted ein Zeichen. Im selben Moment erblickte er Waters und Stark, die sofort wieder das Feuer auf seine Männer eröffneten. Sam fiel aus den Armen des einen Mannes und wurde von einem anderen aufgefangen. Während Waters und Stark auf alles schossen, was sich bewegte, reichten sie den Jungen untereinander weiter wie den Stab beim Staffellauf. Fernanda stand neben Ted und starrte mit weit aufgerissenen Augen zur Auffahrt hinüber. Sie beobachtete, wie einer

der FBI-Beamten anlegte und Waters mit einem gezielten Schuss zu Fall brachte. Inmitten des Kugelhagels lief Stark zurück zum Haus.
Peter und Jim Free hatten sich bereits ins Haus zurückgezogen, da kam Stark brüllend hereingestürmt.
»Sie haben Carlton erwischt!«, schrie er. Noch immer hielt er seine Maschinenpistole in Händen. »Du hast ihn umgebracht, du verdammter Bastard!« Ohne zu zögern gab er eine ganze Salve auf Peter ab.
Nur für den Bruchteil einer Sekunde sah Peter ihn an, dann durchsiebten ihn die Kugeln, und er fiel vor Jim Frees Füßen zu Boden.
»Was sollen wir jetzt machen?«, fragte Free seinen Kumpel.
»Wir müssen hier weg.« Durch das Dickicht rechts und links vom Haus kämen sie nicht durch, und für die Felswand hätten sie eine entsprechende Ausrüstung gebraucht. Sie wussten beide, dass der einzige Weg nach draußen über die Auffahrt führte. Dort lag nicht nur Carltons Leiche. Sie mussten auch an drei toten Männern vorbei, die Carlton und Stark erwischt hatten.
Sam starrte die leblosen Körper mit angsterfüllten Augen an. Der Mann, der ihn in seinen Armen trug, lief um ihrer beider Leben. Er war nur noch wenige Meter von Ted und Fernanda entfernt. Es war mittlerweile hell geworden, und Fernanda konnte die beiden deutlich erkennen. Sie schluchzte, und plötzlich hielt sie Sam in den Armen. Der Kleine war verängstigt, völlig durcheinander und total verdreckt – aber am Leben.
»Mommy! Mommy!«, rief Sam immer wieder.
Fernanda brachte keinen einzigen Ton heraus. Lange Zeit

drückte sie ihren Sohn einfach nur fest an sich und weinte. Ted gab zweien seiner Männer ein Zeichen, Fernanda und Sam wegzubringen. Ein Sanitäter begleitete die beiden zu einem Rettungswagen, mit dem Sam sicherheitshalber zur Untersuchung ins Krankenhaus gefahren werden sollte. Während Ted den beiden nachschaute, hielt er nur mühsam die Tränen zurück. »Wie viele Männer sind noch im Haus?«, wandte er sich an Rick und wischte sich rasch mit dem Handrücken übers Gesicht.

»Ich glaube, drei. Waters hats erwischt. Damit bleiben Morgan und zwei weitere. Ich bezweifle, dass Morgan noch am Leben ist, dann wären also zwei übrig …« Sie hatten beobachtet, wie Stark ins Haus zurückgelaufen war, wussten aber auch, dass es von dort keinen Ausweg gab. Die Männer vom FBI und der Polizei hatten Anweisung zu schießen und die Entführer notfalls zu töten. Falls möglich, sollte Morgan verschont werden.

Ein Mann mit einem Megafon befahl den Entführern, mit erhobenen Händen aus dem Haus zu kommen. Nichts passierte. Nur zwei Minuten später nahmen die Einsatzkräfte das Haus unter Beschuss. Sie warfen Tränengasbomben und Blendgranaten. Fernanda hörte nichts von dem ohrenbetäubenden Krach, sie saß neben Sam im Krankenwagen. Als sie die Straße entlangfuhren, sah sie Ted in seiner schusssicheren Weste neben Rick stehen. Er sprach mit jemandem über Funk und bemerkte sie nicht. Einer der FBI-Beamten sagte später im Motel zu Fernanda, dass die Belagerung des Hauses nicht länger als eine halbe Stunde gedauert habe. Stark kam als Erster heraus, hustend wegen des Tränengases, und mit Kugeln in einem Bein und einem Arm. Jim Free war direkt hinter ihm. Einer der Special Agents erzählte Fernanda, Free habe am ganzen Körper gezittert und regelrecht gequiekt. Stark und Free wurden auf der Stelle festgenommen und kamen in Untersuchungshaft. Sie hatten in jedem Fall gegen Bewährungsauflagen verstoßen. Das Gerichtsverfahren wegen Kidnapping und der Ermordung von drei Polizisten während der Belagerung sowie von vier Männern bei der Entführung von Sam würde im Laufe des nächsten Jahres eröffnet werden. Eines stand fest: Die beiden würden nie wieder auf freien Fuß kommen. Der Prozess war praktisch eine reine Formalität. Wenn sich die beiden schuldig erklärten, wäre die Verhandlung noch schneller vorüber, aber das war eher unwahrscheinlich. Falls sie die Todesstrafe erhielten, würden sie sicher in Berufung gehen und das Verfahren in die Länge ziehen, so weit sie konnten.

Im Haus fanden die Polizisten Peter Morgans Leiche und alle Beweise, die sie benötigten. Ted und Rick schauten zu, wie Peters lebloser Körper weggeschafft wurde. Gerade einmal zwei Monate lang war er auf freiem Fuß gewesen. Ein verschwendetes Leben.

Ted und Rick blieben bis zum frühen Nachmittag am Einsatzort. Sie hatten drei tapfere Männer verloren und waren darüber sehr bestürzt. Die Leichen wurden abtransportiert, Verwundete versorgt, Fotos gemacht. Es sah aus wie auf einem Kriegsschauplatz. Verängstigte Nachbarn, geweckt von den Schüssen im Morgengrauen, waren auf die Straße gelaufen und wollten wissen, was passiert sei. Die Polizei versuchte, alle zu beruhigen und dafür zu sorgen, dass der Straßenverkehr nicht beeinträchtigt wurde. Als Ted schließlich ins Motel zurückkehrte, war er ziemlich erschöpft. Trotzdem ging er zuerst zu Fernandas Zimmer, um nach Sam zu sehen. Die beiden waren gerade aus dem Krankenhaus zurückgekehrt, und Sam war in einem bemerkenswert guten Zustand. Polizei- und FBI-Beamte hatten eine Menge Fragen an ihn, aber Ted wollte erst einmal prüfen, ob der Junge dazu schon in der Lage war. Als Ted eintrat, lag Sam im Bett, lächelnd in die Arme seiner Mutter gekuschelt. Er hatte einen riesigen Hamburger vor sich und schaute Fernsehen. Buchstäblich jeder Polizist und Special Agent war schon kurz bei ihm gewesen, um ein paar Worte mit ihm zu wechseln oder ihm einfach nur übers Haar zu streichen.

Fernanda strahlte Ted an. Er war müde, schmutzig und unrasiert. Rick hatte ihm gesagt, er sehe aus wie ein Penner.

»Na, junger Mann!« Ted grinste Sam an. »Schön, dich zu sehen. Ich würde sagen, du bist ein richtiger Held und ein ziemlich prima Hilfssheriff.« Ted wollte ihm jetzt noch keine Fragen stellen. Der Junge sollte erst einmal zur Besinnung kommen. Danach würde allerdings noch einiges auf ihn zukommen. »Deine Mom ist sehr glücklich darüber, dass du wieder da bist«, sagte er und fügte leise hinzu: »Und ich auch.«

Sam wandte sich ihm zu und grinste ihn ebenfalls an, bewegte sich aber nicht einen Zentimeter von seiner Mutter weg.

»Er sagte, dass es ihm Leid tut«, sagte Sam plötzlich mit einem ernsten Ausdruck in den Augen.

Ted nickte. Er wusste, dass der Junge Peter Morgan meinte. »Ich weiß. Dasselbe hat er mir auch gesagt.«

»Wie habt ihr mich gefunden?«, fragte Sam neugierig.
Ted setzte sich in einen Sessel nah bei Sam und fuhr ihm liebevoll mit der Hand durchs Haar. Er war so erleichtert, dass dem Jungen nichts zugestoßen war. Unwillkürlich musste er an eine Situation denken, die schon viele Jahre zurücklag.
Damals war sein Sohn verschwunden, und er hatte befürchtet, der Kleine sei im See ertrunken. Schließlich hatte man ihn wiedergefunden, und Ted war erleichtert gewesen wie nie zuvor in seinem Leben.
»Er hat uns angerufen.«
»Er war sehr nett zu mir. Die anderen haben mir Angst gemacht.«
»Das glaube ich dir. Sie sind auch zum Fürchten. Aber sie werden für immer im Gefängnis bleiben müssen.« Ted sagte nicht, dass ihnen sogar die Todesstrafe drohte. Das musste der Junge nicht unbedingt wissen.
Sam nickte und schaute seine Mutter an. »Ich dachte, ich sehe dich nie wieder«, sagte er leise.
»Ich schon«, entgegnete sie tapfer, obwohl das nicht die ganze Zeit über der Fall gewesen war.
Sie hatten Will vom Motel aus angerufen. Als er Sams Stimme vernahm, brach er in hemmungsloses Schluchzen aus. Fernanda telefonierte auch mit Pater Wallis. Er erinnerte sie noch einmal an das, was er ihr über Gott gesagt hatte. Sie musste zugeben, dass er Recht behalten hatte. Aber auf derartige Vertrauensbeweise konnte Fernanda in nächster Zeit getrost verzichten. Ashley hatte von alldem nichts mitbekommen. Sie befand sich nur ein paar Meilen weit entfernt, aber Fernanda wollte sie jetzt, da alles vorbei war, nicht unnötig beunruhigen. Sie

würde ihr die ganze Geschichte erst erzählen, sobald sie wieder zu Hause war.

»Was haltet ihr davon, wenn ich euch jetzt nach Hause bringe?« Ted sah die beiden fragend an. Sam nickte. Ted fürchtete, dass Sam vielleicht Angst hätte, in das Haus zurückzukehren, aus dem er entführt worden war. Glücklicherweise würden Fernanda und die Kinder nicht mehr lange dort wohnen bleiben.

»Sie wollten ganz schön viel Geld, nicht wahr, Mom?« Als Fernanda nickte, fuhr Sam fort: »Ich hab ihm verraten, dass wir keins haben, dass Daddy alles verloren hat. Aber er hat es den anderen nicht gesagt. Oder sie wollten ihm nicht glauben.«

»Woher weißt du das?«, fragte Fernanda stirnrunzelnd. »Das mit dem Geld, meine ich.«

Sam bekam rote Ohren und grinste verlegen. »Ich habe gehört, wie du es am Telefon gesagt hast.«

Fernanda lächelte Ted verschmitzt an. »Als ich ein kleines Mädchen war, sagte mein Vater immer: ›Kleine Kinder haben große Ohren.‹«

»Was bedeutet das?« Während Sam sie verständnislos anschaute, musste Ted lachen. Ihm war das Sprichwort bestens bekannt.

»Es bedeutet, dass du deine Mutter nicht belauschen sollst«, tadelte Fernanda ihren Jüngsten liebevoll. Natürlich konnte sie ihm im Moment gar nicht böse sein. Und was auch immer Sam in nächster Zeit anstellte – sie würde ihm alles verzeihen. Sie war einfach unendlich froh, ihn wiederzuhaben.

Kurze Zeit später kam Rick herein, der einige Telefonate mit den Kollegen in Übersee geführt hatte. Er wollte ein paar Dinge von Sam wissen. Die Antworten waren nicht überraschend, sondern bestätigten all ihre Vermutungen. Gegen sechs Uhr brachen die letzten Polizisten auf. Während Fernanda und Sam zu Ted ins Auto stiegen, fuhr Rick mit einigen seiner Leute zurück. Er zwinkerte Ted zum Abschied vielsagend zu.

»Verschon mich«, zischte Ted, und Rick lächelte spitzbübisch. Auch er war sehr erleichtert, dass sie den Jungen hatten retten können. Wie leicht hätte es auch anders ausgehen können!

»Es wird harte Arbeit sein – aber irgendjemand muss sich schließlich opfern«, zog Rick ihn auf. Natürlich spielte er auf die Eroberung Fernandas an. Sie war wirklich eine tolle Frau, und Rick mochte sie.

Aber Ted hatte nicht vor, etwas Unüberlegtes zu tun. Er war schließlich noch immer ein verheirateter Mann.

Die Rückfahrt verlief äußerst entspannt. Sam war regelrecht ausgehungert, und Ted hielt unterwegs an und besorgte Cheeseburger, Pommes frites, einen Milchshake und vier Schachteln mit Schokoladenplätzchen. Als sie zu Hause ankamen, schlief der Kleine friedlich auf der Rückbank. Fernanda saß auf dem Beifahrersitz. Sie war so müde, dass sie am liebsten gar nicht ausgestiegen wäre.

»Weck ihn nicht auf. Ich trage ihn rein«, sagte Ted wie selbstverständlich und stellte den Motor ab.

»Wie soll ich dir nur danken?« Sie sah ihn schüchtern lächelnd an.

»Du musst mir nicht danken. Ich habe nur meinen Job erledigt«, sagte er und erwiderte ihren Blick.

Aber sie wussten beide, dass er mehr getan hatte als das – viel mehr. Er hatte jede Minute dieses Albtraums mit ihr

gemeinsam durchgestanden. Fernanda beugte sich zu ihm hinüber und küsste ihn auf die Wange. Für einen Moment schien die Zeit stillzustehen.
»Ich werde Sam noch einige Fragen stellen müssen. Ich melde mich natürlich an.«
Fernanda nickte. »Komm vorbei, wann immer du willst«, sagte sie leise.
Ted stieg aus, öffnete die Fondtür und hob den schlafenden Sam heraus, und Fernanda folgte den beiden zur Haustür. Zwei Polizisten mit Waffen in Schulterhalftern öffneten ihnen. Will stand hinter den beiden und sah verängstigt aus.
»Ist er etwa verletzt?« Sein Blick wanderte zwischen Ted und Fernanda hin und her. »Das hast du mir nicht gesagt.«
»Alles in Ordnung, Liebling.« Sie nahm Will liebevoll in die Arme. »Er schläft nur.«
Plötzlich begannen beide zu weinen. Es würde lange dauern, bis sie diesen Schock überwunden hätten. Sie hatten in den letzten Monaten zu viel durchmachen müssen.
Ted trug Sam nach oben und legte ihn vorsichtig auf sein Bett. Er schnaufte kurz, wurde jedoch nicht wach, sondern drehte sich auf die Seite und schlief weiter. Sie konnte sich von dem Anblick kaum losreißen. Ihn zu Hause in seinem Bett liegen zu sehen, war für sie das größte Geschenk, das sie je bekommen hatte.
»Ich rufe dich morgen früh an«, kündigte Ted an, als er sich an der Haustür von Fernanda verabschiedete. Die Polizisten hatten sich bereits auf den Heimweg gemacht.
»Wir werden hier sein«, versprach sie. Sie wusste nicht,

ob sie sich außerhalb ihrer vier Wände überhaupt sicher fühlen würde. Sie musste sich erst wieder daran gewöhnen, keine Beschützer um sich zu haben und sich nicht ständig zu fragen, ob sie beobachtet oder verfolgt wurde. Hoffentlich passierte ihnen so etwas nie wieder! Fernanda hatte von Tahoe aus Jack angerufen. Sie waren sich einig, dass der Verlust von Allans Vermögen schnellstens publik gemacht werden musste, sonst würden sie und die Kinder weiterhin eine mögliche Zielscheibe für Entführungen sein.

»Ruh dich aus!«, ermahnte Ted sie.

Fernanda nickte. Sie ertappte sich bei dem Gedanken, dass sie Ted am liebsten gar nicht gehen lassen wollte. Er war in den letzten Tagen immer für sie da gewesen, mit ihm hatte sie über alles reden können. Dass dies jetzt vorbei sein sollte, führte ihr erst vor Augen, wie wohl sie sich in seiner Nähe fühlte. Er würde ihr sehr fehlen.

»Ich rufe an«, versprach er noch einmal, bevor Fernanda die Tür hinter ihm schloss.

Das Haus kam ihr plötzlich so leer vor. Es war vollkommen ruhig. Keine bewaffneten Männer, die jeden Winkel kontrollierten, keine Handys, die ständig klingelten, und auch keine Verhandlungsexperten, die ihren Telefongesprächen zuhörten. Gott sei Dank! Will wartete in ihrem Zimmer auf sie. Er wirkte, als wäre er über Nacht plötzlich erwachsen geworden.

»Ist alles okay, Mom?«

»Ja«, sagte sie zögernd, als müsse sie erst darüber nachdenken. Sie fühlte sich, als wäre sie von einem Hochhausdach gestürzt und stellte nun verwundert fest, dass sie noch lebte. Sie hatte eine Menge blauer Flecken davonge-

tragen, aber jetzt konnte endlich alles verheilen. »Und was ist mit dir?«
»Ich weiß nicht. Ich hatte furchtbare Angst. Es fällt mir schwer, jetzt einfach alles zu vergessen.«
Fernanda nickte. Sie wusste, was Will meinte. »Wir werden das schon schaffen«, ermunterte sie ihn.
Während Will ins Bett ging und Fernanda eine Dusche nahm, fuhr Ted nach Hause. Shirley war wie immer nicht da. Entweder arbeitete sie oder war mit Freunden aus, von denen er die meisten nicht einmal kannte. Die Stille im Haus war erdrückend, und zum ersten Mal seit langem fühlte sich Ted einsam. Es war schön gewesen, immer jemanden zum Unterhalten zu haben. Aber das allein war es nicht. Es war Fernanda, die er vermisste.
Ted setzte sich in einen Sessel, starrte vor sich hin und erwog, sie anzurufen. Er kämpfte mit sich, hatte nichts von dem vergessen, was Rick gesagt hatte. Dennoch rührte er sich nicht.

21. Kapitel

Ted telefonierte am nächsten Tag mit Rick, um zu erfahren, was es Neues gab. Rick erzählte ihm, dass Addison verhaftet würde, sobald er wieder in der Stadt sei. Der Staat erhob Anklage gegen ihn wegen Anstiftung zur Entführung.

»Er sitzt bereits im Flieger nach Hause«, verkündete Rick zufrieden grinsend.

»Das ging aber schnell. Ich dachte, er wollte einen ganzen Monat wegbleiben.«

»Wollte er auch. Aber ich habe gestern mit Interpol und unserem FBI-Department in Paris gesprochen. Sie haben sofort ihre Leute hingeschickt und ihn ins Flugzeug gesetzt. Und heute rief mich einer meiner besten Informanten an. Scheint so, als wäre unser Freund ein kleiner Hobbychemiker. Jedenfalls unterhält er schon seit geraumer Zeit riesige Labors zur Herstellung synthetischer Drogen. Wir werden noch viel Spaß mit diesem Burschen haben.«

»Er muss sich vor Angst in die Hosen gemacht haben, als eure Leute bei ihm vor der Tür standen.« Als sich Ted die Situation vorstellte, musste er lachen. Nach allem, was Ted über Addison wusste, hatte dieser derartig großspurig den untadeligen Geschäftsmann herausgekehrt, dass dieser Dämpfer mehr als gerechtfertigt war.

»Seine Frau war wohl einem Nervenzusammenbruch

nahe. Jedenfalls hat sie ihm eine saftige Ohrfeige verpasst – und einem der Special Agents auch.«
»Das muss amüsant gewesen sein.« Ted grinste.
»Nicht für Addison.«
»Du hattest übrigens Recht, was die Autobombe anging. Jim Free hat ausgesagt, dass Waters sie gelegt hat. Er hat den anderen offenbar davon erzählt, als er in Tahoe eines Nachts ziemlich betrunken war. Ich dachte, das würde dich vielleicht interessieren.«
»Zumindest kann mein Chef jetzt nicht mehr sagen, ich spinne mir etwas zusammen.« Rick berichtete, dass sie die Koffer mit dem größten Teil des Geldes, dem Vorschuss von Waters, Stark und Free, am Busbahnhof von Modesto in Schließfächern gefunden hätten. Free habe ihnen auch das verraten. Damit hatten sie einen weiteren Beweis gegen Addison in der Hand. Dann wechselte Rick urplötzlich das Thema, wie er es gern tat, und kam direkt zur Sache. »Hast du es ihr gesagt?«
Ted war klar, dass er Fernanda meinte. Trotzdem stellte er sich dumm. »Was gesagt?«
»Komm mir nicht damit, du Schwachkopf. Du weißt ganz genau, was ich meine.«
Ted seufzte. »Die ganze letzte Nacht habe ich mit mir gerungen, sie anzurufen, aber es ging einfach nicht. Ich kann Shirley das nicht antun.«
»Sie würde dir das umgekehrt sehr wohl antun. Außerdem solltest du daran denken, was du dir damit antust. Und Fernanda auch. Sie braucht dich, Ted.«
»Vielleicht brauche ich sie ja auch. Aber ich habe bereits eine Frau.«
»Mit der du nicht gerade das große Los gezogen hast«, er-

klärte Rick unverhohlen. Im selben Augenblick wurde ihm bewusst, dass das nicht fair war. Shirley war eine wunderbare Frau, sie passte nur einfach nicht zu Ted. Das wusste sie auch selbst und hatte aus ihrer Enttäuschung über den Verlauf der Ehe mit Ted lange Zeit keinen Hehl gemacht. »Hoffentlich wirst du klug, bevor es zu spät ist«, sagte Rick nachdrücklich. »Dabei fällt mir ein, dass es etwas gibt, worüber ich mit dir sprechen muss. Lass uns nächste Woche zusammen essen gehen.«
»Worüber willst du denn mit mir sprechen?«, fragte Ted neugierig und überlegte, ob es vielleicht um die anstehende Hochzeit ging. Nicht, dass er sich für einen Experten auf diesem Gebiet hielt, aber er war schließlich Ricks bester Freund.
»Ob du es glaubst oder nicht: Ich brauche deinen Rat.«
»Kannst du gern haben. Übrigens, wann wirst du Sam befragen?«
»Ich wollte dich erst mit ihm sprechen lassen. Du kennst ihn besser. Ich möchte ihn nicht unnötig bedrängen, und vielleicht erzählt er dir ja schon alles, was ich wissen muss.«
»Ich werde dir Bescheid geben, was er gesagt hat.«
Sie vereinbarten, in ein paar Tagen wieder zu telefonieren. Am nächsten Tag besuchte Ted Sam. Jack Waterman war gerade da, verabschiedete sich jedoch kurz darauf. Fernanda wirkte sehr beschäftigt, und Ted unterhielt sich die ganze Zeit über nur mit Sam. Fernanda schien mit den Gedanken ganz woanders zu sein, und Ted fragte sich, ob zwischen ihr und Jack etwas lief. Er hätte verstehen können, wenn sich Jack für sie interessierte, schließlich war Fernanda eine hübsche und kluge Frau. Ohne mit ihr ein

persönliches Wort gewechselt zu haben, verließ er das Haus nach etwa einer halben Stunde wieder.
Am nächsten Tag erschien in der Zeitung ein Bericht über Allan Barnes' Bankrott. Lediglich sein mutmaßlicher Selbstmord wurde mit keinem Wort erwähnt. Ted fragte sich, ob Jack deshalb am Vortag bei Fernanda gewesen war. Es würde auch erklären, warum sie so zerstreut gewirkt hatte. Auf jeden Fall hielt Ted es für richtig, wenn die Wahrheit endlich publik wurde. Die Entführung hatten sie bisher vor der Presse geheim halten können, die Sache würde ans Licht kommen, sobald die Gerichtsverhandlung begann. Aber das konnte sich noch eine Weile lang hinziehen. Die Bewährung von Stark und Free war jedenfalls aufgehoben, und die beiden saßen wieder im Gefängnis.
Sam hatte sich bei der Befragung als große Hilfe erwiesen. Es war erstaunlich, an was er sich alles erinnerte, obwohl es für ihn eine äußerst traumatische Erfahrung gewesen sein musste. Trotz seines jungen Alters entpuppte er sich als exzellenter Augenzeuge.
Wenige Wochen nach diesen Ereignissen hatte Fernanda Geburtstag. Sie wurde vierzig, und die Kinder führten sie aus diesem Anlass in ein Pfannkuchenrestaurant aus. Noch vor einem Jahr hätte sie sich ihr Geburtstagsfest völlig anders vorgestellt, aber jetzt war es genau das, was sie wollte: lediglich gemeinsam mit ihren Kindern feiern. Kurz darauf erzählte sie ihnen, dass sie das Haus verkaufen würde. Will und Ashley waren geschockt. Nur für Sam war es keine Überraschung, er hatte seine Mutter ja mit Jack darüber sprechen hören.
Von nun an lebten sie wie auf gepackten Koffern. Ashley

beklagte, dass sie in der Schule jetzt oft gehänselt wurde. Ihre Mitschüler zogen sie damit auf, dass ihr Vater ein Spekulant gewesen sei, der leichtfertig sein ganzes Vermögen aufs Spiel gesetzt habe. Einige der Mädchen kündigten ihr sogar die Freundschaft. Will, der kurz vor dem Schulabschluss stand, fand dieses Verhalten abscheulich und riet seiner Schwester, auf diese so genannten Freundinnen zu pfeifen. Doch das war leichter gesagt als getan. Ashley litt sehr darunter. Was die Entführung anging, sollten alle drei Stillschweigen bewahren. Die Polizei hatte sie darauf aufmerksam gemacht, dass es Nachahmer geben könnte, wenn die Sache bekannt wurde.

Schließlich kamen einige Interessenten für das Haus zur Besichtigung. Eine Frau schnappte hörbar nach Luft, als sie die Küche sah.

»Mein Gott, warum haben Sie die denn nicht eingerichtet? Ein solches Haus und nicht einmal eine Küche – das ist ja geradezu grotesk!« Sie rümpfte die Nase.

Fernanda verspürte den unbändigen Wunsch, ihr eine zu kleben. »Das ist es wohl«, sagte sie knapp. »Wir hatten hier letzten Sommer ein kleines Missgeschick.«

»Was denn für ein Missgeschick?«, fragte die Interessentin sichtlich beunruhigt, und einen Moment lang war Fernanda versucht, ihr zu sagen, dass in ihrer Küche vier Männer erschossen worden waren. Aber sie widerstand der Verlockung und antwortete stattdessen: »Nichts Ernstes. Dennoch habe ich mich entschlossen, den ganzen Granit herauszunehmen.« Er war nämlich blutdurchtränkt, fügte sie in Gedanken hinzu.

Sam erzählte entgegen der Anweisung seinem besten Freund in der Schule von der Entführung – und der glaubte ihm kein Wort. Stattdessen musste sich Sam eine Standpauke von seiner Lehrerin anhören, dass es falsch sei, derartige Lügengeschichten zu verbreiten. Sam kam an diesem Mittag weinend nach Hause.

»Sie wollte mir einfach nicht glauben«, berichtete er schluchzend seiner Mutter.

Die konnte es der Frau nicht einmal verdenken. Selbst Fernanda kamen die dramatischen Ereignisse nach wie vor unwirklich vor. Sie hatte sie noch lange nicht verarbeitet, allein die Erinnerung an die Ängste, die sie ausgestanden hatte, war so entsetzlich, dass sie das Ganze immer wieder verdrängte.

Sie war mit den Kindern bereits zu einer Psychologin gegangen, die auf traumatische Erfahrungen spezialisiert war. Die Therapeutin zeigte sich beeindruckt, wie gut die Kinder mit diesem Erlebnis zurechtkamen, auch wenn Sam hin und wieder unter Albträumen litt.

Ted besuchte sie bis weit in den September hinein, um Sam zu befragen. Als der Oktober nahte, hatte er seine Ermittlungen abgeschlossen, und Fernanda hörte nichts mehr von ihm. Sie dachte oft an ihn und überlegte, ihn anzurufen. Währenddessen war sie damit beschäftigt, Kaufinteressenten das Haus zu zeigen, eine neue Bleibe für sich und die Kinder sowie eine Arbeit zu finden. Ihr Geld war fast aufgebraucht, und sie bemühte sich, nicht in Panik zu geraten, doch Will entging nicht, wie viel Angst sie hatte. Er bot ihr an, sich einen Job zu suchen, den er in seiner Freizeit ausüben könnte, um sie zu unterstützen. Fernanda war gerührt über diesen Vorschlag und stimmte schließlich zu. Gleichzeitig machte sie sich Sorgen wegen seiner Collegeausbildung. Die könnte sie momentan auf

keinen Fall bezahlen. Glücklicherweise hatte er gute Noten und deshalb Anspruch auf ein Stipendium, aber das würde nicht alle Kosten abdecken. Sie musste sich also irgendetwas einfallen lassen, um an Geld zu kommen.
Eines Tages führte Jack sie zum Mittagessen aus, um etwas mit ihr zu besprechen. Er sagte, er habe nicht zu früh nach Allans Tod daran rühren wollen, aber es gebe da etwas, über das er schon seit Monaten nachdenke, und jetzt habe er eine Entscheidung getroffen. Er legte eine Pause ein, als würde er einen Trommelwirbel erwarten. Fernanda hatte nicht die geringste Vorstellung, was jetzt kam.
»Was für eine Entscheidung?«, fragte sie ahnungslos.
»Ich bin zu dem Entschluss gekommen, dass wir heiraten sollten.«
Fernanda starrte ihn über den Tisch hinweg sprachlos an. Einen Moment lang dachte sie, er mache Witze, aber dann erkannte sie, dass es ihm völlig ernst damit war. »Das hast du also entschieden, einfach so? Ohne mit mir darüber zu sprechen? Wie ich dazu stehe, spielt wohl keine Rolle?«
»Fernanda, du bist pleite. Du kannst nicht einmal mehr die Privatschulen deiner Kinder bezahlen. Und Will soll doch im Herbst aufs College gehen. Zudem hast du nicht die geringsten beruflichen Qualifikationen, um schnell an einen Job zu kommen«, stellte er völlig nüchtern fest.
»Suchst du eine Angestellte oder eine Ehefrau?« Fernanda spürte, dass Wut in ihr aufstieg. Jack wollte über ihr Leben bestimmen und fragte sie mit keiner Silbe nach ihren Bedürfnissen. Am meisten störte sie jedoch, dass so etwas wie Liebe für ihn überhaupt keine Rolle zu spielen schien. Das war kein Heiratsantrag, sondern ein Jobange-

bot – und die Art, wie er dies vorbrachte, zudem unglaublich herablassend.
»Sei nicht albern. Natürlich will ich eine Ehefrau«, sagte Jack gereizt. »Du solltest auch an die Kinder denken. Sie sind an mich gewöhnt.« Seiner Meinung nach war es die perfekte Lösung.
So viel Offenheit verdiente eine entsprechende Erwiderung. »Ja, das sind sie – aber ich liebe dich nicht.« Sein Antrag schmeichelte ihr nicht im Geringsten, sondern verletzte ihre Gefühle. Sie kam sich vor wie ein Auto, das er kaufen wollte, und nicht wie eine Frau, um deren Hand er anhielt.
»Wir können lernen, einander zu lieben«, entgegnete er trotzig.
Fernanda hatte Jack immer gemocht, er war verantwortungsbewusst, zuverlässig und ein guter Freund, aber zwischen ihnen gab es nicht den Hauch von Leidenschaft. Und Fernanda wusste genau: Wenn sie noch einmal heiratete, wollte sie über beide Ohren verliebt sein.
»Ich denke, es wäre für uns beide ein vernünftiger Schritt. Ich bin schon seit Jahren Witwer, und dich hat Allan in einem finanziellen Chaos zurückgelassen. Fernanda, ich möchte für dich und die Kinder sorgen.«
Einen Moment lang war sie gerührt, aber das genügte nicht. Sie seufzte und sah ihn an. Offensichtlich wartete er auf eine Antwort.
Er sah tatsächlich keinen Grund, warum sie erst lange darüber nachdenken sollte. Schließlich hatte er ihr ein gutes Angebot unterbreitet, und er erwartete, dass sie es annahm.
»Es tut mir Leid, Jack«, sagte sie so schonend wie mög-

lich. »Ich kann dich nicht heiraten.« Langsam begann sie zu verstehen, warum er nie wieder eine Frau gefunden hatte. Wenn seine Anträge immer so aussahen und er eine Ehe unter rein praktischen Gesichtspunkten betrachtete, sollte er sich vielleicht besser einen Hund zulegen.

»Warum nicht?«, fragte Jack erstaunt.

»Mag sein, dass es für dich verrückt klingt, aber wenn ich noch einmal heirate, dann nur aus Liebe.«

»Du bist kein Teenager mehr und trägst eine gewisse Verantwortung.«

Fernanda war jedoch nicht bereit, mit einem Mann eine Ehe einzugehen, der sie allein aus ihrer finanziellen Misere retten würde. Natürlich sollte Will ein privates College besuchen, aber bevor sie sich zu einem solchen Schritt entschloss, würde sie ihn eher auf eine staatliche Schule schicken.

»Du solltest noch einmal darüber nachdenken.«

»Jack, ich verdiene dich gar nicht.« Mit diesen ironischen Worten stand sie auf. Sie hatte erkannt, dass ihre jahrelange Freundschaft soeben den Bach hinuntergegangen war.

»Das mag schon sein«, erwiderte er und reizte sie allmählich bis aufs Blut. Fernanda spürte, wie es in ihren Schläfen zu pochen begann. »Trotzdem will ich dich heiraten.«

»Aber ich dich nicht«, sagte sie ihm offen ins Gesicht. In all den Jahren war ihr nie bewusst gewesen, wie gefühllos und tyrannisch Jack im Grunde war. Nachdem er seine Entscheidung einmal gefällt hatte, erwartete er, dass sie ihm vor Dankbarkeit die Füße küsste. Doch Fernanda dachte nicht im Traum daran, den Rest ihres Lebens mit einem Mann zu verbringen, der ihr vorschrieb, was sie zu

tun und zu lassen hatte. Dieser Heiratsantrag zeigte, dass er nicht die geringste Achtung vor ihr hatte.
»Und im Übrigen«, fügte Fernanda hinzu, während sie ihre Serviette auf den Stuhl fallen ließ, »du bist gefeuert.« Mit diesen Worten drehte sie sich um und ging hinaus.

22. Kapitel

Im Dezember hatte Fernanda das Haus endlich verkauft. Ein letztes Mal stand ihr Weihnachtsbaum unter dem prunkvollen Kronleuchter. Es war für sie alle der Abschluss eines äußerst harten Jahres. Fernanda hatte noch immer keinen Job gefunden, aber sie bemühte sich weiter nach Kräften. Im Moment versuchte sie, eine Stelle als Halbtagssekretärin zu bekommen, die ihr genug Zeit lassen würde, nachmittags Sam und Ashley zu versorgen. Solange die beiden noch zu Hause wohnten, wollte sie sich auch ausgiebig um sie kümmern.

Bei den neuen Besitzern des Hauses handelte es sich um ein Paar, das von New York hierher ziehen wollte, und der Makler hatte Fernanda verraten, dass der Mann ein riesiges Vermögen gemacht hatte. Das sei wunderbar, hatte Fernanda geantwortet und im Stillen gedacht: Hoffentlich hat er auch lange etwas davon. Während des letzten Jahres hatte sie wichtige Lektionen darin erhalten, was im Leben wirklich zählte. Insbesondere nach Sams Entführung war ihr klar geworden, dass nichts so wichtig war wie ihre Kinder. Geld spielte nur insofern eine Rolle, als dass sie genug davon haben musste, um ihre Kinder zu ernähren.

Sie hatte vorgehabt, das Mobiliar Stück für Stück auf Auktionen zu versteigern, aber die Käufer des Hauses waren von allem so begeistert, dass sie das komplette In-

ventar haben wollten und dafür einen hervorragenden Preis zahlten.
Im Januar zogen Fernanda und die Kinder aus. Ashley vergoss ein paar Tränen, und Sam wirkte bedrückt. Will war seiner Mutter wie immer eine große Hilfe. Er schleppte Umzugskisten und lud Sachen ein und aus. Auch bei der Suche nach einer neuen Bleibe hatte er seine Mutter begleitet. Der Verkauf hatte tatsächlich genug eingebracht, dass sie sich ein kleines Haus leisten konnten. In Marin fand Fernanda genau das, was ihr vorgeschwebt war. Das Haus stand in Sausalito, auf einem Hügel mit Blick auf Angel Island, Belvedere und die Bucht mit den vielen Segelbooten. Es wirkte dort sehr friedlich, und Fernanda war sofort begeistert. Das Haus war hübsch und sehr behaglich, und die Kinder fühlten sich vom ersten Augenblick an wohl dort.
Während Ashley und Sam auf öffentliche Schulen in Marin wechselten, würde Will für den Rest des Schuljahres pendeln. Dann machte er ohnehin seinen Abschluss. Zwei Wochen nachdem sie umgesiedelt waren, ergatterte Fernanda einen Job in einer Galerie, die nur fünf Minuten von ihrem neuen Haus entfernt lag. Sie verdiente nicht viel, aber wenigstens hatte sie ein regelmäßiges Einkommen. Außerdem waren die Besitzer damit einverstanden, dass sie jeden Tag um drei Uhr Feierabend machte. Mittlerweile hatte sie auch einen neuen Anwalt, diesmal eine Frau. Jack war noch immer zutiefst beleidigt, weil sie seinen Antrag abgelehnt hatte. Manchmal, wenn sie daran dachte, fand sie das Ganze äußerst belustigend. Jack hatte bei jenem Abendessen so unglaublich großspurig gewirkt, dass es ihr im Nachhinein geradezu lächerlich er-

schien. Gleichzeitig war sie traurig, dass sie einen Freund verloren hatte.
Noch immer litt sie unter Albträumen infolge Sams Entführung. Das war einer der Gründe, warum sie froh war, aus dem großen Haus ausgezogen zu sein. Dort wäre sie ständig an die schrecklichen Ereignisse erinnert worden.
Von Ted hatte sie nach wie vor nichts gehört. Es war jetzt vier Monate her, dass sie ihn zuletzt gesehen hatte. Als er sie schließlich anrief, war es bereits März. Nachdem er sich erkundigt hatte, wie es ihr gehe, berichtete er, dass der Beginn der Gerichtsverhandlung gegen Malcolm Stark und Jim Free auf April festgesetzt worden sei.
»Sam wird vor Gericht aussagen müssen«, erklärte Ted und merkte selbst, wie unsicher er klang. Er hatte so oft in letzter Zeit an Fernanda gedacht, es aber nicht fertig gebracht, sich bei ihr zu melden – obwohl Rick ihn immer wieder dazu gedrängt hatte.
»Ich mache mir Sorgen, wie er wohl damit klarkommt«, fügte Ted leise hinzu.
»Das tue ich auch«, gab Fernanda zu. Es war ein komisches Gefühl, mit Ted zu sprechen. Er war fest mit diesem schrecklichen Erlebnis verbunden, und sie vermutete, dass er sie deshalb nicht mehr angerufen hatte.
Damit lag sie nicht falsch. Ted befürchtete tatsächlich, er würde sie nur an die furchtbaren Ereignisse erinnern. Rick dagegen fand, das sei Blödsinn.
»Aber letztlich bin ich sicher, dass Sam es schaffen wird«, sagte sie.
»Wie hält er sich?«
»Bemerkenswert, als wäre nie etwas passiert. Er und Ash

gehen jetzt auf eine andere Schule. Ich glaube, das war gut für sie beide. Eine Art Neuanfang.«
»Du hast eine andere Adresse.«
»Ja, wir sind umgezogen«, erwiderte sie mit einem zufriedenen Lächeln, das er ihr anhören konnte. »Du solltest uns irgendwann einmal besuchen kommen.«
»Mache ich«, versprach er.
Aber Fernanda hörte erst drei Tage vor Prozessbeginn wieder von ihm. Er rief an, um ihr zu sagen, wo sie Sam hinbringen müsse. Als sie ihrem Jüngsten davon erzählte, brach er in Tränen aus.
»Ich will da nicht hin. Ich will diese Männer nicht sehen!«
Das wollte Fernanda am liebsten auch nicht, aber für Sam war es natürlich unvergleichlich schlimmer. Sie rief die Therapeutin an und fuhr mit Sam zu ihr. Sie sprachen darüber, inwiefern es Sam schaden könne auszusagen und ob er dazu überhaupt in der Lage sei. Aber schließlich erklärte sich Sam bereit, zur Verhandlung zu gehen, und die Therapeutin vertrat die Auffassung, dass es ihm helfe, einen Schlussstrich unter das Erlebte zu ziehen. Fernanda befürchtete jedoch, dass er wieder Albträume bekäme. Sie war davon überzeugt, dass Sam auch ohne die Konfrontation mit seinen Entführern mit der Sache abschließen könne. Aber was blieb ihr anderes übrig, als am festgesetzten Tag mit Sam zur Gerichtsverhandlung zu erscheinen?
An jenem Morgen war ihnen beiden beklommen zumute, und Sam hatte seit dem Frühstück Magenschmerzen. Ted wartete vor dem Gerichtsgebäude auf sie. Er war genauso, wie sie ihn in Erinnerung hatte: gut aussehend, zurückhaltend, selbstsicher und äußerst besorgt um Sam.

»Na, Hilfssheriff, wie ist die Lage?« Lächelnd schaute er Sam an, der sichtlich unglücklich war.
»Mir ist schlecht.«
»Das höre ich nicht gern. Lass uns darüber reden. Was ist los?«
»Ich habe Angst, dass die Männer mir wehtun«, sagte Sam frei heraus.
Das war verständlich, schließlich hatten diese Männer das bereits getan. »Das werde ich nicht zulassen.« Ted knöpfte sein Jackett auf und öffnete es so, dass Sam die Dienstwaffe sehen konnte. »Ich beschütze dich. Und außerdem haben die Männer Handschellen und Fußketten. Sie sind die ganze Zeit über gefesselt.«
»Sie haben mich auch gefesselt«, sagte Sam leise und begann zu weinen.
Fernanda fühlte sich sehr elend. Sie schaute Ted ratlos an, der offenbar genauso bekümmert war wie sie. Plötzlich hatte Ted es sehr eilig. Er sagte, sie sollten in dem Café auf der anderen Straßenseite etwas trinken und dort auf ihn warten. Er sei so schnell wie möglich zurück.
Zwanzig Minuten später stieß er zu ihnen. Er hatte inzwischen mit dem Richter, dem Pflichtverteidiger und dem Staatsanwalt gesprochen und ihnen einen Vorschlag unterbreitet, mit dem alle einverstanden waren. Sam und seine Mutter würden im Zimmer des Richters verhört werden, in Anwesenheit der Geschworenen, aber ohne die Angeklagten. Sam würde seinen Peinigern niemals wieder gegenübertreten müssen. Es genügte, wenn er sie auf Fotos identifizierte. Ted hatte allen klar gemacht, dass es für Sam geradezu traumatisch sei, den Männern im Gerichtssaal zu begegnen. Als Sam das

hörte, strahlte er übers ganze Gesicht, und Fernanda seufzte erleichtert.

»Du wirst die Richterin mögen, sie ist sehr nett«, sagte Ted zu Sam.

Tatsächlich war sie sehr herzlich, bot Sam während einer kurzen Verhandlungspause ein Glas Milch und Kekse an und zeigte ihm Fotos ihrer Enkelkinder, um ihn abzulenken.

Sams Befragung durch die Anklage dauerte den ganzen Vormittag, und als sie endlich fertig waren, führte Ted ihn und Fernanda zum Mittagessen aus. Am Nachmittag würde der Pflichtverteidiger der beiden Entführer mit Sam sprechen, und vielleicht behielte er sich das Recht vor, Sam jederzeit noch einmal vorzuladen. Sam hatte alles tapfer über sich ergehen lassen, was Ted im Grunde nicht überraschte.

Sie gingen in ein kleines italienisches Restaurant in der Nähe des Gerichts. Die Zeit reichte nicht, um sich weit zu entfernen, aber Ted hielt es für wichtig, dass die beiden zwischendurch einmal aus dem Gerichtsgebäude herauskamen. Sam und Fernanda saßen schweigend vor ihrer Pasta. Es war ein anstrengender Vormittag gewesen, der viele Erinnerungen geweckt hatte, und Fernanda machte sich nach wie vor Sorgen, wie sich die Vernehmung auf Sam auswirken würde.

»Es tut mir Leid, dass ihr beide das jetzt durchmachen müsst«, sagte Ted, während er die Rechnung zahlte. Fernanda bot an, die Hälfte zu übernehmen, aber Ted lehnte freundlich ab. Immer wieder musste er sie heimlich anschauen. In ihrem roten Kleid, den Schuhen mit den hohen Absätzen und dem dezenten Make-up sah Fernanda einfach umwerfend aus. Er fragte sich, ob sie sich mit Jack zusammengetan hatte oder ob es einen anderen Mann in ihrem Leben gab, aber er mochte sich nicht danach erkundigen. Er bemerkte, dass sie sich wesentlich besser fühlte als im Herbst. Der Tapetenwechsel und der neue Job taten ihr offensichtlich gut. Ted hatte selbst gerade einige Veränderungen vor sich. Er erzählte, dass er aus dem Polizeidienst ausscheiden würde.

»Warum?«, fragte Fernanda überrascht. Er war mit Leib und Seele Polizist, und sie wusste, wie sehr er seinen Job liebte.

»Mein früherer Partner Rick Holmquist will zusammen mit mir eine Firma gründen: private Ermittlungen und Personenschutz. Für mich ist das Neuland, aber Rick zieht das Ganze sehr professionell auf. Und er hat Recht: Nach dreißig Jahren bei der Polizei ist es wohl an der Zeit für etwas Neues.«

Fernanda war im Bilde, dass ihm nun eine gute Rente zustand. Er war also finanziell bestens versorgt. Und Ricks Geschäftsidee klang nach einer profitablen Sache.

Während der Verhandlungsfortsetzung am Nachmittag versuchte der Verteidiger, Sams Zeugenaussage auseinander zu nehmen, was ihm aber nicht gelang. Sam ließ sich nicht verunsichern oder in Widersprüche verwickeln und identifizierte beide Kidnapper eindeutig anhand der Fotos. Fernanda hatte die Männer nur in Skimasken gesehen, aber ihre Beschreibung des Tathergangs und der vier toten Männer in ihrer Küche tat bei den Geschworenen ihr Übriges. Am Ende des Verhandlungstages bedankte sich die Richterin bei den beiden und entließ sie aus dem Zeugenstand.

»Du warst fantastisch!« Als sie zu dritt das Gerichtsgebäude verließen, strahlte Ted Sam an. »Was macht dein Magen?«
»Dem gehts gut«, antwortete Sam und wirkte sehr zufrieden. Sogar die Richterin hatte ihn gelobt, weil er seine Sache so gut gemacht habe. Er war gerade erst sieben geworden, und Ted versicherte ihm, dass eine Zeugenaussage sogar für einen Erwachsenen hart sei.
»Lasst uns Eis essen gehen«, schlug Ted vor.
Die beiden willigten begeistert ein.
Ted fuhr Fernanda und Sam mit seinem Wagen hinterher zum Ghirardelli Square. Fernanda war regelrecht in Hochstimmung, und auch Sam hatte seinen Spaß. Er wollte einen großen Eisbecher mit Karamell- und Schokoladensauce. Für sich und Fernanda bestellte Ted zwei Fruchtcocktails.
»Ich fühle mich wie ein Kind bei einer Geburtstagsparty.« Fernanda kicherte.
Sie war unglaublich erleichtert, dass die Verhandlung vorbei war. Ted hielt es für unwahrscheinlich, dass Sam noch einmal vor Gericht erscheinen müsse. Was er zu Protokoll gegeben habe, sei für die Angeklagten vernichtend gewesen. Für Ted stand außer Frage, dass sie verurteilt würden. Er hatte Fernanda erzählt, dass sich Phillip Addison vor einem Bundesgericht verantworten müsse. Die Anklage lautete auf Anstiftung zu einem Kapitalverbrechen sowie auf weitere Vergehen wie Steuerhinterziehung, Geldwäsche und Drogenschmuggel. Er würde für lange Zeit ins Gefängnis kommen, und es war sehr unwahrscheinlich, dass Sam auch in dieser Verhandlung aussagen müsste. Ted wollte Rick vorschlagen, das Protokoll

von Sams Zeugenaussage zu verwenden, damit der Junge nicht erneut befragt werden musste. Rick war nicht sicher, ob das machbar war, aber er wollte es versuchen. Fernanda war froh, dass dieser Albtraum endlich hinter ihnen lag. Jetzt konnten sie wirklich anfangen, alles zu vergessen.

Sie hörte noch ein einziges Mal von der Sache. Es war einen Monat später, und sie hatte gerade in der Zeitung gelesen, dass Malcolm Stark und James Free zum Tode verurteilt worden waren, da rief Ted an. Es war genau ein Jahr her, dass er zum ersten Mal an ihrer Haustür geklingelt hatte, um sie wegen des Bombenattentats zu befragen. Phillip Addisons Prozess hatte noch nicht begonnen. Er saß in Untersuchungshaft, und seine Verteidiger versuchten alles, um die Verhandlung noch abzuwenden, was ihnen aber kaum gelingen würde.

»Hast du in der Zeitung von dem Urteil gelesen?«, erkundigte sich Ted, nachdem er ihr erzählt hatte, dass es mit der neuen Firma ausgezeichnet laufe.

Er klang, als gehe es ihm richtig gut. Eine Woche zuvor war er mit einer riesigen Abschiedsparty, die man ihm zu Ehren organisiert hatte, aus dem Polizeidienst ausgeschieden.

»Ja, habe ich«, erwiderte Fernanda. »Ich war immer gegen die Todesstrafe und habe stets die Meinung vertreten, dass niemand das Recht hat, einen anderen Menschen zu töten. Aber in diesem Fall bin ich mir nicht so sicher«, gestand sie Ted. »Es macht eben einen Unterschied, ob man selbst betroffen ist oder nicht.«

»Ja, das stimmt.«

»Du wolltest doch mal zum Essen kommen«, wechselte

sie plötzlich das Thema. Sie schuldete Ted eine Menge, und das Mindeste, was sie für ihn tun konnte, war, ihn zum Abendessen einzuladen. Außerdem wollte sie ihn gern einmal in aller Ruhe wiedersehen, in den vergangenen Monaten hatte er ihr furchtbar gefehlt.

»Genau deshalb rufe ich an. Ich wollte fragen, wann ich euch einen Besuch abstatten kann. Ich habe nämlich ein Geschenk für Sam.«

»Er wird sich sehr freuen, dich zu sehen.« Fernanda lächelte und schaute auf ihre Armbanduhr. Sie musste zur Arbeit. »Wie wärs morgen?«

»Gern.« Während er den Termin in seinen Kalender eintrug, strahlte er übers ganze Gesicht. »Um wie viel Uhr?«

»Um sieben?«

Ted passte das gut. Er verabschiedete sich und legte auf. Er saß in seinem neuen Büro, schaute nun aus dem Fenster und ließ seinen Gedanken freien Lauf. Es war kaum zu glauben, dass jene Ereignisse erst ein Jahr zurücklagen. Das war ihm auch kürzlich durch den Kopf gegangen, als er die Todesanzeige von Richter McIntyre las, der eines natürlichen Todes gestorben war.

»Was träumst du denn mit offenen Augen? Hast du nichts zu tun?«, rief Rick. Er hatte gerade an Teds Büro vorbeigehen wollen und war im Türrahmen stehen geblieben.

Ihre neue Firma lief gut. Es gab einen ziemlich großen Markt für die Dienstleistungen, die sie anboten. Ted hatte seinem ehemaligen Partner Jeff Stone erzählt, er habe noch nie so viel Spaß bei der Arbeit gehabt, es sei noch besser, als er erwartet habe. Außerdem gefiel es ihm, wieder mit Rick zusammenzuarbeiten. Gemeinsam eine Firma zu gründen, war eine fabelhafte Idee gewesen.

»Erzähl du mir nichts vom Herumtrödeln, Special Agent. Du hast gestern drei Stunden Mittagspause gemacht. Sollte das noch mal vorkommen, kürze ich dein Gehalt.« Rick lachte laut auf. Er war mit Peg aus gewesen. In ein paar Wochen wollten sie heiraten, und Ted würde ihr Trauzeuge sein. »Und glaub ja nicht, dass du bezahlten Urlaub kriegst, um auf Hochzeitsreise zu gehen. Wir haben hier eine Firma zu leiten. Wenn du unbedingt heiraten und nach Italien fahren musst, dann tu das gefälligst in deiner Freizeit.«

Rick marschierte grinsend in Teds Büro und setzte sich. Seit Jahren war er nicht so glücklich gewesen. Die Tätigkeit beim FBI hatte ihn am Ende nur noch genervt, und in seiner eigenen Firma arbeitete er nun wesentlich motivierter. »Worüber grübelst du nach?«, fragte Rick. Er konnte seinem Freund ansehen, dass ihn etwas beschäftigte.

»Ich bin morgen Abend bei den Barnes zum Essen eingeladen. In Sausalito. Sie sind umgezogen.«

»Das ist doch wunderbar. Steht es mir zu, dir ein paar indiskrete Fragen zu stellen, wie zum Beispiel, ob du ernste Absichten hast, Detective Lee?« Ricks Blick war wesentlich ernster als seine lockere Ausdrucksweise. Er kannte Teds Gefühle für Fernanda, wusste jedoch nicht, was sein Freund jetzt vorhatte.

Aber das wusste Ted selbst nicht. »Auf jeden Fall freue ich mich darauf, die Kinder zu sehen.«

»Falsche Antwort.« Rick runzelte die Stirn. Er war so glücklich verliebt, dass er wünschte, jeder andere wäre es auch. »Klingt für mich nach Verschwendung einer tollen Frau.«

»Das ist sie wirklich«, stimmte Ted ihm zu. »Aber sie ist garantiert mit jemandem zusammen. Bei der Gerichtsverhandlung sah sie einfach fantastisch aus.«
»Vielleicht hatte sie sich für dich so hübsch gemacht«, mutmaßte Rick, aber Ted lachte bitter.
»Du bist ja verrückt.«
»*Du* bist verrückt! Du treibst mich wirklich manchmal in den Wahnsinn. Eigentlich fast ununterbrochen.« Rick stand auf und schlenderte kopfschüttelnd aus Teds Büro. Sein alter Freund war einfach zu stur, als dass er ihn überzeugen könnte.
Den Rest des Nachmittags über arbeiteten beide in ihren Büros, Ted sogar bis spät in den Abend hinein – so wie immer.
Am nächsten Tag war Ted die meiste Zeit über nicht im Büro. Rick bekam ihn nur kurz zu Gesicht, dann machte sich Ted auf den Weg nach Sausalito. In einer Hand hielt er ein kleines Päckchen, das in Geschenkpapier gewickelt war.
»Was ist das?«, wollte Rick wissen, der gerade im Flur stand.
»Das geht dich nichts an«, erwiderte Ted aufgekratzt.
»Wie nett von dir.« Als Ted an ihm vorbei in Richtung Ausgang marschierte, konnte sich Rick ein Grinsen nicht verkneifen. »Viel Glück!«, rief er ihm hinterher, was Ted mit einem Lachen quittierte. Dann fiel die Tür hinter ihm ins Schloss. Rick verharrte noch einen Moment lang, blickte versonnen auf den Ausgang und hoffte, dass sich für Ted heute Abend alles zum Besten entwickeln würde. Er hatte es wirklich verdient – und es war längst überfällig.

23. Kapitel

Fernanda hatte eine Schürze umgebunden und stand in der Küche, da klingelte es an der Haustür. Sie bat Ashley zu öffnen. Ash war im letzten Jahr fast zehn Zentimeter gewachsen, und als sie jetzt vor Ted stand, sah er sie überrascht an. Mit ihren dreizehn Jahren wirkte sie nicht mehr wie ein Kind, sondern fast schon wie eine Frau. Sie trug einen kurzen Jeansrock, ein Paar von Fernandas Sandaletten und ein T-Shirt. Sie war wirklich ausgesprochen hübsch – genau wie ihre Mutter.

»Alles klar, Ashley?«, begrüßte Ted sie freundschaftlich, während er eintrat. Ashley nickte. Er mochte Fernandas Kinder. Sie waren sehr aufgeschlossen und immer freundlich. Man konnte erkennen, mit wie viel Liebe Fernanda sie großzog.

Während Ted ins Wohnzimmer ging, steckte Fernanda den Kopf aus der Küchentür, begrüßte ihn und bot ihm ein Glas Wein an. Aber Ted lehnte ab. Er trank nach wie vor selten Alkohol. Fernanda entschuldigte sich und verschwand wieder in der Küche, und Will schlenderte herein. Er freute sich sichtlich über den Besuch, herzlich schüttelte er Ted die Hand. Sie setzten sich und plauderten ein wenig. Sie redeten gerade über Teds neuen Job, da stürzte Sam ins Zimmer. Sobald er Ted sah, grinste er übers ganze Gesicht.

»Mom hat gesagt, du bringst mir ein Geschenk mit!«, rief er ganz aufgeregt.
In dem Moment kam Fernanda aus der Küche und ermahnte ihn. »Sam, das ist unhöflich!«
»Du hast es aber doch gesagt«, protestierte er.
»Ich weiß. Aber was, wenn Ted es sich anders überlegt oder das Geschenk vergessen hat? Du könntest ihn in Verlegenheit bringen.«
»Oh«, entfuhr es Sam betroffen, aber da reichte Ted ihm auch schon das Päckchen. Die kleine quadratische Schachtel wirkte auf Sam sehr geheimnisvoll. Strahlend nahm er sie entgegen. »Darf ich es aufmachen?«
»Nur zu.« Ted hatte ein schlechtes Gewissen, weil er den anderen nichts mitgebracht hatte, aber dieses besondere Geschenk bewahrte er schon seit der Verhandlung für Sam auf. Er hoffte, dass der Kleine die Bedeutung zu schätzen wusste.
Als Sam die Schachtel öffnete, erblickte er ein schmales Lederetui, das offensichtlich schon lange in Gebrauch war. Er klappte es auf – und schaute Ted mit großen Augen an. Es war der Originalstern, den Ted dreißig Jahre lang getragen hatte und in den seine Dienstnummer eingraviert war. Dieser Stern bedeutete ihm sehr viel, und Fernanda war genauso überrascht wie Sam.
»Ist das dein echter?« Sam sah ehrfürchtig zwischen Ted und dem Geschenk hin und her. Es fiel sofort auf, dass dieser Stern über lange Zeit getragen worden war. Ted hatte ihn extra poliert, und nun schimmerte er in der Hand des Jungen.
»Ja. Ich brauche ihn jetzt nicht mehr. Aber er ist für mich etwas ganz Besonderes, deshalb möchte ich, dass du ihn

für mich verwahrst. Du bist von nun an kein Hilfssheriff mehr, Sam Barnes, sondern ein richtiger Detective. Nach nur einem Dienstjahr ist das ein gewaltiger Karrieresprung.«

»Darf ich ihn anstecken?«

»Aber sicher.« Ted half ihm dabei, und Sam eilte zum Spiegel, um sich zu bewundern.

Fernanda lächelte Ted dankbar an. »Das ist unglaublich nett von dir«, sagte sie leise.

»Er hat ihn sich verdient.«

Fernanda nickte.

Sam stolzierte derweil mit dem Stern auf seiner Brust durch den Raum. »Ich bin Detective!«, verkündete er lautstark. Dann blickte er Ted plötzlich sehr ernst an. »Darf ich jetzt jemanden verhaften?«

»An deiner Stelle wäre ich damit ein bisschen vorsichtig«, warnte Ted ihn mit verschwörerischem Grinsen. »Die ganz schweren Jungs solltest du dir nicht allein vorknöpfen, sie könnten es dir nämlich sehr übel nehmen, wenn du sie verhaften willst.« Ted vermutete ganz richtig, dass Fernanda den Stern für Sam aufheben würde, zusammen mit Erinnerungsstücken wie der Armbanduhr seines Vaters und dessen Manschettenknöpfen. Aber er wusste, dass Sam den Stern von Zeit zu Zeit herausholen und sich ansehen wollte. Jeder Junge würde das tun, der ein solches Geschenk bekommen hatte.

»Ich werde all meine Freunde verhaften«, verkündete Sam stolz. »Kann ich ihn mit in die Schule nehmen und im Sachunterricht vorführen?« Er war vollkommen aus dem Häuschen, und Ted freute sich darüber, dass sein Präsent so gut ankam. Es war die richtige Entscheidung gewesen.

»Ich werde vorbeikommen und ihn mitbringen«, schlug Fernanda vor. »Und nach der Stunde nehme ich ihn wieder mit. Du willst doch schließlich nicht, dass er verloren geht oder beschädigt wird. Dies ist ein sehr kostbares und ganz besonderes Geschenk.«

»Ich weiß«, sagte Sam und wirkte plötzlich wieder sehr ehrfürchtig.

Wenige Minuten später setzten sie sich alle zum Essen an den Tisch. Fernanda hatte Roastbeef, Yorkshire-Pudding, Kartoffelpüree und verschiedene Gemüse zubereitet, und zum Nachtisch gab es Schokoladenkuchen mit Vanilleeis. Ted und die Kinder waren beeindruckt, wie viel Mühe sich Fernanda gegeben hatte, und allen schmeckte es ausgezeichnet. Nach dem Essen saßen Fernanda und Ted noch lange am Tisch und unterhielten sich. Die Kinder waren längst nach oben gegangen. Die Schulferien begannen erst in ein paar Wochen. Will hatte erzählt, dass in ein paar Tagen die Endrundenspiele begannen, und er musste bis dahin noch einiges für die Schule tun. Sam nahm den Stern mit in sein Zimmer, um ihn in Ruhe zu bewundern. Und Ashley huschte so schnell wie möglich wieder zum Telefon, um mit einigen Freundinnen zu schwatzen.

»So gut habe ich schon seit Ewigkeiten nicht mehr gegessen. Vielen Dank«, sagte Ted und verspürte nicht die geringste Lust, sich zu verabschieden. An den meisten Abenden ging er nach der Arbeit ins Fitnessstudio und kam erst kurz vor Mitternacht nach Hause. Dann aß er oft gar nichts mehr, und tagsüber nahm er lediglich irgendwo unterwegs eine Kleinigkeit zu sich. »Ich weiß gar nicht mehr, wann ich das letzte Mal ein selbst gemachtes Essen bekommen habe.« Shirley hatte nie gern am Herd gestanden, sondern die warmen Mahlzeiten fast immer aus dem Restaurant ihrer Eltern geholt.

»Kocht deine Frau nicht?«, fragte Fernanda überrascht. Erst jetzt fiel ihr auf, dass Ted keinen Ehering mehr trug. Sie war sicher, dass er das ein Jahr zuvor noch getan hatte.

»Nicht für mich jedenfalls«, antwortete Ted knapp, merkte dann aber, dass er das vielleicht erklären sollte. »Wir haben uns kurz nach Weihnachten getrennt. Das hat sich schon seit Jahren angebahnt, und wir hätten es eigentlich längst tun sollen. Trotzdem war es ein schwerer Schritt.« Das war jetzt fünf Monate her, und er war seitdem kein einziges Mal mit einer Frau ausgegangen. In gewisser Weise hatte er immer noch das Gefühl, mit Shirley verheiratet zu sein.

»Ist etwas passiert?« Fernanda sah ihn mitfühlend an. Sie wusste, wie wichtig ihm diese Ehe trotz der Schwierigkeiten gewesen war.

»Ja und nein. In der Woche vor Weihnachten sagte Shirley mir, sie würde über die Feiertage mit ein paar Freundinnen nach Europa reisen und käme erst nach Neujahr zurück. Sie verstand nicht, warum ich mich deshalb aufregte. Sie dachte, ich würde ihr das Vergnügen nicht gönnen, dabei wollte ich nur, dass sie mit mir und den Jungs Weihnachten feiert. Sie erklärte, das habe sie fast dreißig Jahre lang getan, und jetzt sei sie mal an der Reihe. Irgendwie ist da was dran. Sie arbeitet sehr hart und hatte das Geld für die Reise gespart. Ich freue mich, dass sie ihr Leben jetzt so genießt, aber mir wurde auch klar, dass uns nichts mehr verbindet. Früher war ich immer der Meinung, wir sollten trotzdem zusammenbleiben. Eine Scheidung kam für mich gar nicht infrage. Aber während sie fort war, habe ich noch einmal nachgedacht. Und nach ihrer Rückkehr sprach ich sie darauf an. Sie gestand mir, sie habe es auch schon lange überlegt, aber Angst gehabt, es mir zu sagen. Sie wollte meine Gefühle nicht verletzten, was ein armseliger Grund ist, eine Ehe aufrechtzuerhalten. Drei Wochen nach unserem Gespräch lernte sie jemanden kennen … Ich überließ ihr das Haus und nahm mir ein Apartment in der Stadt, nah am Büro. Ist eine ziemliche Umstellung, aber es geht schon. Jetzt wünschte ich allerdings, ich hätte diesen Schritt früher gemacht. Ich bin ein bisschen zu alt für Verabredungen.« Er war gerade achtundvierzig geworden. Fernanda wurde in diesem Sommer einundvierzig, und sie empfand es genauso.

»Was ist mit dir, bist du mit deinem Anwalt liiert?«

»Mit Jack?« Fernanda schüttelte lachend den Kopf. »Wie kommst du denn darauf?«

»Ich dachte, er hätte eine Menge für dich übrig«, antwortete Ted achselzuckend. Hatte er sich etwa geirrt? Normalerweise konnte er sich auf seine Beobachtungsgabe verlassen.

»Hat er auch – auf seine Art. Jack war der Meinung, ich solle ihn zum Wohle der Kinder heiraten, damit unser Unterhalt und ihre Ausbildung gesichert seien. Er hatte das einfach so beschlossen. Das Problem war nur, dass er vergessen hatte, mich zu fragen. Und ich war dummerweise anderer Meinung.«

»Aber warum?«, fragte Ted überrascht. Jack war ein gut aussehender, erfolgreicher Anwalt, und er hatte das Gefühl gehabt, dass Fernanda ihn sehr mochte.

»Ich liebe ihn nicht.« Sie lächelte Ted an. »Als meinen Anwalt habe ich ihn übrigens auch gefeuert.«

»Der Ärmste.« Als sich Ted die Szene vorstellte, konnte er sich ein Grinsen nicht verkneifen. »Was für ein Jammer. Er schien ein netter Kerl zu sein.«
»Dann heirate du ihn doch! Ich tu es jedenfalls nicht. Lieber bleibe ich bis an mein Lebensende allein.«
Ted war sich jetzt sicher, dass es keinen neuen Mann in Fernandas Leben gab, und er war sehr erleichtert. Er wusste nicht, was er als Nächstes sagen sollte, und glücklicherweise kam Fernanda ihm zuvor.
»Bist du schon geschieden? Oder habt ihr euch erst mal nur räumlich getrennt?« Sie wollte wissen, wie ernst es ihm damit war, Shirley zu verlassen.
»In sechs Wochen wird die Scheidung endgültig vollzogen«, sagte er, und Fernanda meinte, einen traurigen Unterton herauszuhören. Aber das Ende einer neunundzwanzigjährigen Ehe war ja auch eine traurige Sache.
Allmählich gewöhnte sich Ted an sein neues Leben – obwohl es für ihn eine enorme Veränderung bedeutete. »Vielleicht können wir irgendwann mal ins Kino gehen«, wagte er nun einen ersten Versuch, sich mit Fernanda zu verabreden.
Die lächelte. Nachdem sie Tage und Nächte miteinander verbracht und nebeneinander Hand in Hand auf dem Fußboden gehockt hatten, während das Sondereinsatzkommando ihren Sohn befreite, kam ihr der Vorschlag äußerst seltsam vor – und gleichzeitig sehr verlockend. »Gern. Wir haben dich vermisst«, sagte sie ganz offen. Fernanda konnte gar nicht zählen, wie oft sie sich in der letzten Zeit gewünscht hatte, dass er anriefe.
»Ich hatte Angst, ich sei für euch nur eine unangenehme

Erinnerung an die schrecklichen Ereignisse, deshalb habe ich mich nicht gemeldet.«

Fernanda schüttelte den Kopf. »Du bist keine unangenehme Erinnerung, Ted. Du warst das einzig Gute in dieser Zeit.« Sie lächelte ihn an, gerührt darüber, wie rücksichtsvoll er war. »Mit dem Stern hast du Sam eine Riesenfreude gemacht.«

»Das habe ich gehofft. Ursprünglich hatte ich vor, ihn einem meiner Söhne zu geben, aber dann fand ich, Sam sollte ihn bekommen. Er hat ihn verdient.«

Sie nickte. »Das hat er.« Sie dachte an die Zeit der Entführung zurück, an das, was sie sich damals gesagt hatten, und das, was unausgesprochen geblieben war. Sie hatten es beide erst nicht wahrhaben wollen, aber sie hatten von Anfang an gespürt, dass sie füreinander geschaffen waren. Lediglich Teds Loyalität gegenüber seiner Frau hatte verhindert, dass sie zueinander fanden. Und Fernanda hatte das respektiert. Aber das war jetzt Vergangenheit.

Sie sahen sich an, und das letzte Jahr schien plötzlich vergessen zu sein. Wortlos beugte sich Ted zu Fernanda hinüber und küsste sie. »Ich habe dich so vermisst«, flüsterte er.

Sie lächelte ihn glücklich an. »Ich dich auch. Ich war so traurig, weil du nicht angerufen hast. Ich dachte, du hättest uns längst vergessen.« Sie flüsterte ebenfalls, damit die Kinder sie nicht hörten.

»Keine Sekunde lang! Ich konnte ja nicht ahnen, dass du auf einen Anruf gewartet hast … Wie dumm von mir!«, sagte er und küsste sie noch einmal. Er konnte gar nicht genug von ihr bekommen und wünschte nun, er hätte nicht so lange gewartet. Monatelang hatte er sich nicht getraut, sich bei ihr zu melden, weil er dachte, er sei nicht gut genug für sie, nicht reich genug … Jetzt wurde ihm klar, dass er sie eigentlich besser hätte kennen müssen. Fernanda liebte ihn. Und dass er sie liebte, wusste er ja schon lange. Er spürte genau jenen Zauber der Liebe, von dem Jack offenbar nicht die geringste Ahnung hatte. Das hier war ein wirkliches Geschenk Gottes, eines, das all ihre Wunden zu heilen vermochte und von dem sie beide schon so lange geträumt hatten.

Sie saßen am Tisch, küssten sich wieder und wieder. Schließlich half Ted Fernanda, das Geschirr in die Küche zu bringen. Dort standen sie eng umschlungen, da hüpfte Sam plötzlich ins Zimmer und schrie: »Ihr seid verhaftet!« Er wirkte ziemlich überzeugend mit der unsichtbaren Waffe, die er auf sie gerichtet hielt. Erschrocken fuhren Ted und Fernanda auseinander.

»Weshalb denn?«, wandte sich Ted schmunzelnd Sam zu. Während er beinahe einen Herzinfarkt bekommen hatte, kicherte Fernanda verlegen wie ein ertappter Teenager.

»Weil du meine Mom geküsst hast!«, verkündete Sam mit breitem Grinsen und senkte seine Waffe.

»Gibt es ein Gesetz, das das verbietet?« Ted zog Sam in ihre Mitte, sodass sie sich zu dritt umarmten.

»Nein. Du kannst sie haben«, entgegnete Sam trocken und entwand sich der Umarmung, die ihm irgendwie peinlich war. »Ich glaube, sie kann dich gut leiden. Sie hat gesagt, dass sie dich vermisst. Und ich hab dich auch vermisst!«, rief er, während er davonschoss, um seiner Schwester die Neuigkeit zu überbringen, dass Ted ihre Mutter geküsst hatte.

»Damit wäre es dann wohl offiziell.« Ted legte glücklich

einen Arm um Fernanda. »Er hat gesagt, ich könne dich haben. Soll ich dich jetzt gleich mitnehmen oder später abholen?«

»Du könntest auch hierbleiben«, schlug sie errötend vor.

Der Gedanke schien ihm äußerst verlockend. »Du könntest mich leid werden.« Shirley war es so gegangen, und das hatte sein Selbstbewusstsein doch ein bisschen angekratzt. Es tat weh, wenn einen derjenige, der einem viel bedeutete, plötzlich nicht mehr liebte. Aber Fernanda war ein ganz anderer Typ. Rick hatte Recht gehabt, als er sagte, sie würde besser zu ihm passen, als Shirley es je getan hatte.

»Das wird nicht passieren«, erklärte sie leise. Sie hatte sich noch nie bei jemandem so wohl gefühlt wie bei Ted, das war ihr während dieser furchtbaren Wochen deutlich geworden. Sie hatten einander zweifellos auf eine ungewöhnliche Art kennen gelernt. Und damit ihre Beziehung unbelastet beginnen konnte, mussten sie all das erst hinter sich lassen.

Ted verabschiedete sich im Flur und versprach, Fernanda am nächsten Tag anzurufen. Sein Berufsalltag sah jetzt anders aus als früher. Er konnte abends jederzeit Feierabend machen und nach Hause gehen – bisher hatte ihm dazu nur der Grund gefehlt. Er wollte Fernanda gerade einen Gutenachtkuss geben, da kam Ashley die Treppe heruntergeschlendert und warf ihnen einen wissenden Blick zu, der alles andere als ablehnend war. Sie schien es in Ordnung zu finden, dass Ted ihre Mutter in den Armen hielt. Teds Erleichterung kannte keine Grenzen. Fernanda war die Frau, auf die er gewartet hatte. Und sie hatte die Familie, die ihm fehlte, seit seine Kinder aus dem Haus waren.

Er küsste sie ein letztes Mal und lief die Eingangstreppe hinunter zu seinem Auto. Er winkte ihr zu, und als er wegfuhr, schaute Fernanda ihm lächelnd nach.

Ted war noch nicht weit gekommen, da klingelte sein Handy. Er wünschte, es sei Fernanda, aber es war Rick.

»Und? Wie ist es gelaufen? Ich halte diese Ungewissheit nicht aus.«

»Das geht dich gar nichts an«, antwortete Ted grinsend. Er fühlte sich wie ein verliebter Schuljunge.

»Und ob es das tut«, beharrte Rick. »Ich will, dass du glücklich bist.«

»Bin ich.«

»Im Ernst?«, rief Rick freudig überrascht.

»Ja, im Ernst. Du hattest Recht. Mit allem.«

»Heiliger Strohsack! Ich fass es nicht. Gratuliere, alter Junge! Wurde auch verdammt Zeit.« Man konnte hören, wie sehr er sich für Ted freute.

»Ja«, sagte Ted, »das wurde es.« Mit diesen Worten legte er auf und fuhr lächelnd nach Hause.

Danielle Steel

Rendezvous

Roman

Aus heiterem Himmel wird die attraktive Paris Armstrong nach 24 Ehejahren von ihrem Mann verlassen. Ihre Freunde wollen sie auf andere Gedanken bringen und organisieren ihr in bester Absicht eine endlose Kette von Rendezvous. Paris macht widerwillig mit, lernt ehrenhafte Langweiler und untreue Lebemänner kennen, lässt sich sogar auf eine Affäre mit einem viel zu jungen, viel zu hübschen Franzosen ein – und erkennt schließlich, dass sie sich erst einmal um ihr eigenes Leben kümmern sollte. Tatsächlich: ein neues Haus, ein neuer Job, eine neue Aufgabe, und schon hat Paris das Gefühl, dass Männer das Überflüssigste auf der Welt sind!
Doch dann heiratet ihre älteste Tochter, und ausgerechnet Paris fängt den Brautstrauß auf …

Knaur Taschenbuch Verlag